VEUVES
Des taupes soviétiques
au cœur des services secrets
américains

William Corson,
Susan B. Trento et Joseph J. Trento

VEUVES
Des taupes soviétiques au cœur des services secrets américains

Traduit de l'américain
par Michel Ganstel

PIERRE BELFOND
216, boulevard Saint-Germain
75007 Paris

Ce livre a été publié sous le titre original
WIDOWS
par Crown Publishers, New York

Si vous souhaitez recevoir notre catalogue
et être tenu au courant de nos publications,
envoyez vos nom et adresse, en citant ce livre,
aux Éditions Pierre Belfond,
216, bd Saint-Germain, 75007 Paris.
Et, pour le Canada, à
Édipresse Inc., 945, avenue Beaumont,
Montréal, Québec, H3N 1W3

ISBN 2.7144 2361.2

A Robert T. Crowley,
« Membre du club », qui n'a jamais
oublié que franchise et honnêteté sont les
clés du renseignement, et qui a toujours
pour règle de vie que la sécurité nationale
est un objectif, pas un alibi.

REMERCIEMENTS

Nous avons écrit ce livre dans l'espoir de faire comprendre aux Occidentaux à quel point la tâche de ceux qui nous protègent des services secrets soviétiques est exigeante et difficile. Il arrive à certains de se laisser aveugler par son accomplissement, jusqu'à perdre de vue ce qui distingue notre société du système soviétique. Le pays entier court alors un grave danger, parce que la menace vient de l'intérieur.

L'essence du contre-espionnage transparaît dans ce livre, car c'est un métier où l'on ne parvient jamais à découvrir la vérité entière. On ne peut que s'efforcer d'en rassembler assez de fragments pour entrevoir ou deviner ce qui s'est réellement passé. Nous ne nous prétendons certes pas les premiers à nous en être rendu compte.

Nous avons procédé à plus de cinq cents interviews pour composer ce livre. Plusieurs de nos correspondants ont souhaité que nous ne fassions pas publiquement état de l'aide qu'ils nous ont apportée, désir que nous respectons volontiers. Ils savent que la reconnaissance des auteurs leur est acquise, comme elle va à tous ceux qui ont accepté d'être cités et dont certains ont bien voulu consacrer des journées entières à répondre à nos questions.

Nous remercions ici : Ilse Sigler, Ewa Shadrin, Richard Copaken, Leonard V. McCoy, William Branigan, Eugene Peterson, Paul Garbler, George Kisevalter, Edward Paisley, Clarence Baier, Donald Burton, William Tidwell, Philip Waggener, John Novak, Bruce Solie, William Lander,

Peter Kapusta, Noel E. Jones, Louis Martel, John Schaffstall, Donnel Drake, Carlos Zapata, James Wooten, Eleonore Orlova, George Orlov, Général Samuel V. Wilson, Mark Bowen, Colonel Donald B. Grimes, Général C.J. Le Van, Stanley K. Jeffers, Carl Bernstein, Bob Woodward, John T. Funkhouser, Capitaine Thomas et T.C. Dwyer, Jack et Peggy Leggat, Richard et Maria Odin, Ellie et Peter Sivess, Helen et Robert Kupperman, Jerry Edwards, Stanley et Janka Urynowicz, Darryl Du Bose, William E. Colby, Général Richard Stilwell, John Bross, Britt Snider, John Hall, Etta Jo Weisz, Nicolaine Weisz, Peter Stockton, Dale Young, Herb Kouts, Larry O'Donnell, Robert Maheu, Giselle Breuer Weisz, Suzanne Weisz, Sidney Diamond, Fred Duvall, Frank Steinert, Burton Weides, David S. Sullivan, Courtland J. Jones, Samuel Papich, Ambassadeur James E. Nolan Jr., Cornelius G. Sullivan, Robert T. Crowley, Capitaine William et Mary Louise Howe, Patrick et Katherine Lenahan, Dale et Mary Paisley, Victor Marchetti, Gladys Fishel, Richard et Mary Jo Bennett, Norman et Barbara Wilson, Colonel Gordon Thomas, Betty Myers, Leonard Masters, William Miller, Général Daniel Graham, Henry « Hank » Knoche, Clare Edward Petty, Paul O'Grady, William Brock, Ernest Meyers, Amiral Stansfield Turner, Amiral Thomas Moorer, William Mazzoco, Harold M. Kramer, Colonel Guy Kent Troy, Raymond Wannall, Walter Sedoff, John C. Mertz, Philip A. Parker, Vincente Rosado, John Taylor, Capitaine Rufus L. Taylor Jr., Martha Mautner, Ambassadeur Robert T. Hennemeyer, Elisaeietta Ritchie, Colonel H.A. Aplington, William G. Miller, William T. Bader, Sénateur Birch Bayh, Howard Leibengood, Dawn Mann, Michel Patu, Henry Shapiro, Egil Krogh, John Ehrlichman, Ken Ludden, David Thomas, Général Robert C. Richardson, Robin W. Winks, Laughlin A. Campbell, John Sherwood, Colonel Roger G. Charles, A. D. Llewelyn, Thomas Kimmel, Colonel

10

George Connell, Fred I. Edwards, Frank Lyons, Capitaine Albert Graham, Larry Patterson, J.Y. Smith, Alan Reed, Lothar Metcel, Bernard I. Weltman, Frank Sheraton, Lucy Breathett, John Picton, Douglas Wheeler, Thomas Hirschfeld, Thomas Koines, Colonel Richard M. Johnson, Tom Sippel, Sam McDowell, Leonard M. Brenner et E. Alex Costa.

Nous souhaitons aussi remercier Mary Lou Domres, qui nous a assistés dans nos recherches ; Linda Durdall, qui a transcrit les enregistrements de nos entretiens avec patience et dévouement ; Richard Sandza, pour son aide et ses conseils ; Jane Cushman, notre agent ; les remarquables collaborateurs de notre éditeur, Crown Publishers, et particulièrement James O'Shea Wade, Jane von Mehren et Katie Towson. Notre gratitude va enfin au Dr Robert Smialek, médecin légiste de l'Etat du Maryland, qui nous a communiqué les documents et photographies, précédemment interdits, utilisés pour l'identification de John Paisley.

Une dernière observation : la CIA et le FBI ont tous deux refusé leur coopération. Nous nous attendions à pareille réaction de la part de la CIA. Mais nous avons été surpris par la volte-face du FBI qui, après avoir promis de collaborer, a fini par rejeter nos demandes. Nous avons compris pourquoi en découvrant le comportement du Bureau dans les opérations *Kitty Hawk*, Herrmann et Sigler...

Citons, en conclusion, ces mots de Sam Papich, ancien officier de liaison entre le FBI et la CIA. Mieux que de longs discours, ils décrivent l'écueil sur lequel échouent tant de services de contre-espionnage : « Les Américains sont à peu près incapables de juger comme il faut les Soviétiques, surtout ceux des services de renseignement. Nous sommes trop peu, beaucoup trop peu nombreux à connaître, à comprendre leur histoire, leur langue, leur psychologie.

J'aurai beau développer devant un Russe ma conception de la liberté et de la justice, il restera branché sur une autre longueur d'onde. »

William Corson
Susan B. Trento
Joseph J. Trento
Washington, D.C.
Automne 1988

AVANT-PROPOS

L'affligeante vérité sur le comportement des services spéciaux américains face au KGB depuis le début de la guerre
froide reste enfouie dans le secret des archives. Si l'on veut
« faire du renseignement » avec efficacité, il ne suffit pas de
brandir un drapeau et de tenir de beaux discours sur le devoir
sacré d'endiguer le flot du marxisme. On ne peut pas espérer
obtenir de résultats sans expérience, sans compétence, sans
lucidité. Ce livre permettra au lecteur de juger si les responsables de nos services de renseignement et de contre-espionnage ont fait preuve de telles qualités dans trois affaires
particulièrement exemplaires.

Nous avons choisi de retracer les faits sur un plan humain,
en nous plaçant dans l'optique des agents eux-mêmes. Car, si
l'on veut avoir une vue d'ensemble du contre-espionnage et en
percevoir la nature, il faut d'abord connaître les acteurs et le
cadre historique dans lequel ils évoluent. Nous avons préféré
un point de vue personnel, subjectif, à une objectivité trop
aseptisée, afin de mieux faire comprendre au lecteur comment
s'exécutent des décisions susceptibles de livrer le pays à un
noyautage soviétique.

Ce livre s'efforce de traduire la réalité humaine et quotidienne des services « spéciaux », censés protéger les secrets de
l'Occident. Il relate l'histoire de luttes menées dans l'ombre
sur une longue période englobant la guerre froide, la Détente,
la guerre du Viêt-nam, le règne de la gérontocratie du Kremlin et de ceux qui, sous la bannière de la *perestroïka*, tiennent
aujourd'hui la barre d'une Union soviétique en proie à de
graves difficultés. Il cherche à faire comprendre comment les

deux grandes puissances tentent de concilier leurs cultures, leurs traditions respectives, et les défis d'un monde agité de remous économiques et politiques, sur lesquels elles ont de moins en moins prise.

En Union soviétique, la tradition de l'espionnage remonte à Pierre le Grand. Ses citoyens acceptent de sévères restrictions de leurs libertés individuelles pour prix de la défense des intérêts supérieurs de la collectivité. Les fonctions de renseignement et de contre-espionnage sont centralisées par un organisme unique, le KGB, qui constitue à la fois le glaive offensif et le bouclier défensif de l'Etat.

Une société « ouverte », ou libérale, comme celle des Etats-Unis, rejette la notion même d'une police secrète omnipotente, habilitée par le gouvernement à user de tous les moyens pour protéger les secrets de l'Etat. En dépit de quelques dérapages, la séparation des fonctions de collecte du renseignement — exercées par la CIA — et de protection — attribuées au FBI — est inscrite dans les lois et généralement respectée.

Les services soviétiques, KGB et GRU, ont fort bien su tirer parti de l'ouverture de la société et de l'indépendance des organismes américains d'espionnage et de contre-espionnage. Ce livre explique comment le KGB a profité des rivalités intestines de la bureaucratie américaine pour parvenir à ses fins.

De tels mécomptes sont dus à l'opposition fondamentale entre la manière dont les Etats-Unis et l'Union soviétique pratiquent le contre-espionnage et conçoivent son rôle. Pour le KGB, la patience est une vertu cardinale et, pour ainsi dire, statutaire. On y tient pour article de foi qu'une semence ne porte ses fruits qu'au bout d'années, voire de décennies, de soins attentifs. A la CIA comme au FBI, l'ambition personnelle, les luttes politiques internes, les fluctuations de la politique nationale créent une ambiance plus propice à la poursuite de gains immédiats qu'à la recherche d'investisse-

14

ments à long terme. Ainsi les Soviétiques ont-ils pu, durant trente ans et plus, conduire des opérations au cœur même de Washington. Pendant ce temps, les agents du FBI chargés de les surveiller se succédaient au hasard de mutations ou de nouvelles affectations. J. Edgar Hoover exigeait des arrestations, quand il aurait souvent été plus fructueux d'observer les opérations soviétiques afin de remonter les filières et de voir jusqu'où elles conduisaient. Aux Etats-Unis, il n'est ni glorieux ni profitable de passer son temps à attendre...

Au FBI, le contre-espionnage est considéré comme une voie de garage, sinon une sanction. La situation n'est guère meilleure à la CIA, où nul n'ambitionne de faire carrière dans cette activité jugée peu reluisante. En Union soviétique, au contraire, la défense de l'Etat prime tout et il n'existe pas de vocation plus exaltante que le contre-espionnage.

Le contre-espionnage est un métier complexe, exigeant de celui qui le pratique le souci du détail, l'esprit critique, parfois même l'intuition. Contrairement à d'autres jeux de l'esprit, puzzles ou mots croisés, la solution du problème ne se découvre jamais dans le journal du lendemain et offre rarement l'aspect d'un tableau bien ordonné. Et si le lecteur, en refermant ce livre, se sent frustré parce qu'il n'y aura pas découvert la solution du problème ou le dernier morceau du puzzle, il aura mieux compris dans quel état d'esprit est le spécialiste du contre-espionnage qui doit, en outre, faire face aux jalousies et aux antagonismes qui opposent de longue date le FBI et la CIA. Rappelons, pour mémoire, que J. Edgar Hoover avait volontairement démantelé, à la fin des années 40, ses propres réseaux d'agents en Amérique latine plutôt que de les voir passer au service de la CIA nouvellement fondée...

Trois hommes, venus d'horizons totalement différents, se sont retrouvés en première ligne de la guerre secrète que se livrent les Etats-Unis et l'Union soviétique. Trois hommes dont la disparition, selon la version officielle, serait due pour deux d'entre eux au suicide, alors que le dernier aurait été enlevé par le KGB : John Paisley, l'un des dirigeants de la CIA, évanoui de son voilier dans la baie de Chesapeake ; Nicholas Shadrin, brillant transfuge soviétique devenu agent double pour le FBI, volatilisé à Vienne par une nuit sans lune ; Ralph Sigler, sous-officier de carrière et agent double, « suicidé par électrocution » s'il faut en croire les services de l'armée. Le mystère de leur mort, jamais élucidé, avait été largement débattu par la presse et avait provoqué la consternation jusqu'aux plus hauts niveaux du gouvernement. Ces hommes ne laissent derrière eux que leurs veuves — et des questions sans réponses.

A l'aide de centaines d'interviews des responsables des opérations, nous nous sommes efforcés de retracer les liens qui existent entre chacun de ces cas et de révéler l'ampleur des dommages infligés aux services de renseignement.

Nous débutons par l'histoire de la première « taupe » ayant occupé à la CIA un poste de haute responsabilité, histoire si compromettante que les dossiers confidentiels en ont été expurgés : bras droit d'Allen Dulles, premier directeur général de l'Agence, James Kronthal était en réalité manipulé par le KGB. Nous suivrons ensuite l'irrésistible ascension et la troublante disparition de John Paisley. L'exemple de Nicolas Shadrin nous apprend comment le KGB a déstabilisé nos dispositifs de contre-espionnage. Le cas de Ralph Sigler, enfin, illustre de quelle manière les luttes intestines de la bureaucratie sont parvenues à tuer un homme.

A quoi bon « sortir » ces affaires ? demanderez-vous. Nous ne cherchons pas à jeter le discrédit sur des hommes honorables ayant commis des erreurs, encore moins à dénigrer gratuitement nos services de renseignement, qui ont d'éclatants succès à leur actif. Notre seul objectif est de faire mieux évaluer le coût humain de telles opérations.

L'espionnage permet de réaliser de substantielles économies. Les Soviétiques s'en sont efficacement servis pour compenser les insuffisances de leur système économique,

16

incapable depuis Lénine de financer l'effort de recherche, indispensable à qui veut conserver sa place dans la concurrence internationale. Ils ont ainsi gagné des milliards de dollars et rattrapé une grande partie de leur retard. Exagération ? Nullement. Il suffit, pour s'en convaincre, de se rappeler le cas de Christopher Boyce et d'Andrew Daulton Lee qui, dans les années 70, ont livré à l'URSS l'équivalent de plus de cinq milliards de dollars de recherche sur les satellites espions. Pareils exemples se dénombrent par dizaines. On comprend mieux, dès lors, pourquoi les Soviétiques — voire nos alliés, les Israéliens par exemple — s'efforcent de dérober nos secrets industriels et militaires.

Devant les bonnes intentions affichées par les nouveaux dirigeants du Kremlin, leurs projets d'ouverture et de réformes, beaucoup seront tentés de pousser un soupir de soulagement ; ils feraient bien de ne pas perdre de vue certaines réalités. S'il veut réussir, le régime devra tenir des promesses trop longtemps reniées, et donner à ses citoyens la liberté et une économie de consommation. Mais ce sera au prix d'une diminution des ressources affectées à la recherche. L'*establishment* militaire devra alors se procurer à l'Ouest, en proportions croissantes, les technologies dont il aura besoin, et fera de plus en plus appel à l'espionnage pour parvenir à ses fins. Nous étayons notre hypothèse par le rappel d'un exemple récent : en 1956, les changements survenus au sommet de l'Union soviétique avaient suscité à l'Ouest les mêmes réactions d'optimisme. Or, au lieu de la détente espérée, l'Amérique a connu au cours des années suivantes une recrudescence de la guerre froide — et subi de cuisants échecs, tels ceux relatés dans ces pages.

Quant à ceux qui croient que les propos énergiques et les libéralités budgétaires du gouvernement Reagan ont suffi à redresser la situation dans les services spéciaux, nous dirons ceci : le FBI est si bien dépourvu de « mémoire » que, lors de la brève « défection » de Youri Yourchenko en 1985, on a pris pour argent comptant ses prétendues révélations sur l'espion *Sacha*, au point qu'elles font aujourd'hui encore l'objet d'une enquête approfondie. Aucun des jeunes agents du FBI chargés de l'affaire ne savait, faute d'en avoir été informé ou d'avoir eu l'idée de se renseigner, que le Bureau avait enquêté sur ces « données récentes »... plus de vingt ans auparavant !

1

Le premier cadavre

Lavinia Thomas était femme de ménage chez James Speyer Kronthal. L'emploi lui plaisait, son employeur lui était sympathique et c'est d'un cœur léger qu'elle vint prendre son service le 1er avril 1953. Il était 8 h 30, heure à laquelle M. Kronthal buvait habituellement son jus de fruits en lisant le *Washington Post* avant de partir pour le Département d'Etat, où il occupait un poste important. Or, ce matin-là, le journal était toujours devant la porte de la maison de Georgetown.

Mme Thomas le ramassa, entra. Sur la console du vestibule, elle trouva des lettres prêtes à poster et un petit mot de son patron, l'avisant qu'il avait travaillé tard la veille au soir et souhaitait ne pas être dérangé. Mme Thomas ne s'en étonna pas, car cela s'était déjà produit quelquefois.

Une heure plus tard, un collègue téléphona. Mme Thomas expliqua que son patron dormait encore. Le correspondant lui demanda de le réveiller, car il s'agissait d'une affaire urgente. Mme Thomas l'ayant hélé sans succès du bas de l'escalier, l'autre insista pour que M. Kronthal le rappelât le plus vite possible et raccrocha.

Mme Thomas attendit encore un peu. Elle s'apprêtait à remplir sa mission quand elle entendit sonner à la porte. Passant outre à ses protestations, deux hommes entrèrent et, se présentant comme des collègues de M. Kronthal au Département d'Etat, déclarèrent qu'ils devaient l'emmener à une conférence de la plus haute importance et qu'ils allaient le réveiller eux-mêmes. Mme Thomas dut s'incliner et les guida jusqu'à la chambre de son patron.

Les visiteurs frappèrent. Faute de réponse, l'un d'eux tourna la poignée. La porte n'était pas verrouillée. Ils entrèrent et virent un homme étendu sur le lit, tout habillé. Mais James Speyer Kronthal ne dormait pas: il était mort. Suicide? Assassinat?...

Bouleversée, Mme Thomas ne put que répéter ensuite à ses amis et connaissances qu'elle ne comprenait pas comment une chose pareille avait pu arriver à un homme si gentil.

James Speyer Kronthal avait été une recrue idéale pour les nouveaux services spéciaux en cours de création aux Etats-Unis. Diplômé des deux établissements les plus prestigieux du pays — licence à Yale en 1934, doctorat à Harvard en 1941 —, il maîtrisait l'allemand, le français et l'italien. Il s'était distingué dans les rangs de l'OSS (Office of Strategic Services), précurseur de la CIA. En poste au bureau de Berne, que dirigeait Allen Dulles, il avait particulièrement retenu l'attention de son chef. Rapprochés par leur origine sociale, les deux hommes partageaient en politique internationale les mêmes opinions anti-isolationnistes.

La fin de la guerre sonna la dissolution de l'OSS, dont les membres se dispersèrent pour, le plus souvent, reprendre les rôles traditionnels que la naissance leur avait dévolus: droit, finance, études universitaires.

Moins de deux ans plus tard, l'Amérique allait éprouver d'amères désillusions sur l'URSS, son fidèle allié. Le premier coup lui fut porté par le vol de ses secrets atomiques. Puis, quand les services de renseignement de l'armée réussirent à décrypter le code soviétique *Venona*, on eut la preuve que l'alliance n'avait été qu'un marché de dupes et que les Soviétiques, loin d'être les meilleurs amis des Etats-Unis, étaient en réalité leurs ennemis les plus acharnés. En 1947, le Congrès se hâta de voter, et le Président Truman de ratifier, le *National Security Act* qui instituait la CIA. Le nouvel organisme recruta l'élite de l'ex-OSS, jeunes gens de la haute bourgeoisie pourvus de diplômes universitaires et d'expérience du renseignement. C'est ainsi que, le 21 avril 1947, James Speyer Kronthal devint le chef du bureau de Berne, l'une des sept premières antennes de la CIA à l'étranger.

A l'époque, les Soviétiques disposaient d'organismes parfaitement rodés et de réseaux efficaces, tandis que les services spéciaux américains étaient inexistants. Les Soviétiques s'attachaient donc à infiltrer les services britanniques, MI5 et MI6, ainsi que les services de renseignement des forces armées US, déployées dans toute l'Europe. La création de la CIA offrit alors aux Soviétiques la chance unique de pénétrer tous les échelons de ce nouveau service. Le NKVD, prédécesseur du KGB, s'empressa de constituer des dossiers sur les nouveaux collaborateurs de l'Agence, aux Etats-Unis comme à l'étranger, dans l'intention d'en recruter le plus possible. Certain que la CIA allait s'inspirer des structures de l'OSS, dont Berne formait l'un des principaux pivots en Europe, Lavrenti Beria, chef du NKVD, donna l'ordre d'enquêter en priorité sur le personnel affecté à ce bureau.

Déjà en possession d'une part considérable des archives nazies, le NKVD avait réussi à infiltrer les nouveaux services d'Allemagne fédérale, le BND. Ces sources, recoupées par d'anciens dossiers de l'OSS, révélèrent que Kronthal avait travaillé avec Allen Dulles à Berne, que les deux hommes étaient liés par l'amitié et le milieu social, donc que Kronthal disposait vraisemblablement de relations influentes.

Pendant ce temps, à Washington, les agents du NKVD se renseignaient sur les agents affectés à l'étranger par la CIA. Ils découvrirent alors que le FBI, chargé d'enquêter sur les nouveaux collaborateurs de l'Agence, se bornait le plus souvent à une simple enquête de moralité auprès des employeurs, des voisins et des proches. On était loin des normes rigoureuses en vigueur à Moscou !

Le NKVD éplucha avec infiniment plus de soin que le FBI le dossier de Kronthal, qui réserva des surprises. Ainsi, son second prénom de Speyer parut peu commun. Quand Moscou apprit qu'il le devait à Joseph Speyer, de la banque Speyer & Co., le personnage inspira un intérêt nettement plus vif.

Fondée à Francfort en 1837, installée à New York un an plus tard, la banque Speyer avait traité avec le tsar et, dans les années 30, occupait le même rang que des établissements aussi prestigieux que Morgan ou Kuhn & Loeb. A la naissance de son fils en 1913, Léon Kronthal lui avait donné le nom de son brillant associé Joseph Speyer, qui considéra par la suite le jeune James comme un membre de sa propre famille. Léon Kronthal qui, entre-temps, s'était brouillé avec Speyer, en était fort chagriné.

Grâce à Speyer, introduit dans les milieux les plus huppés et les cercles les plus fermés, le jeune Kronthal connut une jeunesse dorée. Il eut pour condisciple Nelson Rockefeller à la Lincoln School de New York, poursuivit à Yale des études d'histoire de l'art. Au vif déplaisir de Léon Kronthal, il entra ensuite dans la banque Speyer au lieu de seconder son père, qui avait fondé son propre établissement en 1934.

Speyer envoya James Kronthal en Allemagne où, de 1933 à 1939, il le chargea de la revente des œuvres d'art confisquées aux Juifs par les nazis. Ce fructueux négoce permit à Kronthal de faire la connaissance des principaux leaders nazis, tels que Goering, Goebbels et Himmler. Son séjour en Allemagne coïncida également avec l'épanouissement de ses tendances homosexuelles. Son goût pour les jeunes garçons n'échappa pas à la Gestapo, et il fallut l'intervention personnelle de Goering pour le tirer de ce mauvais pas. Mais les Allemands tiennent méticuleusement leurs archives et l'arrestation de Kronthal ne disparut pas pour autant de son dossier — que le NKVD examina avec le soin et l'intérêt qu'on imagine. Les Soviétiques apprirent ainsi que ses activités rémunératrices pour le compte de Speyer n'apaisaient pas les scrupules de Kronthal, qui souffrait de profiter de biens volés aux victimes des camps de la mort, au point qu'il décida de quitter la banque et de rentrer aux Etats-Unis afin de poursuivre à Harvard ses études d'histoire de l'art.

Engagé volontaire après Pearl Harbor, Kronthal fut affecté au service des transmissions, avant d'être muté à l'OSS en 1944. Son expérience en Allemagne avant la guerre le rendit précieux à Allen Dulles, chef du bureau de Berne, qui voyait en lui le subordonné idéal. Non seulement Kronthal avait de brillantes relations mais il était, en outre, « mouillé » dans des affaires troubles — au même titre que le propre frère d'Allen Dulles, le futur Secrétaire d'Etat John Foster Dulles, dont la famille avait elle aussi traité avec la République de Weimar et le régime nazi à ses débuts.

La défaite de l'Allemagne allait donner à Kronthal l'occasion d'apaiser ses scrupules, car il fut chargé… de la récupération des œuvres d'art pillées par les nazis ! Allen Dulles ayant pleinement confiance en lui et lui laissant la bride sur le cou, Kronthal pouvait mener sa vie privée à sa guise. Il se sentait trop libre dans l'Europe bouleversée par la guerre pour avoir envie de rentrer aux Etats-Unis et de réintégrer la banque, où son homosexualité aurait constitué un fardeau trop lourd à porter. Sa nomination en 1947 à la tête du bureau de la CIA à Berne, qui couvrait l'ensemble de l'Europe occidentale, comblait donc ses vœux.

Le NKVD en savait assez sur son compte pour poursuivre deux objectifs : « retourner » Kronthal à l'aide d'un chantage et, surtout, s'assurer qu'il gravirait les échelons hiérarchiques de la CIA. Car les renseignements qu'il pourrait communiquer à partir de Berne n'intéressaient pas Beria, qui avait senti dès le début que Kronthal était susceptible d'aller loin au sein de la CIA et, par conséquent, de se rendre beaucoup plus utile en devenant une *taupe* de haut niveau.

Le processus classique fut donc mis en place. Le NKVD lui fournit de jeunes garçons, filma secrètement ses ébats et le fit chanter. Afin de mieux le compromettre, on le força à transmettre à Moscou des renseignements sans valeur, dont le

NKVD disposait déjà par d'autres sources, mais qui faisaient de lui un traître. Ainsi livré pieds et poings liés à ses nouveaux maîtres, Kronthal ne pouvait plus faire marche arrière.

En mai 1952, Kronthal revint à Washington, où il fut chargé de participer à la réorganisation de la CIA. Il appréhendait ce retour au pays, car il souffrait de sa trahison et supportait de plus en plus mal les pressions psychologiques auxquelles le soumettait sa position d'agent double. Ses cinq ans d'irréprochables états de service en Suisse constituaient cependant la meilleure des recommandations pour la poursuite d'une brillante carrière au sein de l'Agence. A Moscou, le NKVD se félicitait d'avoir mis la main sur une mine d'or.

L'élection présidentielle de 1952 allait entraîner des changements à la CIA, dont Walter Bedell Smith devait quitter la direction pour raisons de santé. Le NKVD exigea de Kronthal les noms de ses successeurs probables, information capitale pour les Soviétiques au moment où la découverte de Burgess et McLean, leurs taupes dans les services britanniques, signifiait que les Américains tiendraient désormais les Anglais à l'écart de tout renseignement confidentiel. Le NKVD se voyait donc forcé d'intensifier sa connaissance et sa pénétration de la CIA, devenue son principal adversaire.

Kronthal fut d'abord incapable de fournir le renseignement demandé, pour la bonne raison qu'Eisenhower lui-même ne le savait pas encore. Après que plusieurs candidats pressentis eurent refusé le poste, Allen Dulles l'accepta. Pour Kronthal, ce fut un rude coup, car il savait que le NKVD ne lui laisserait plus de répit jusqu'à ce qu'il ait obtenu de son ancien chef un poste de premier plan, et particulièrement celui de chef des opérations clandestines, l'un des plus convoités. Dulles avait une telle confiance en Kronthal qu'il lui aurait accordé n'importe quoi. Mais Kronthal, paralysé par la terreur de se voir dénoncé à la fois comme un homosexuel et un traître, ne put se résoudre à lutter contre des collègues plus ambitieux qui briguaient le même poste, et il laissa passer sa chance.

La mort de Staline, le 2 mars 1953, allait brouiller les cartes. Lui-même menacé dans sa position, et luttant sur tous les fronts pour conserver sa mainmise sur le NKVD, Beria dut accroître la pression sur Kronthal, comme sur tous ses agents à l'étranger, afin de se procurer les munitions indispensables à sa propre survie. C'est dans ce contexte que, le 31 mars 1953, Dulles voulut savoir enfin quel poste attribuer à Kronthal, qui ne lui avait toujours rien demandé. Les deux hommes résidaient à deux rues l'un de l'autre. Dulles invita donc son ami chez lui pour un dîner de travail.

On ignorera toujours ce qu'ils se dirent au cours de cette soirée et Allen Dulles n'y fit jamais allusion devant quiconque. On sait seulement que Kronthal rentra chez lui peu avant minuit et qu'il écrivit deux lettres, l'une adressée à Allen Dulles, l'autre à Richard Helms, ainsi que le court billet demandant à sa femme de ménage de ne pas le déranger.

Kronthal n'étant pas à son bureau à 9 heures 30 le lendemain matin, un agent de la CIA téléphona pour demander à Mme Thomas de le réveiller. Un peu plus tard, deux agents de la sécurité interne de la CIA, Gould Cassal et McGregor Gray, se présentèrent à son domicile où ils découvrirent le cadavre de Kronthal. Un flacon vide gisait par terre, au chevet du lit. Conformément à la procédure habituelle, les deux agents prévinrent leur contact officieux à la police municipale de Washington.

Ce n'était pas la première fois que le lieutenant Lawrence Hartnett recevait un tel appel. Chargé de couvrir ce que la CIA souhaitait dissimuler à la police, il recevait, en échange de ses bons offices, des renseignements à faire pâlir d'envie ses collègues. Ses dossiers confidentiels sur les personnalités politiques rivalisaient avec ceux de J. Edgar Hoover et lui procuraient une inégalable garantie de l'emploi...

Hartnett se montra digne de sa réputation. Il déclara à la presse que, dans une note manuscrite, Kronthal avouait ne plus pouvoir supporter « le stress auquel le soumettait son travail ». Les lettres destinées à Richard Helms et Allen Dulles furent dûment remises à leurs destinataires, au lieu d'être saisies par la police. Officiellement cataloguée comme un suicide, l'affaire fut rapidement étouffée. L'autopsie fixa l'heure du décès à minuit environ, mais l'analyse chimique ne permit pas d'en déterminer la cause exacte, non plus que le contenu du flacon vide trouvé auprès du corps.

Kronthal avait cependant écrit à sa sœur Susan, à qui il se confessait de son homosexualité et parlait des « terribles problèmes » qu'elle lui posait. Déjà au courant des mœurs de son frère, Susan ne s'en étonna pas. Elle s'inquiéta bien davantage de lire qu'il ne travaillait pas au Département d'Etat mais, comme elle s'en doutait, à la CIA.

Susan était la première d'une longue série de parents à qui l'Agence allait opposer silence et mensonges. L'échec de ses nombreuses tentatives pour apprendre les circonstances de la mort de son frère lui fit comprendre qu'on lui dissimulait des faits dont elle estimait avoir le droit d'être informée. Mais ce dossier, estampillé « Secret » comme ceux des nombreuses autres victimes de la guerre froide, ne fut jamais communiqué à la famille. En fait, Kronthal était devenu aussi gênant et aussi dangereux pour les deux camps.

Alors, meurtre ou suicide ? Démasqué par la CIA, donc devenu inutile ou compromettant, Kronthal aurait pu être éliminé par les Soviétiques. Mais Dulles lui-même aurait aussi bien pu ordonner son exécution, dans le double dessein de régler le problème et de laisser entendre aux Soviétiques que leur taupe était neutralisée — l'arrivée rapide des agents de sécurité sur les lieux semble étayer cette hypothèse. Il est toutefois plus vraisemblable de supposer que Kronthal, ce soir-là, s'était confessé à Dulles et que ce dernier, inquiet de son absence au bureau le lendemain matin, avait dépêché ses hommes pour voir ce qui se passait.

Quoi qu'il en soit, les Soviétiques devaient d'urgence remplacer Kronthal. Staline disparu, le vent du changement

26

soufflait sur l'URSS et le NKVD avait plus que jamais besoin de s'introduire dans le seul service occidental présentant désormais une menace sérieuse, la CIA.

Le NKVD possédait déjà des milliers de dossiers sur des Américains susceptibles d'être recrutés, et dont beaucoup le furent en effet. Le KGB a méthodiquement poursuivi cet effort tenace, qui a porté ses fruits longtemps après la disparition de Lavrenti Beria. Le cas de James Speyer Kronthal n'en est que le premier exemple. Son dossier est enfoui au plus profond des archives de la CIA, son histoire n'est connue que d'une poignée d'hommes. Mais elle reste exemplaire, parce qu'elle permet de comprendre les méthodes appliquées par les Soviétiques. Elle n'a cessé de hanter tous ceux qui, depuis Allen Dulles, se sont succédé à la tête de la CIA. John McCone, l'amiral Raborn, Richard Helms, James Schlesinger, William Colby, George Bush, l'amiral Turner, William Casey, William Webster ont eu, et auront longtemps encore, un souci prioritaire : empêcher le KGB de s'introduire jusqu'au cœur de la CIA.

PAISLEY

2

Le remplaçant ?

John Arthur Paisley n'avait rien en commun avec James Speyer Kronthal. Il était né pauvre, l'autre dans l'opulence. Il avait servi dans la marine marchande, et non dans un corps d'élite tel que l'OSS. Son diplôme de l'université de Chicago ne lui conférait pas le prestige de Yale ou de Harvard. Pour la CIA, il possédait néanmoins deux qualités essentielles : d'exceptionnelles dispositions pour l'électronique et un vif intérêt pour l'Union soviétique.

Ceux qui l'avaient engagé à la CIA semblent ne s'être jamais inquiétés de ce dernier point, pourtant difficilement explicable. Mais le secret de l'affaire Kronthal était si bien gardé que les recruteurs ignoraient qu'ils devaient se méfier de son remplacement par une nouvelle taupe, et modifier en conséquence leurs méthodes d'enquête préliminaire.

Les anciens collègues de Paisley se souviennent d'un homme aimable à l'allure de professeur distrait, supérieurement intelligent, doué d'une mémoire prodigieuse et à qui, dans les cas graves, ses supérieurs faisaient appel en dernier recours. Comme beaucoup de membres de la CIA recrutés vers la fin des années 40 et le début des années 50, Paisley penchait en politique vers la gauche modérée et abhorrait l'injustice. Il affichait autant de dédain envers la « mystique de l'agent secret » que envers la « mentalité de cow-boy », qui prévalait dans certains services. Selon Donald Burton, un de ses anciens subordonnés, il jugeait les opérations clandestines « parfaitement ridicules ».

En septembre 1978, peu avant sa disparition, Paisley avait reçu les formulaires d'une des enquêtes de sécurité auxquelles il était normalement soumis. Cette fois, la deuxième seulement depuis son entrée à l'Agence, il devait aussi passer un examen au polygraphe, ou détecteur de mensonges. S'il avait eu le temps de remplir les questionnaires, on en aurait peut-être appris davantage sur son profil psychologique, ses antécédents et ses motivations.

Né le 25 août 1923 à Sand Springs, Oklahoma, fils de Joseph Paisley et de Clara Stone, John Arthur Paisley avait une sœur aînée, Katherine, et un frère cadet, Dale.

Elevé dans un orphelinat catholique puis au séminaire, Joseph Paisley s'était consacré à un autre apostolat : monteur en charpente métallique, il avait embrassé avec passion la cause du syndicalisme. Mais la défense des droits des travailleurs et son goût des boissons fortes se conciliaient mal avec les impératifs de la vie de famille. Lasse de l'alcoolisme de son mari et des innombrables séjours en prison que lui valaient ses activités subversives (il avait été arrêté une fois pour avoir manifesté en faveur d'une réforme aussi révolutionnaire que la semaine de soixante heures !), Clara le quitta en 1925 et retourna chez ses parents, qui possédaient une petite ferme dans l'Arkansas. Les jeunes Paisley y passèrent quatre ans, entre une mère débordée, une grand-mère acariâtre et un grand-père sévère mais bon, substitut du père absent. La santé délicate de Dale, le plus jeune, allait cependant forcer la famille à s'installer en 1930 à Phoenix, alors petite ville assoupie de l'Arizona, où leurs conditions de vie étaient si précaires qu'Arthur Stone, le grand-père, dut se faire jardinier pour nourrir la famille, tandis que Clara reprenait son ancien métier d'infirmière.

Marqué par la désertion de son père, John avait fait de lui une sorte de figure mythique, à qui il vouait une adoration qui ne s'estompa jamais tout à fait. A l'âge de neuf ans, il acquit la passion de la radio et de l'électricité qui n'allait plus le quitter. Tandis que ses camarades jouaient au ballon, il passait ses heures de loisir dans la boutique d'un marchand de radios qui l'initia aux mystères de la TSF. Le premier poste à galène qu'il confectionna de ses mains lui offrit le moyen de s'évader de l'austérité et des privations de sa vie familiale.

A l'école, curieux de tout, doué pour les maths et aimant la lecture, il était très bon élève. Mais la vie des adolescents n'était guère souriante au foyer de grands-parents pour qui le cinéma, la danse ou les cartes étaient des péchés mortels. L'argent était si rare que John et son jeune frère Dale n'avaient chacun qu'une seule paire de chaussures et devaient souvent aller nu-pieds. Selon Katherine Paisley, la fin des années 30 ne leur offrait aucune perspective d'avenir : « Quand on avait quinze ans comme nous à cette époque-là, on était tous plus ou moins communistes. Nous n'avions rien à attendre de la vie, pas d'éducation, pas de travail... Si la guerre n'avait pas éclaté, il y aurait eu la révolution. »

Le début de la guerre dispersa les jeunes Paisley. Katherine alla vivre chez un oncle et une tante en Californie. Dale se maria. Quant à John, après avoir obtenu son diplôme d'études secondaires en 1941, il s'enrôla à l'école de la marine marchande de Boston, d'où il sortit neuf mois plus tard avec un brevet d'opérateur radio et le grade d'enseigne. Pour la première fois de sa vie, il voyait s'ouvrir devant lui l'occasion d'explorer le vaste monde, dont il n'avait encore entendu que les lointains échos sur son poste à ondes courtes.

Après quelques livraisons de matériel de guerre dans les ports du golfe du Mexique et des Caraïbes, ses traversées devinrent plus longues et s'entourèrent de plus de mystère : en 1943, Paisley naviguait sur des *Liberty Ships* qui approvisionnaient les alliés, Grande-Bretagne et Union soviétique.

Aucun membre de sa famille ne s'explique l'intérêt que John Paisley manifesta dès lors pour la langue russe, ni pourquoi il décida de consacrer sa carrière à l'étude de l'Union soviétique. Ses états de service de l'époque fournissent des éléments de réponse : Paisley s'est rendu au moins deux fois à Mourmansk, où il eut son premier contact avec ce monde inconnu, dont il deviendra plus tard l'expert de la CIA le plus qualifié, et où il fut témoin du gigantesque effort du peuple russe dans sa lutte contre l'ennemi. Il est d'autant plus étrange que, dans sa demande d'emploi à la CIA, Paisley ait déclaré ne s'être jamais rendu en Union soviétique...

Jusqu'après la guerre, Paisley avait son port d'attache à New York. Il chercha à satisfaire son insatiable appétit de lecture en devenant une sorte d'auditeur libre à l'université de Columbia. Plusieurs professeurs s'intéressèrent à ce jeune homme avide de s'instruire et lui préparèrent des listes de livres, que Paisley absorba consciencieusement pendant ses longs voyages en mer — les détours que devaient faire les convois pour éviter les sous-marins allemands pouvaient doubler ou tripler la durée des traversées.

On ignore pourquoi Paisley avait choisi Columbia. On sait que certains professeurs, férus d'idéologie, initiaient leurs étudiants aux beautés du « paradis soviétique ». On sait aussi que nombre de leurs confrères y recrutaient pour le compte des services spéciaux américains.

Dès avant la fin de la guerre, Paisley maîtrisait les rudiments de la langue russe. La guerre avait transformé l'adolescent monté en graine et timide avec les femmes en un homme taciturne mais sûr de lui. En 1946, il regagna l'Arizona où il devint durant deux mois opérateur-radio de la police routière. Jugeant cependant que la marine marchande payait mieux, il se fit engager pour l'été par l'Alaskan Steamship Company avant de s'inscrire à l'université de l'Oregon en septembre 1946. Mais ce nouvel essai d'éducation supérieure allait tourner court: naguère encore inhibé par sa timidité avec les femmes, il était tombé dans l'excès contraire! Surpris dans sa chambre avec une belle blonde, il se fit renvoyer de l'université en mai 1947.

L'incident le décida à mettre ses études entre parenthèses, et Paisley reprit la mer. A l'automne 1948, il se fit engager comme opérateur radio par le Secrétariat général des Nations Unies à Lake Success, New York, et partit cet hiver-là pour la Palestine avec la mission de bons offices du comte Bernadotte. Ses fonctions allaient également l'emmener en Irak, en Egypte, au Liban, en Syrie et en Jordanie. A cette époque, le KGB et le Mossad israélien opéraient et recrutaient dans tout le Moyen-Orient dont la CIA, à peine fondée, était absente. Les agents soviétiques se faisaient souvent passer pour des Israéliens, afin de recruter les sympathisants du sionisme.

De retour à New York, Paisley participa à la mise en place des installations de transmission des Nations Unies. C'est à cette époque qu'un de ses amis lui présenta Maryann McLeavy, ravissante brune dont il tomba aussitôt amoureux et qu'il épousa le 23 mars 1949.

John Paisley décida qu'il devait terminer ses études. Il choisit l'université de Chicago, l'une des rares prenant en compte les connaissances pratiques des anciens combattants aux études interrompues par la guerre, et s'y inscrivit pour un cours de trois ans débouchant sur un doctorat. Le jeune ménage connut des moments difficiles. Paisley exerçait des petits métiers pendant l'année scolaire, naviguait l'été pour payer ses études. Maryann avait trouvé un emploi de secrétaire dans les bureaux du recteur de l'université. C'est alors que survint le premier d'un des nombreux nuages qui allaient peu à peu assombrir leurs rapports.

Bien notée par le recteur, qui l'encourageait à suivre des cours de perfectionnement, Maryann obtint une bourse d'études pour son mari. John n'aurait ainsi plus besoin de ses petits métiers et, surtout, de la quitter tous les étés pour naviguer. Mais quand elle lui donna les formulaires à remplir, il refusa catégoriquement, sous prétexte qu'il n'acceptait pas la charité. Pareille attitude lui parut inexplicable : « John n'est content que lorsqu'il a des problèmes d'argent ! » s'écriait-elle parfois.

Leonard Masters, ami et condisciple de Paisley, propose

une explication à cette attitude. Les deux hommes s'étaient rencontrés au cours de relations internationales. Ils avaient tous deux servi dans la marine, Paisley comme radio, Masters comme officier mécanicien, et ils habitaient le même immeuble. Masters connaissait les difficultés financières de Paisley et lui prêtait de l'argent. Selon Masters, Paisley avait les opinions politiques typiques des intellectuels de l'époque, « idéalistes, gauchisants, sans notions de la réalité. John avait vécu dans la pauvreté, il savait ce que c'était que de travailler pour gagner sa vie, mais il n'avait aucun respect pour l'argent. Il pouvait claquer vingt dollars pour boire avec des amis tout en sachant qu'il avait des dettes partout ».

Pendant ce temps, Paisley continuait à naviguer et se rendit ainsi dans plusieurs pays communistes, notamment la Yougoslavie après la rupture entre Tito et Staline, où il rencontra des marins soviétiques. Le témoignage de son ami Masters confirme que Paisley s'intéressait à l'URSS bien avant son inscription à l'université de Chicago et ne s'en cachait pas.

La carrière de Paisley dans la marine marchande aurait dû alerter la CIA lors de son engagement. Selon un ancien de la CIA, Robert Crowley, le KGB et le GRU recrutaient en priorité, à cette époque, des officiers radio tels que Paisley. Il était, par ailleurs, de notoriété publique que les syndicats de marins étaient contrôlés par le Komintern ou, tel celui de la côte Ouest des Etats-Unis, infiltrés par des agents soviétiques. Pourtant, si l'on croit Masters, Paisley se tenait à l'écart de toute activité politique, et mettait même une certaine ostentation à préserver sa neutralité.

En 1953, les deux amis se rendirent à Washington en quête d'un emploi. Mais tandis que Masters se présentait à plusieurs administrations, Paisley n'avait qu'un seul rendez-vous. « Nous sommes allés tous les deux à la CIA, mais séparément. Pour ma part, il ne s'agissait encore que de sonder des employeurs éventuels, alors que John était sans doute déjà recruté puisqu'il a été engagé sur-le-champ. » Tout porte à croire que Paisley avait été recruté par Richard Innes, un de ses professeurs, dont les cours d'histoire de la Russie se prolongeaient par des discussions passionnées.

Engagé le 16 décembre 1953, il fut affecté par William Tidwell au tout nouveau service Electronique et communications qui, à ce stade de développement de l'Agence, avait un pressant besoin de son expérience pratique dans ce domaine. Paisley n'avait pourtant pas encore son doctorat, dont il n'obtiendrait le titre qu'en 1963 après sa soutenance de thèse sur l'industrie électronique en Union soviétique.

Lors de son engagement, il passa le seul examen au polygraphe de sa carrière à la CIA. Sur sa demande d'emploi, il avait déclaré ne s'être jamais rendu dans un pays communiste. Pourtant, ainsi que se le rappelle Clarence Baier, un de ses collègues, Paisley « ne faisait pas mystère de ses voyages en Union soviétique pendant la guerre... Tous ceux qui le connaissaient étaient au courant. »

Au début des années 50, il régnait à la CIA une activité fébrile, comparable à celle de la NASA à l'époque de la « course à la Lune ». Les effets combinés du procès Rosenberg, du maccarthysme, de la guerre froide et de la guerre de Corée, répandaient sur la jeune Agence le pactole budgétaire. La CIA était alors installée dans des baraquements « provisoires » de Constitution Avenue, à l'emplacement où serait plus tard érigé le monument aux morts de la guerre du Viêt-nam. Paisley se distingua très vite par ses remarquables capacités à déterminer l'état des connaissances soviétiques en électronique. Selon plusieurs collègues, il découvrait des réponses là où d'autres avaient vainement étudié les mêmes données pendant des mois. Il était capable d'absorber avec aisance les sources de renseignement les plus obscures et d'en tirer des informations claires et utilisables quand rien, dans son éducation ou son expérience, ne semblait l'y prédisposer.

Sa réussite professionnelle l'entraînait souvent à l'étranger et Maryann supportait de plus en plus mal les absences de son mari. Edward, leur fils aîné, naquit en 1956, leur fille Diane deux ans plus tard. En cas d'urgence, on ne pouvait joindre Paisley qu'en téléphonant... à Paris. Maryann se plaignait souvent à sa belle-sœur Katherine d'être « toujours seule pour élever les enfants ».

En 1955, William Tidwell « prêta » Paisley à la NSA (National Security Agency), à qui il n'était pas fâché de montrer que la CIA disposait de personnel largement aussi qualifié que le sien. Paisley s'entendit si bien avec ses homologues de la NSA qu'il fut bientôt considéré comme « faisant partie de la maison ». Sa mission à la NSA coïncida avec l'exploitation des données reçues du « tunnel de Berlin » — écoute électronique installée sous une rue de Berlin-Est dans un tunnel creusé à partir de Berlin-Ouest par William Harvey. Assisté d'une équipe d'experts des services britanniques, Harvey avait réussi à se brancher sur les lignes utilisées par les forces du Pacte de Varsovie pour leurs communications militaires. Tour de force technique malheureusement inutile : à l'insu de la CIA, les Soviétiques en avaient été informés depuis le début par George Blake, un de leurs agents britanniques ayant participé à toute l'opération. Paisley se couvrit néanmoins de gloire en décryptant les données collectées dans le tunnel et fut promu deux fois pendant ses deux ans de service à la NSA. Grâce à lui, la CIA acquit des connaissances précieuses sur les modes de communication des armées du Pacte de Varsovie — seule contribution valable du fameux tunnel aux services occidentaux.

Paisley se trouva ensuite chargé de lutter, non contre l'espionnage industriel des Soviétiques, mais contre leurs achats. En liaison avec le bureau de contrôle des exportations au Département du Commerce, la CIA dut mettre au point des moyens inédits pour empêcher les Soviétiques d'acquérir ouvertement les produits stratégiques et les technologies dont ils avaient besoin. Paisley devint ainsi l'un des pionniers dans ce domaine, encore nouveau pour les services américains.

Selon ses fiches de déplacements, Paisley fit à cette époque, généralement sous couvert du Département d'Etat qui lui procurait faux passeports et fausses identités, de fréquents et longs séjours dans les pays de l'Est, où il avait pour mission de découvrir l'origine et l'aboutissement de ces détournements de technologies. Son expertise permit à la CIA de dresser un tableau fidèle des besoins soviétiques. Non content de dépister les filières au cours de « conférences commerciales » plus ou moins clandestines, Paisley en profitait pour glisser à ses « clients » de faux renseignements.

Mais si Paisley accumulait les réussites dans sa vie professionnelle, il était loin d'en être de même dans sa vie familiale. Pour lui, la semaine de quarante heures s'était vite transformée en semaine de cinquante puis de soixante heures, sans compter ses voyages à l'étranger, de plus en plus longs et de plus en plus nombreux. Les besoins et l'éducation de ses enfants ne le détournaient pas de son travail. Selon sa femme, il était devenu, au moment de l'élection du Président Kennedy, un véritable « drogué du travail ». Son assiduité se révélait cependant payante : si la plupart des collaborateurs de la CIA se targuaient de diplômes prestigieux, rares étaient ceux qui progressaient aussi vite que lui dans la hiérarchie.

Car Paisley appartenait désormais au « gratin » de la CIA. Sa promotion au Service des recherches et rapports, tel qu'on l'appelait alors, intervint en 1961 avec une rapidité inhabituelle. Pionnier des techniques nouvelles, sachant combiner avec virtuosité les données transmises par les satellites espions et les écoutes électroniques aux informations des agents de terrain, Paisley produisait « en trois dimensions » des tableaux inédits et surprenants de l'ensemble de la société soviétique. De son nouveau poste d'observation, il allait maintenant découvrir ce qu'il ignorait encore du côté américain, y compris les secrets le plus jalousement gardés pour lesquels il lui fallait le feu vert du Commissariat à l'énergie atomique. Or, ce fut J. Edgar Hoover lui-même qui se chargea de lui obtenir auprès du Commissariat, sans délai ni formalités, la « décharge de sécurité de classe Q », la plus élevée.

Ses fonctions amenaient aussi Paisley à interroger les transfuges d'Union soviétique et d'autres pays de l'Est. Parmi les plus connus, nous relevons les noms de Nikolaï Artamonov (Nicholas Shadrin), Anatoli Golitsine et Youri Nosenko.

Dès le début des années 60, il était évident que Paisley irait loin. Désormais rattaché au Service de recherche stratégique (Office of Strategic Research), il était considéré comme l'un des plus jeunes chefs de section de l'histoire de l'Agence. Usant de toutes les sources de renseignement à la disposition de la CIA — agents, satellites, écoutes, etc. —, il avait mis au point des méthodes inédites permettant d'estimer avec précision le montant et la répartition des dépenses militaires soviétiques.

Son avancement ne lui montait pas à la tête. Tant pour ses supérieurs que ses subordonnés, il était plus un ami qu'un employé ou un chef. Don Burton résume ainsi ses souvenirs sur son ancien patron : « Physiquement, il n'était pas beau. Il se tenait mal, ses traits n'étaient pas harmonieux et, pourtant, les gens l'aimaient... Il savait parler aux femmes et les écouter... Il avait de bons rapports avec tout le monde. »

Vers la fin des années 60, la section soviétique de la CIA disposait enfin d'une série d'« honorables correspondants » à des postes clés de la défense soviétique. La précarité de ces sources et l'exceptionnelle qualité des renseignements obtenus leur conféraient un caractère hautement confidentiel. De tels renseignements procurent un pouvoir absolu à ceux qui y ont accès — et qui doivent rester rares, car une divulgation anarchique entraîne souvent mort d'homme. Tel fut le cas pour deux agents haut placés dans la hiérarchie soviétique, Penkovsky et Popov : démasqués, ils furent exécutés.

Contrairement à toutes les règles, Paisley voulait toujours connaître les sources et s'arrangeait pour les obtenir. Intelligent, expérimenté, il déduisait du type de renseignement le

40

nom de l'agent qui y avait accès en URSS. Il se rendait alors à la NSA où, grâce aux excellentes relations qu'il y avait conservées, il se faisait communiquer le texte brut des rapports, généralement transmis par satellite, captés par les installations de la NSA. Paisley reconstituait ainsi pour sa gouverne une grande partie du réseau des agents américains dans les organismes gouvernementaux soviétiques. Mais sa curiosité et son mépris des règles commençaient à paraître suspects à certains, qui s'interrogeaient sur ses mobiles.

La carrière de Paisley à la CIA ne cessa de s'épanouir jusqu'à l'investiture de Richard Nixon à la Maison Blanche, en janvier 1969. Depuis sa création, la CIA avait la réputation de renseigner le gouvernement avec indépendance et objectivité. Avec Bruce Clarke et Edward Proctor, ses chefs du Service de recherche stratégique, Paisley s'enorgueillissait de ce que la CIA s'en tînt à son rôle d'information, sans se mêler d'infléchir ou d'influencer les décisions politiques. « C'est exactement pour cela que la CIA avait été fondée, explique Don Burton. L'armée, la marine, l'aviation, le Département d'Etat participent au processus politique et n'ont donc pas à se soucier de fournir des renseignements véridiques. Pour la CIA, c'était différent dès le début. Nous n'avions pas de politique à soutenir ou à favoriser. "La vérité, rien que la vérité", telle est l'image que nous voulions donner de la CIA, et que nous avions de nous-mêmes comme de ce que nous faisions. »

A mesure que le Pentagone surestimait la puissance militaire soviétique afin d'obtenir des rallonges budgétaires, l'image de l'Agence se détériorait. Les groupes de pression industriels et politiques critiquaient ouvertement l'« aveuglement » de la CIA sur l'estimation des budgets soviétiques de défense, les conservateurs l'accusaient d'être un « repaire de gauchistes ». Dans le même temps, les services de renseignement de l'armée recevaient l'ordre de gonfler leurs chiffres afin de soutenir la politique de défense de la nouvelle administration. Kissinger fit pression sur le Service de recherche stratégique pour qu'il « ajustât » le résultat de ses études aux besoins de sa politique.

C'est alors que Paisley se trouva chargé de superviser les renseignements à transmettre aux Soviétiques dans le cadre d'une opération de désinformation baptisée *Kitty Hawk*. Ses ordres se bornaient à dire qu'il devait fournir au FBI, par l'intermédiaire d'un des employés du service, John Funkhouser, des informations d'ordre naval.

Ancien architecte naval, chef de section chargé de la marine soviétique, Funkhouser participait à l'opération depuis 1966. Paisley, qui en ignorait encore tout, découvrit avec surprise que c'était un responsable de la sécurité intérieure, Bruce Solie, qui la dirigeait au nom de la CIA. Paisley allait ensuite apprendre que Funkhouser transmettait les renseignements aux Soviétiques par le canal d'un transfuge « débriefé » par Paisley lui-même en 1959, Nicolaï Fédorovitch Artamonov, qui se faisait appeler Nicolas, ou Nick, Shadrin. Paisley devrait dorénavant vérifier et approuver tous les documents passant par la filière Funkhouser-Artamonov. Nous retrouverons Artamonov, alias Shadrin, un peu plus loin dans ce livre.

3

Les plombiers du Watergate

Comme la plupart de ses collègues, Paisley prit d'abord très mal que Henry Kissinger exige que des conseillers politiques, nommés par lui, collaborent avec les analystes de la CIA. Ces rapports rédigés en commun, appelés *National Intelligence Security Memoranda* (NISM), seraient censés avoir d'autant plus de poids qu'ils porteraient à la fois le sceau de la CIA et la griffe de la Maison Blanche.

Kissinger estimait que le Sénat, craignant une trop grande avance des Soviétiques dans la construction de missiles, refuserait d'approuver les traités grâce auxquels il espérait couronner sa politique de détente. Or, pour aller plus loin que Kennedy dans le traité de 1963 sur l'interdiction des essais nucléaires, il fallait prendre des risques — minimiser l'importance de l'arsenal soviétique, par exemple. Kissinger était prêt à aller jusque-là, en dépit des mises en garde de certains analystes de la CIA sur les véritables intentions des Soviétiques.

A la fin de 1969, selon Maryann, Paisley était « à bout de nerfs ». La bataille faisait rage entre Kissinger et le Service de recherche stratégique. Paisley préparait le rapport NISM-3 sur la défense aérienne et les missiles antibalistiques soviétiques, rapport particulièrement important dans le cadre des négociations SALT 1. Selon un de ses collègues, Philip Waggener, la dispute tournait autour d'une donnée essentielle : le nouveau missile soviétique SAM V était-il ou non un missile antibalistique (ABM) ? S'appuyant sur le témoignage d'un transfuge soviétique, Paisley soutenait qu'il l'était, tandis que d'autres doutaient de la validité du renseignement. Toujours

43

écouté jusqu'alors, il avait maintenant du mal à faire admettre ses conclusions sur le déploiement de missiles antibalistiques autour des grandes villes d'Union soviétique.

Selon sa femme, Paisley, excédé, offrit sa démission. Mais selon certains collègues, ses problèmes professionnels n'avaient rien à y voir. Totalement absorbé dans son travail, il négligeait femme et enfants au point que Maryann menaçait de le quitter s'il ne changeait pas de vie. Paisley en parla à ses supérieurs, qui lui accordèrent une sorte d'année de congé en l'envoyant en stage à l'Imperial Defence College de Londres. La CIA le récompensait ainsi de son ardeur au travail tout en le préparant à des promotions ultérieures.

Pour Maryann, cette année sabbatique à Londres ouvrait l'espoir d'un retour à une vie de famille normale. Paisley n'avait pas grand-chose à faire, en dehors de cours théoriques et d'échanges d'idées avec des confrères occidentaux — rassemblement d'experts que, selon James Angleton, chef du contre-espionnage à la CIA, les Soviétiques auraient été « idiots » de ne pas chercher à infiltrer ou tenter de recruter.

A Londres, la famille s'installa dans un appartement loué par la CIA près de l'ambassade. Maryann fut vite déçue. Loin de se détendre, son mari lui parut encore plus affairé. Le comportement de Paisley cette année-là suscite en effet l'étonnement. Ainsi, alors qu'il disposait à l'ambassade des Etats-Unis de tous les moyens de communications possibles, il alla louer une boîte postale à Greenham Common, petite ville à quatre-vingts kilomètres de Londres, où se trouvait une base atomique secrète. Or, il n'avait aucune raison officielle de se rendre en un tel lieu, encore moins d'y avoir une boîte postale. Lorsqu'un journaliste la découvre après la disparition de Paisley en 1978, l'enquête des services de sécurité de la CIA prouve que les supérieurs de Paisley n'étaient pas au courant.

On peut donc s'interroger sur ce que Paisley était en réalité venu faire à Londres. Etait-il secrètement chargé par la CIA de recruter des agents doubles ? Sa boîte postale était-elle une

44

discrète « boîte aux lettres » ? Cette hypothèse laisse sceptiques ses collègues, qui ne s'expliquent pas ses activités — ou lui en supposent d'autres, aux implications inquiétantes.

Edward se rappelle que son père lui paraissait la plupart du temps d'excellente humeur. Il ne se souvient pas de s'être jamais rendu à Greenham Common ni aux environs. Les Paisley n'avaient d'ailleurs pas de voiture et utilisaient les transports en commun pour leurs déplacements privés. De son côté, Maryann conserve de son séjour à Londres des souvenirs beaucoup moins agréables. Leur vie conjugale se détériorait de jour en jour. Sans cesse convoqué à l'ambassade, Paisley s'absentait des journées entières, travaillait plus de soixante-dix heures par semaine et tenait sa famille à l'écart de ses activités.

Paisley regagna Washington en janvier 1971, son ménage en ruine mais sa carrière en plein essor. Les disputes avec la Maison Blanche étaient oubliées, le Service se préparait aux négociations du Traité de limitation des armes stratégiques, SALT 1, et Paisley devait « briefer » Kissinger sur plusieurs sujets. Son grade élevé à la CIA le faisait également désigner pour des missions de médiation dans le monde ; c'est ainsi que, ces années-là, il se rendra à Chypre, en Inde, au Cambodge et à Genève. Pendant tout ce temps, en professionnel digne de ce nom, Paisley ne laissa jamais percer en public le mépris que lui inspiraient Nixon et ses hommes. S'il ne se privait pas en famille de critiquer Kissinger, Paisley se voyait chargé de responsabilités de plus en plus lourdes dans les négociations SALT. Il incombait à sa section de déterminer la puissance des Soviétiques dans certains domaines stratégiques. La position américaine durant la négociation reposait sur ces estimations.

Paisley fournit à Kissinger l'un de ses meilleurs arguments pour faire ratifier SALT par les conservateurs du Congrès. Il affirmait, contre l'avis des experts du Pentagone, que les Soviétiques n'avaient plus les moyens de soutenir longtemps un accroissement important de leur arsenal. Par ailleurs, les missiles qu'ils produisaient étaient d'une imprécision telle qu'il fallait la compenser de façon ruineuse par l'augmentation de la charge nucléaire. Kissinger fonda sa négociation sur ces éléments, avec le résultat catastrophique que l'on sait.

Selon Phil Waggener, les méthodes de calcul utilisées par Paisley et son équipe étaient fausses ou, à tout le moins, inadaptées. Certains, tel Waggener, ne voient dans ces erreurs aucune mauvaise volonté. D'autres reprochent à Paisley d'avoir lancé les Etats-Unis dans la négociation en position de faiblesse, sur la fausse conviction que les Soviétiques étaient incapables de se doter en secret d'un arsenal nucléaire, quand la suite des événements démontrera le contraire. Les renseignements fournis à Kissinger par la CIA eurent en effet pour conséquence de permettre aux Soviétiques de rattraper leur retard, et même de dépasser les Etats-Unis dans le domaine des armements stratégiques.

Après la disparition de Paisley, son fils Edward s'est rappelé avoir eu sous les yeux un document selon lequel les Soviétiques auraient pris contact avec son père dans un pays étranger, vraisemblablement pendant les conférences SALT. Il ajoute que la CIA, informée de ce contact, aurait donné à Paisley l'ordre de « mordre à l'hameçon ». Le document en question aurait ensuite été volé chez l'avocat de Maryann.

Hank Knoche, l'un des supérieurs de Paisley, s'étonne d'abord qu'un tel contact ait pu avoir lieu sans qu'il ait été mis au courant. Puis, à la réflexion, il ajoute: « Peut-être pas, après tout... Si quelqu'un, au-dessus de moi, lui a dit de se taire, il l'aura sûrement fait. C'était un homme très secret, renfermé. On ne savait rien de sa vie en dehors du bureau. »

Les collègues de Paisley étaient également troublés par son changement de comportement après son retour de Londres. Indépendant et volontiers critique à l'égard de Kissinger jusqu'à son départ en 1970, il était devenu un autre homme. Selon Clarence Baier, « il ne disait plus rien, il gardait un profil bas ».

Ses bons rapports avec Kissinger et ses collaborateurs lui valurent alors d'être choisi par la Maison Blanche pour des opérations assez peu orthodoxes.

En janvier 1971, David R. Young, collaborateur de Henry Kissinger au Conseil national de sécurité, avait été chargé par Egil Krogh de déclassifier des documents secrets. Sa mission, en liaison avec d'autres services officiels tels que la CIA, consistait aussi à repérer les sources des fuites qui se produisaient depuis un certain temps. Young fut doté de deux assistants, George Gordon Liddy et E. Howard Hunt.

A première vue, la banale opération confiée à Young n'avait pour but que de simplifier une procédure administrative lente et complexe. Il s'agissait en réalité de tout autre chose : l'équipe Nixon s'efforçait ainsi d'exhumer et de publier des dossiers compromettants pour leurs prédécesseurs démocrates. Malheureusement pour eux, la publication par le *New York Times*, au mois de juin, des « Dossiers du Pentagone » n'éclaboussait que des fidèles de Nixon ! Les « Hommes du Président » devaient donc non seulement hâter la publication de dossiers dommageables pour leurs adversaires politiques, mais colmater les fuites afin de se protéger eux-mêmes.

Pressenti en premier par la Maison Blanche pour seconder ou patronner une équipe de « plombiers », le FBI se récusa. Young se tourna alors vers la CIA, où Richard Helms demanda conseil à Angleton, qui lui suggéra Paisley.

Pourquoi lui ? Peut-être parce que Angleton, inquiet du comportement de Kissinger, voulait placer un homme de confiance dans l'entourage du Secrétaire d'Etat. Peut-être aussi parce qu'il craignait des révélations sur son propre rôle dans les fournitures clandestines d'uranium enrichi à Israël. Quoi qu'il en soit, Young confia personnellement à Paisley, le 9 août 1971, une enquête préliminaire sur les fuites de documents secrets dans la presse. Son rapport, contresigné du directeur général Richard Helms, produisit une si forte impression à la Maison Blanche que Paisley fut dès lors chargé de la liaison régulière entre la CIA et les « plombiers ».

Après avoir plus ou moins réussi à « noircir » Daniel Ellsberg, responsable de la fuite des dossiers du Pentagone, les « plombiers » furent moins heureux dans leur désormais célèbre tentative de cambriolage des bureaux du parti démocrate dans l'immeuble du Watergate. Leur arrestation ne mit pas fin à leurs activités, car une autre équipe reprit le flambeau. C'est à ces « plombiers-bis », selon des sources de la CIA, que serait imputable, le 5 juin 1974, le cambriolage d'un entrepôt de Romaine Street à Hollywood, où Howard Hughes stockait des documents confidentiels. Parmi ceux dérobés figurait la liste détaillée des contributions de Howard Hughes aux campagnes électorales des Kennedy, ainsi que le dossier des expéditions du *Glomar Explorer*. Construit et armé par Hughes, ce navire recherchait officiellement des nodules minéraux sur le fond du Pacifique. En réalité, la CIA l'avait affrété pour récupérer l'épave d'un sous-marin soviétique naufragé en 1968.

Pour William Colby, directeur général de la CIA à ce moment-là, ce cambriolage était un désastre, car la publication du dossier risquait de dévoiler l'opération aux Soviétiques. Pour Robert Maheu, longtemps bras droit de Howard Hughes, les cambrioleurs s'intéressaient avant tout aux dossiers politiques, opinion partagée par le FBI qui y voyait, à deux mois de la démission du Président, une tentative désespérée de l'équipe Nixon pour se procurer de quoi déconsidérer ses « ennemis politiques ». Pour d'autres, en revanche, le cambriolage de Romaine Street ne s'explique logiquement que si John Paisley travaillait pour les Soviétiques : le vol du dossier et la simple menace de publication suffisant à « griller » l'opération *Glomar Explorer*, la CIA ne pouvait plus chercher à récupérer les missiles nucléaires et autres équipements secrets que recelait encore l'épave.

Quelles qu'aient été ses véritables activités à l'époque,

Paisley était « souvent absent du bureau », selon les souvenirs de Clarence Baier. Il l'était plus encore de chez lui et ne disait jamais rien à sa famille de ses activités pour la Maison Blanche, ni des relations qu'il y entretenait. Entraîné dans le tourbillon du Watergate, il laissait le fossé entre Maryann et lui se creuser chaque jour davantage.

De toutes les étrangetés du comportement de Paisley, la plus inexplicable se trouve sans doute dans sa fréquentation des cercles échangistes de la région de Washington. S'il était connu comme un libertin, nul ne l'avait jamais cru naïf ou imprudent au point de risquer sa carrière pour de telles distractions. Et pourtant, à partir de 1972, John Paisley participa à ce genre d'ébats, en compagnie de personnages fort dangereux.

Notre terreur actuelle du sida nous fait oublier la liberté des mœurs au début des années 70. Il est néanmoins inconcevable que des responsables de haut niveau, tels que John Paisley, se soient exposés au chantage en se livrant à de pareilles activités. Au début, les choses se limitaient à des échanges entre couples de collègues ou d'amis, dans la discrétion de leurs domiciles. Mais le public s'élargissait à mesure que grandissait le succès de la formule et de véritables clubs s'organisaient sous la direction d'opérateurs avisés.

Divers témoins se souviennent nettement de la présence de Paisley à plusieurs de ces « rencontres amicales ». Paisley alla jusqu'à organiser des orgies à bord de son voilier ou, en association avec son collègue Donald Burton, dans un chalet de montagne en Virginie. Les deux hommes en avaient repris le bail dans l'espoir d'y créer une mini-station de sports d'hiver à une heure de Washington et l'échec de l'entreprise leur avait donné l'idée de rentabiliser l'endroit d'une autre manière... Celle-ci eut du succès et la Rush River Lodge vit défiler du « beau monde » — agents de la CIA et de la NSA, journalistes, conseillers de la Maison Blanche, hommes politiques —, ce qui rend la situation encore plus effarante. Pourquoi un homme tel que Paisley participait-il à des orgies? Qu'est-ce qui le poussait à s'en faire l'organisateur? De toute évidence, le résident du KGB s'empresserait d'infiltrer ce genre de réunions, soit dans le dessein d'en faire chanter les participants, soit afin d'y ménager de discrètes rencontres entre agents.

C'est précisément ainsi que Paisley fit la connaissance d'un couple de « réfugiés politiques » tchèques, Karl et Hana Koecher, dont l'avenir révélera qu'ils étaient des taupes des services tchécoslovaques. Introduits, avec une incroyable légèreté, jusqu'au cœur de la CIA, grâce à la chaleureuse recommandation de Zbigniew Brzezinski, qui se distinguera par la suite comme conseiller en politique internationale du Président Carter, ils seront finalement démasqués, incarcérés puis échangés, en février 1986, contre le dissident soviétique Anatoli Chtcharanski.

On s'est interrogé avec inquiétude sur la nature exacte des contacts entre Paisley et les Koecher. Pourtant, malgré l'abondance des témoignages, aucune des enquêtes consécutives à la disparition de Paisley ne fait référence aux orgies ni aux Koecher. Burton admet d'ailleurs n'en avoir jamais parlé au FBI ou à la sécurité de la CIA, pour une raison très simple : « Si on avait su que j'y étais, on m'aurait révoqué sur-le-champ. » Il était cependant prêt à tout révéler s'il s'était trouvé soumis à la moindre tentative de chantage.

Il est effarant de constater que tant de personnages d'un aussi haut niveau, liés d'une façon ou d'une autre à la sécurité du pays, aient pu se compromettre ainsi en compagnie d'espions avérés tels que les Koecher, sans que nul leur ait jamais demandé quoi que ce soit! Dans le cas de Paisley, les preuves étaient abondantes et faciles à obtenir. Pourtant, aucun enquêteur, ni de la CIA, ni du FBI, ni même d'une Commission sénatoriale, ne s'est jamais donné la peine de suivre les pistes évidentes menant aux joyeux partouzards...

Nous noterons également avec intérêt que les chemins de Paisley et du journaliste du *Washington Post*, Carl Bernstein, se sont croisés à plusieurs reprises dans les mêmes circonstances. Sachant que Paisley, à l'époque, assurait la liaison entre la CIA et les « plombiers » de la Maison Blanche, on est en droit de se poser la question : Paisley prenait-il prétexte de sa participation aux orgies pour exercer un chantage sur Bernstein et lui imposer de présenter d'une certaine façon certaines nouvelles ou certains reportages ?

Interviewé sur ce point en décembre 1979, Bernstein démentait d'abord toute participation, pour admettre quelques jours plus tard : « Bon, je suis allé à des partouzes... Mais je n'y ai jamais rencontré personne qui s'appelle John Paisley. » Pourtant, des intimes de Paisley affirment l'avoir vu en même temps que Bernstein dans plusieurs de ces orgies dès 1971. « Je ne savais d'abord pas qui c'était, se souvient Donald Burton. Un jour, il m'a dit qu'il était sur une grosse affaire, qui ferait du bruit quand elle sortirait... Après cela, je l'ai encore vu à trois ou quatre partouzes et puis il a disparu. »

Dans une interview plus récente, Bernstein confirme sa participation aux orgies, mais répète qu'il ignore tout de Paisley, lequel n'aurait en aucun cas été *Deep Throat* (Gorge Profonde), son mystérieux informateur sur l'affaire du Watergate. Malgré tout, Bob Woodward, son ancien équipier dans cette célèbre enquête et coauteur avec lui du livre *Les hommes du Président*, chargea, après la disparition de Paisley, deux journalistes d'enquêter sur Carl Bernstein. Devenu rédacteur en chef du *Washington Post*, Woodward voulait vérifier certaines informations sur les relations passées entre Paisley et Bernstein. Leur présence simultanée à ces orgies était-elle une simple coïncidence ? Depuis, Woodward et Bernstein gardent le mutisme sur ce point.

Un autre indice, tout aussi étrange, semblerait cependant accréditer le lien entre Paisley et le personnage de *Deep*

Throat: Paisley détenait une carte de livreur du *Washington Post* établie à son nom. La carte était fausse et le numéro fictif. Mais pourquoi un agent de renseignement de haut niveau, tel que Paisley, éprouverait-il le besoin de se munir d'une telle pièce d'identité ? Si ce n'était pas afin de se ménager des rencontres discrètes avec un journaliste, peut-être était-ce dans le dessein d'accéder librement aux bâtiments du journal — dont les quais de chargement se trouvent, notons-le, juste derrière l'ambassade d'URSS. Peut-être, aussi, se servait-il du réseau de distribution du journal pour communiquer avec d'autres agents et organiser des rencontres.

Aujourd'hui, Woodward confirme à son tour que Paisley n'était pas *Deep Throat* et il ajoute : « Si le personnage de *Deep Throat* était mort, nous le nommerions sans hésiter. » Or, il n'existe aucune preuve irréfutable de la mort de Paisley...

Les responsables du contre-espionnage se soucient peu de savoir si Paisley rencontrait Bernstein afin de lui communiquer des tuyaux à sensation. Ils se demandent avec beaucoup plus d'inquiétude si Paisley, sur instructions du KGB, répandait sciemment des rumeurs préjudiciables à l'équipe présidentielle de Richard Nixon. Il se peut également que Paisley ait fréquenté les orgies afin de réunir des renseignements nuisibles à des journalistes tels que Carl Bernstein ou à des personnalités politiques. Mais alors, pour qui travaillait-il : David Young et ses plombiers — ou le KGB ?

4

La chasse à la taupe

En août 1971, David S. Sullivan, jeune et brillant officier du corps des Marines, décoré au Viêt-nam et titulaire d'une maîtrise de relations internationales à l'université de Columbia, entra à la CIA. Affecté au Service de recherche stratégique, Sullivan détonnait quelque peu par sa personnalité affirmée et ses opinions conservatrices.

Son passage dans l'armée lui avait appris comment mettre le système au service de sa carrière. Aussi, plutôt que de se contenter, pour rédiger ses rapports, de données altérées par leur passage dans les mains de dizaines de bureaucrates, il préféra s'alimenter aux sources. Il se présenta aux agents du National Reconnaissance Office, qui interprétaient les photos transmises par les satellites espions. Au Service Union soviétique, il se fit des amis qui l'informaient en priorité d'une nouvelle source ou d'un nouveau contact. Il obtint les laissez-passer lui donnant libre accès aux installations de la NSA à Fort Meade, où il consultait les messages bruts et apprenait à distinguer les vrais des faux et des douteux. Il cultiva ses relations dans les services de contre-espionnage qui pourraient lui être utiles un jour. Bref, il fit exactement ce que Paisley avait fait vingt ans plus tôt pour se rendre indispensable.

Sullivan voyait dans la CIA un glorieux organisme où, croyait-il, une élite menait le bon combat pour la défense de la Patrie et du Monde libre contre l'hydre du communisme. Il ne se doutait pas que, déjà, l'Agence était en plein bouleversement. Politisée jusqu'à la moelle au moment de la démission de Richard Nixon, elle s'embourbait, à l'intérieur, dans des

53

opérations illégales et ne pouvait se vanter d'autres succès extérieurs que du renversement du régime Allende au Chili.

Sullivan allait rédiger une centaine de rapports sur la puissance stratégique de l'Union soviétique. Mais au fil des mois, puis des années, il prit conscience que tout ne tournait pas rond dans le Service : « J'avais l'impression de plus en plus nette qu'on truquait sciemment les chiffres afin de minimiser la puissance soviétique », se souvient Sullivan, dont les opinions conservatrices cadraient mal avec le libéralisme de ses collègues. « Au début, encore naïf, je croyais qu'on me contrecarrait simplement parce qu'on m'en voulait. A partir de 1976, j'ai commencé à me demander si le Service n'était pas infiltré [par le KGB]. »

Jeune analyste parmi trois cents autres, Sullivan considéra d'abord son chef avec respect. Vétéran au sommet de sa carrière, Paisley s'efforçait de concilier ses obligations à la tête du Service et ses aventures de « plombier ». La Maison Blanche ne l'employait pourtant pas uniquement à ces tâches peu glorieuses et faisait appel à lui dans le règlement de crises internationales. En 1973, après la guerre du Kippour, c'est lui qui fut chargé d'informer le Président Nixon sur les problèmes de sécurité internationale, en estimant par exemple jusqu'où irait l'Union soviétique dans son soutien à l'Egypte et à la Syrie.

Pendant ce temps, la bataille continuait à faire rage entre le Service de recherche stratégique et Henry Kissinger pour la rédaction des rapports NISM. En procédure normale, les estimations de la CIA étaient rapprochées de celles émises par les services de renseignement des diverses forces armées, et la synthèse ainsi obtenue était transmise au pouvoir exécutif. Or, les rapports NISM de Kissinger court-circuitaient ce filtrage, laborieux mais utile. Les conseillers de la Maison Blanche rédigeaient directement leurs rapports avec les analystes de la CIA, dont les seules statistiques faisaient désormais autorité.

Paisley admettait très mal de se sentir ainsi entraîné dans un processus politique quand il aurait voulu s'en tenir à un rôle strictement consultatif. « Notre métier ne consiste pas à prendre les décisions, dit Donald Burton, mais à informer ceux qui les prennent. Pour décider, il faut se salir les mains — et Paisley ne voulait pas se salir les mains. » Clarence Baier, en revanche, garde le souvenir d'un homme évitant la discussion : « Il était prudent. Il savait donner les réponses qu'on attendait de lui. »

C'est alors que survint le limogeage de Richard Helms. Mieux qu'aucun autre directeur général, Helms abritait la CIA des ingérences de la Maison Blanche. A force de persuasion, il avait tenu tête à Haig et à Kissinger. Mais ses refus répétés de laisser l'Agence exécuter des besognes de basse police, puis d'endosser la responsabilité des plombiers afin de couvrir Nixon, allaient causer sa perte. Convoqué à Camp David le 20 novembre 1972 pour s'entendre signifier son congé, Helms suggéra de se retirer à l'âge réglementaire de soixante ans, qu'il allait atteindre en mars 1973. Nixon n'attendit pas jusque-là : au début de février, nommé ambassadeur en Iran, Helms était évincé de la CIA.

Ce professionnel respecté fut remplacé par James Schlesinger, dont l'incompétence, les sautes d'humeur et la vanité allaient dès le début dresser le personnel de l'Agence contre lui. Il avait, à vrai dire, marqué le début de son règne par un impair monumental, en n'invitant que des employés ayant moins de vingt ans de service. En guise de discours de bienvenue, il déclara que leurs carrières devraient dorénavant se limiter à vingt ans, car le renseignement était « un métier de jeunes ».

En application de ce brillant principe et fort du soutien inconditionnel de Richard Nixon, Schlesinger priva la CIA de ses cadres les plus expérimentés. Sa propre sécurité lui inspira bientôt de telles craintes qu'il posta en permanence un garde du corps à la porte de son bureau. Il fit même braquer une caméra de télévision sur son portrait officiel, de peur qu'un employé mécontent ne le lacérât pour se venger !

Paisley détestait Schlesinger qui prétendait lui imposer sa manière d'interpréter les renseignements et lui faire modifier les estimations qui lui déplaisaient. Profondément choqués, les collaborateurs du Service ne tinrent aucun compte des exigences de Schlesinger, qui débarrassa d'ailleurs la maison de sa présence importune en moins de six mois. Pour Paisley, ce problème était résolu ; mais sa vie privée, trop longtemps négligée, allait lui en poser d'autres, encore plus graves.

Son fils Edward était un adolescent difficile. A McLean, banlieue résidentielle de Washington où vivaient les Paisley, ses camarades de classe formaient avec lui une bande particulièrement frondeuse et indisciplinée. Le caractère indépendant et les ambitions professionnelles de Maryann contribuaient aussi à la désintégration du ménage. William Colby, nouveau directeur général de la CIA, l'avait engagée en 1973 dans la section Union soviétique, où son travail extrêmement confidentiel entraîna de nouvelles frictions avec John. Norman Wilson, colonel d'aviation en retraite et ami de Paisley avec qui il faisait de la voile, raconte que Maryann se vantait de ses succès au bureau, obtenus selon son mari en abusant de son nom et de son influence. « Devant nous, précise Wilson, Maryann cherchait ostensiblement à lui faire concurrence. »

Un drame survenu pendant l'été 1973 allait profondément affecter Paisley. Le 19 août, Edward et ses camarades s'entassèrent dans deux voitures pour aller s'amuser à Washington. La bière coulait à flots quand, vers minuit, les voitures firent la course sur la George Washington Parkway. Au volant de sa Ford, Edward manqua une bretelle de sortie et percuta un arbre à plus de 120 km/h. Son meilleur ami, le jeune Brian Demmler, fut tué sur le coup. La famille poursuivit les Paisley en justice. Quant à Edward, passible d'une peine de prison pour homicide par imprudence et conduite en état d'ivresse, son avocat parvint à lui obtenir un sursis.

John Paisley ne se remit jamais de ce tragique accident, dont il se considérait en quelque sorte responsable. Il ne se confiait à personne, mais ceux qui le connaissaient, comme Hank Knoche, son chef direct, savaient qu'il en souffrait. Leonard Masters, son ancien condisciple de l'université de Chicago avec qui Paisley était toujours resté en bons termes, remarquait la froideur de ses rapports avec Edward. Son vieux camarade avait beaucoup changé, depuis leur jeunesse à l'université : « Je sentais que John, les derniers temps, ne me disait pas toute la vérité... Je croyais d'abord que c'était à cause de la nature de son travail, et puis je me suis rendu compte qu'il mentait pour des raisons bien plus profondes. »

Entre les menaces de divorce brandies par Maryann, les remords d'Edward et ses propres problèmes professionnels, Paisley ne pouvait pas compter sur l'ambiance de l'Agence pour échapper au stress ou retrouver l'équilibre. Selon Sullivan, le Service de recherche stratégique était devenu, au début des années 70, « un lupanar » où tout le monde couchait avec tout le monde. « Ce n'était pas l'endroit idéal pour sauver son ménage », observe Sullivan.

Celui-ci n'éprouvait plus son respect initial pour Paisley ni les sentiments amicaux qu'il inspirait à la plupart de ses collègues. Ayant consacré de longs mois à vérifier si les Soviétiques respectaient les clauses du traité SALT 1, et se fondant sur les meilleures données disponibles, il avait obtenu la preuve qu'ils trichaient. Malgré cela, le Service ne publiait pas ses conclusions : « J'avais beau dire, personne ne m'écoutait », s'indignait Sullivan devant ce qui lui apparaissait désormais comme de l'obstruction délibérée.

C'est alors qu'en 1974, à cinquante et un ans et au mieux de ses facultés intellectuelles, John Paisley prit sa retraite avec une soudaineté qui étonna ses collègues et amis. Nul ne connaît les raisons de cette décision, survenue lors des derniers soubresauts de la présidence Nixon. Peut-être Paisley craignait-il que ses liens avec le Watergate ne compromettent son avenir à la CIA ; peut-être pliait-il sous les pressions conjuguées de ses problèmes professionnels et personnels.

Certains pensaient qu'il avait atteint le point de saturation et ne cherchait plus qu'à se livrer tranquillement à la voile, son passe-temps favori. D'autres, au contraire, étaient persuadés qu'il ne s'agissait que d'un simulacre de retraite, dissimulant la poursuite d'activités plus discrètes pour la CIA.

La vie privée de Paisley changea après sa retraite, réelle ou supposée. Maryann et lui tentèrent un dernier effort pour sauver leur couple. Désireux d'acheter un voilier plus grand et plus récent que celui qu'il avait vendu deux ans auparavant, Paisley s'adressa à un ancien de la CIA, Richard Bennett, retiré avec sa femme dans un petit port de plaisance de Caroline du Nord, Trail's End Marina. Un peu plus tard, les Paisley allèrent leur rendre visite et, à un cocktail, Bennett lui présenta un ami qui voulait vendre son sloop de treize mètres. Conquis, Paisley l'acheta sur-le-champ seize mille dollars et le baptisa *Brillig*, d'après un poème de Lewis Carroll.

Pendant les quelques semaines passées à Trail's End cet été-là, les Paisley parurent pleins d'entrain et de bonne humeur, sans que les Bennett décèlent entre eux de problèmes conjugaux. Bennett se souvient de Paisley à cette époque comme d'un « vrai boute-en-train » aimant rire et boire, mais sans excès. « Je ne l'ai jamais vu soûl, même aux beuveries du cercle nautique. »

Paisley commit une erreur en emmenant sa femme en croisière sur son nouveau voilier. Maryann n'avait jamais aimé la mer. Le confort à Trail's End lui paraissait rudimentaire et la vie à bord du *Brillig* lui devint vite insoutenable. D'autres tentatives furent autant d'échecs. Gladys Fishel, avocate et amie des Paisley, témoigne que Maryann n'accompagnait John que « parce qu'il était déprimé ».

En tout cas, sa prétendue « retraite » lui laissait peu de loisirs, car il devait souvent écourter ses croisières pour regagner Washington. William Colby, directeur général de la CIA, avait pour lui une si grande estime qu'il le consultait fréquemment et lui confiait de nouvelles missions, que Paisley acceptait sans se faire prier. Colby, comme Sam Wilson un de ses adjoints, appréciait autant la personnalité de Paisley, sa culture et son sens de l'humour, que ses capacités professionnelles. « Il avait un esprit incisif, une extraordinaire puissance de raisonnement, se rappelle Sam Wilson. Il possédait une intuition rare chez un homme. » Toujours selon Wilson, Paisley était aussi très amusant en société et ses histoires drôles laissaient souvent son auditoire « plié en deux ».

C'est au cours d'un de ces « voyages d'affaires » à Washington, sans Maryann restée à bord du *Brillig*, que commença la liaison de John Paisley et de Betty Myers, amie intime de Maryann. Selon une autre amie du couple, Maryann semblait les y encourager depuis un certain temps « comme si elle cherchait à se débarrasser de John en le jetant dans les bras de Betty ».

Si les Paisley étaient déjà séparés en 1976, ils ne se fâchèrent cependant jamais. Selon plusieurs témoignages, c'est Maryann qui voulait le divorce, pas John. Entre ses croisières ou ses séjours au port à bord du *Brillig*, il vivait chez des amis, John Whitman, Bruce Clarke, Norman Wilson, qui l'hébergeaient volontiers, ou il allait passer une ou deux nuits à son ancien domicile de McLean, que Maryann avait conservé.

Son ami Leonard Masters lui rendit visite six mois avant sa disparition. Paisley résidait à ce moment-là chez Maryann, dans une des chambres d'amis. « Il cherchait à donner l'impression qu'ils vivaient toujours ensemble, que la famille était intacte — alors que nous savions tous qu'elle s'était désintégrée depuis longtemps... C'est très bien de rester en bons termes quand on se sépare. Mais eux deux, à mon avis, ils poussaient les choses un peu loin. » Le maintien de ses bonnes relations avec Maryann n'empêchait cependant pas Paisley de poursuivre sa liaison avec Betty Myers.

Dans le cadre des missions que lui confiaient la CIA et le Département de la Défense, Paisley se retrouva au cœur de la controverse sur la manière dont la CIA estimait les budgets militaires soviétiques. Les conservateurs accusaient la CIA d'avoir fourvoyé les Etats-Unis dans les accords SALT 1, en fournissant les données erronées ayant permis aux Soviétiques de rattraper leur retard dans les armements stratégiques.

L'amiral Anderson, président du *President's Foreign Intelligence Advisory Board* (Comité consultatif sur la sécurité internationale), proposa à Gerald Ford en août 1975 de faire examiner les données dont disposait la CIA par des équipes d'experts, qui en tireraient leurs propres conclusions. L'expérience serait menée simultanément par un groupe extérieur portant le nom d'Equipe B, et celui de la CIA appelé l'Equipe A.

William Colby s'opposa d'abord à cette expérience, qui politisait de façon malsaine le processus du renseignement. Là-dessus, pour des raisons différentes, Gerald Ford congédia le même jour William Colby et James Schlesinger, Secrétaire à la Défense. L'amiral Anderson eut gain de cause et George Bush, remplaçant de William Colby à la tête de la CIA, autorisa la compétition en juin 1976. Pour la première fois dans l'histoire du renseignement aux Etats-Unis — c'était une véritable révolution —, on ouvrait les dossiers les plus confidentiels à des éléments extérieurs, souvent ouvertement hostiles à la CIA. A l'Agence, on s'inquiétait surtout du risque des fuites que les conservateurs de l'Equipe B seraient tentés d'organiser pour soutenir leur point de vue.

L'Equipe B allait devoir examiner des tonnes de documents qu'un homme de la CIA serait chargé de leur communiquer. Ce « coordinateur » occuperait un poste clé car c'est lui qui déciderait, en fait, de quels documents et de quelles informations disposeraient les « adversaires ». Hank Knoche, son ancien patron, désigna John Paisley — celui-là même qui avait consacré sa carrière à mettre au point le système d'évaluation soumis aux critiques de l'Equipe B ! Les intérêts de l'Agence ne pouvaient donc être en meilleures mains. Dès le mois de décembre 1976, en effet, il était évident que l'Equipe B se souciait moins d'objectivité que de faire triompher ses vues sur le plan politique, et qu'elle ne ménagerait pas ses critiques.

David Sullivan, membre désormais respecté du Service de recherche stratégique, faisait partie de l'Equipe A. Il devait, entre autres tâches, aider Paisley à rassembler les documents destinés aux équipes B, et se trouvait donc bien placé pour savoir ce que ce dernier communiquait ou, surtout, ne transmettait *pas* à l'équipe adverse.

Plus proche des conservateurs de l'Equipe B que de ses collègues, Sullivan prit contact avec des hommes tels que Richard Pipes, professeur à Harvard, et le général Daniel Graham, à qui il voulait révéler le résultat de ses recherches sur les tromperies des Soviétiques pendant les négociations SALT 1. Il tenait surtout à leur parler des missiles SS-19, infiniment plus puissants et plus précis que les SS-11 formant jusqu'alors le gros de l'arsenal soviétique, dont l'existence avait été dissimulée aux Américains jusqu'à la signature des traités SALT. Sullivan était particulièrement furieux qu'on ait passé sous silence un de ses rapports, dans lequel il faisait état d'une conversation téléphonique de Leonid Brejnev, captée en mai 1972 par une écoute électronique.

Par l'opération *Gamma Guppy*, la CIA interceptait les communications téléphoniques destinées à, ou émises par, les limousines officielles dans les rues de Moscou. C'est ainsi que le 26 mai 1972, au plus fort des discussions SALT 1, l'écoute capta une conversation entre Leonid Brejnev, le ministre des Affaires étrangères Andrei Gromyko et le maréchal Grechko, ministre de la Défense. Brejnev, qui venait de donner à Kissinger son accord pour réduire de quinze pour cent l'accroissement du parc de missiles existant, parlait d'un « missile principal » dont les Américains ne savaient encore rien. Il s'inquiétait auprès du maréchal Grechko de savoir si ce missile, le SS-19, devait être inclus dans l'accord. Après avoir consulté ses experts, Grechko avait rappelé Brejnev pour le rassurer. La transcription de la conversation note que le Secrétaire général était « très soulagé » de l'apprendre.

Dans son rapport, Sullivan concluait que Brejnev avait menti aux négociateurs américains en prétendant que l'URSS ne remplacerait pas ses SS-11 par le nouveau SS-19, plus puissant et plus précis. Craignant de provoquer la rupture, les Américains n'avaient pas exigé de garantie écrite sur ce point, de sorte que les Soviétiques s'étaient empressés de substituer 360 missiles SS-19 à autant de SS-11 après la signature des accords.

Les négociateurs américains n'avaient cru les Soviétiques sur parole que parce qu'ils étaient convaincus de leur retard technologique. Les rapports de Paisley, démontrant que l'URSS ne disposait ni des ressources nécessaires au soutien de son effort d'armement, ni de la technique lui permettant de remédier aux défauts qui affectaient gravement la précision et la charge utile de ses missiles, étaient pleinement confirmés par le FBI s'appuyant sur les dires de deux sources soviétiques, qui ne seraient déconsidérées que beaucoup plus tard. Ainsi, selon Sullivan, l'Agence et le Bureau avaient, sciemment ou non, « joué le jeu des Soviétiques ». Mais Sullivan ne pouvait communiquer son rapport au professeur Pipes qu'avec le feu vert de Paisley, qui ne se pressait pas de le lui donner.

En dépit de leur animosité, les deux équipes observaient la plus grande discrétion, car elles savaient que des fuites compromettraient la sécurité nationale. Aussi, l'article du *New York Times* du 26 décembre 1976, révélant que l'Equipe B aurait « radicalement modifié » les conclusions de la CIA, souleva-t-il dans les deux camps autant de colère que d'embarras.

La CIA accusa aussitôt les conservateurs de l'Equipe B. L'article était en effet signé de David Binder, journaliste connu pour ses liens avec de nombreuses personnalités conservatrices. Binder se défendit en déclarant que le responsable de la fuite était Paisley. Selon Seymour Weiss, ancien ambassadeur et membre de l'Equipe B, « plusieurs d'entre nous se doutaient qu'il s'agissait de Paisley ». De son côté, le général d'aviation en retraite John Vogt, lui aussi membre de l'Equipe B, admet que Paisley puisse avoir « travaillé pour les Russes ». Aiguiller les soupçons vers l'Equipe B pouvait profiter aux Soviétiques : en discréditant ceux qui l'accusaient de minimiser la puissance soviétique, la CIA pourrait reprendre ses estimations basses, favorables à l'URSS.

De son côté, Hank Knoche, son ancien patron, a du mal à croire Paisley responsable d'une fuite aussi nuisible à l'Agence : « Binder nous a menés en bateau. Je suis convaincu que la fuite provenait des gens de l'extrême droite, ceux qu'on a ensuite retrouvés dans l'équipe Reagan et qui cherchaient à prouver que la CIA était un repaire de communistes. Je sais combien Paisley était fier de l'objectivité de ses estimations. Bien sûr, il est facile après coup d'y découvrir des inexactitudes, mais nul n'y peut rien, c'est dans la nature des choses... »

« L'affaire » de l'Equipe B terminée, John Paisley ne ralentit pas ses activités. En plus de son travail à la CIA, il devint conseil pour un sous-traitant de l'Agence, Mitre Corp. En collaboration avec son ancien collègue Clarence Baier, il participait à l'étude et à la mise au point d'un système d'alerte destiné à prévenir le Pentagone des mouvements stratégiques des forces armées soviétiques.

David Sullivan reprit ses fonctions habituelles, en constatant une dégradation sensible des données qui lui parvenaient. Depuis 1975, les Soviétiques camouflaient leurs silos de missiles d'une manière indiquant qu'ils n'ignoraient rien des techniques de prise de vues des satellites américains. Sullivan en déduisit que seule une personne parfaitement informée du processus de décodage des clichés avait pu dire aux Soviétiques comment camoufler leurs silos. En 1978, un nouveau système perfectionné de surveillance par satellite, *Keyhole-11*, était dépisté et neutralisé à son tour. Le Service de recherche stratégique ne disposait plus de renseignements valables sur l'importance et la répartition du parc de missiles soviétiques.

C'est dans ce contexte que survint la découverte au QG de communication de Cheltenham, en Grande-Bretagne, de la taupe du KGB Geoffrey Arthur Prime. Officier de la RAF sorti du rang, Prime travaillait depuis le début de sa carrière pour le KGB qui, grâce à lui, était parfaitement informé des objectifs poursuivis par les services occidentaux. Plus rien ne tournait rond au moment de l'élection de Jimmy Carter en novembre 1976.

Au moment de son investiture, Carter accepta la démission de George Bush et pria Hank Knoche d'assurer l'intérim à la tête de la CIA, jusqu'à la nomination officielle de l'amiral Stansfield Turner.

De l'avis quasi unanime, le passage de l'amiral Turner à la CIA fut une catastrophe. Etranger au métier, il arrivait sans savoir ce qu'il allait trouver, de qui se méfier et à qui faire confiance. Croyant se protéger, il s'entoura de marins dont l'inexpérience ne fit qu'accroître la nervosité des professionnels. Selon Knoche, son adjoint, Turner « soupçonnait des plus noirs desseins tous ceux qu'il appelait la "mafia des anciens" », qu'il s'empressa de liquider pour les remplacer par des jeunes. Quand, à la suite de ce traitement de choc, échecs et mécomptes commencèrent à pleuvoir, l'amiral n'avait autour de lui plus personne capable de réparer les dégâts. Atterré de voir démolir sa chère Agence, à laquelle il avait consacré sa vie, Hank Knoche ne tarda pas à faire valoir ses droits à la retraite. Quelques vétérans restèrent quand même autour du bouillant amiral. Et, si celui-ci se défendit par la suite d'avoir eu le moindre contact avec John Paisley, ses numéros de téléphone privés figuraient dans le carnet d'adresses de ce dernier. Tout porte à croire que Paisley, toujours membre de Comités consultatifs auprès du directeur général, a conseillé Turner en 1977 et jusqu'à sa disparition en 1978.

5

Le chasseur

Le 15 juillet 1977, sur un pont de la Moscova, une jeune femme blonde s'apprêtait à soulever une dalle quand une autre femme se jeta sur elle et déchira sa blouse, sous laquelle apparut un récepteur de radio. La blonde s'appelait Martha Peterson, vice-consul à l'ambassade des Etats-Unis à Moscou et, en réalité, agent de la CIA. Le poste de radio sur sa poitrine aurait dû lui permettre de déjouer la surveillance du KGB. Dans la « boîte aux lettres » qu'elle venait relever, le KGB trouva des pièces d'or, deux appareils photo, du poison et un horaire d'émission de messages. Martha Peterson était officier traitant de la taupe la plus importante de l'époque au gouvernement de l'URSS, Alexandre Dimitrievich Ogorodnik.

Recruté en 1973 à Bogota parce qu'il avait besoin d'argent pour financer ses amours avec une Colombienne, Ogorodnik exigea d'être payé en or. Nommé peu après à un poste important au ministère des Affaires étrangères, il justifia ses prétentions en fournissant pendant deux ans à la CIA, sous le nom de code *Trigon*, quantité de précieux renseignements. Il est infiniment regrettable qu'un informateur de cette qualité ait été traité avec tant d'imprudence et de maladresse : l'utilisation d'une « boîte aux lettres », par exemple, représente une technique trop dangereuse en pareil cas. Compte tenu des risques encourus en Union soviétique, la déconfiture de Martha Peterson était largement prévisible : le KGB dispose d'un personnel pléthorique et peut se permettre de faire surveiller en permanence *tous* les agents occidentaux en poste à Moscou !

65

Pour la CIA, les circonstances même de l'arrestation de Peterson signifiaient que *Trigon* était grillé — il allait d'ailleurs être jugé et exécuté peu après. Il restait à la CIA à découvrir par quel moyen et depuis combien de temps le KGB l'avait démasqué, s'il l'avait contraint à transmettre de faux renseignements et depuis quand.

Après avoir longtemps filtré et évalué les rapports d'agents avant leur exploitation par les analystes des divers services, Leonard McCoy était devenu en 1975 l'adjoint de George Kalaris, remplaçant de James Angleton à la tête du contre-espionnage. L'amiral Turner ne lui ayant accordé que deux semaines pour enquêter sur la chute de *Trigon*, l'infortuné McCoy, qui manquait d'expérience, s'avança à découvert sur un terrain miné: il soupçonnait, en effet, Henry Kissinger d'avoir joué dans cette affaire un rôle peut-être décisif.

Il se fondait d'abord sur un câble envoyé par l'ambassade d'URSS à Washington au ministère des Affaires étrangères à Moscou. Dans ce message, intercepté par la NSA en avril 1977, l'ambassadeur Anatoly Dobrynine se référait aux conseils que lui donnait Henry Kissinger sur la façon de traiter avec l'équipe Carter pendant les négociations SALT II. McCoy avait été outré de découvrir qu'un ancien Secrétaire d'Etat rencontrait à titre privé l'ambassadeur d'URSS afin de le conseiller sur la meilleure manière de négocier avec les représentants du gouvernement des Etats-Unis dont il avait fait partie.

Ce câble compromettant étayait des dossiers que McCoy avait trouvés en prenant ses fonctions. En 1969, les allégations d'un transfuge soviétique, Mikhail Goloniewski, avaient provoqué une première enquête sur Kissinger. Plusieurs rapports signalaient que, pendant la présidence Nixon, il rencontrait déjà l'ambassadeur Dobrynine en tête à tête pour de longues conversations dont il refusait de rendre compte. Ainsi alerté sur l'étrange comportement de Henry Kissinger, McCoy jugea fort inquiétante l'élimination d'une source importante au ministère soviétique des Affaires étrangères — source que Kissinger était bien placé pour avoir dénoncée.

En août 1977, comptant sur l'influence du numéro deux du contre-espionnage pour l'aider à vaincre les persécutions dont il se croyait victime, David Sullivan sollicita l'appui de McCoy pour faire publier son rapport sur les négociations SALT. McCoy promit de le communiquer à l'un des principaux assistants du directeur général, l'amiral Turner.

Quelques jours plus tard, Sullivan se plaignit une fois de plus devant McCoy de ce que personne ne s'intéressât à ses recherches sur un sujet aussi vital. A cela, selon lui, une seule explication : il *devait* y avoir une taupe soviétique au plus haut niveau du gouvernement. Un livre récent, qu'il avait lu à la bibliothèque de la CIA, présentait l'hypothèse selon laquelle Henry Kissinger serait un agent d'influence du KGB. Compte tenu de la déroute diplomatique que constituaient les accords SALT et des échecs essuyés dans tous les domaines par les services de renseignement américains, il y avait de quoi s'inquiéter, estimait Sullivan, qui raconte ainsi son entretien avec McCoy : « "Me prendriez-vous pour un fou, lui ai-je demandé, si je me posais des questions sur Kissinger ? — Non, m'a répondu McCoy, ce n'est pas absurde. Revenez me voir dans quelques jours." Ce jour-là, il m'a lu des passages de son rapport sur l'affaire *Trigon*, qu'il concluait ainsi : "Si le message en question est authentique, le seul qualificatif applicable aux agissements de Kissinger serait celui de haute trahison." »

McCoy demanda alors à Sullivan de l'aider à authentifier le message qui incriminait Kissinger. « McCoy me l'a fait lire. La question essentielle se résumait à ceci : ce câble était-il une "intox" fabriquée par le KGB pour griller Kissinger, ou était-il réel ? » Sullivan avait ses entrées à la NSA, dont les spécialistes conclurent à l'authenticité du message. Sullivan remit un compte rendu dans ce sens à McCoy. Celui-ci termina son rapport sur le cas *Trigon* en faisant état de ses soupçons sur

Kissinger, et en envoya une copie à la Maison Blanche où il souleva une vive inquiétude. Mais Kissinger avait encore un ami dans la place : son ancien conseiller William Hyland, resté avec l'équipe Carter, fit un scandale et le rapport fut enterré.

McCoy admit plus tard n'avoir pas mené son enquête avec tout le soin nécessaire, faute de temps. « Ce n'est qu'après mon départ de la CIA que j'ai compris que *Trigon* avait sans doute été dénoncé par Karl Koecher. » La précipitation imposée par l'amiral n'avait en effet pas permis de mieux cerner les rapports entre Koecher et divers membres de la CIA, notamment Paisley, son compagnon d'orgies. Introduit à la CIA avec une inexplicable légèreté, Koecher occupait à la Direction des opérations un poste de traducteur, que ses supérieurs estimaient indigne de ses talents ! On le chargeait plutôt d'évaluer les contacts soviétiques, parmi lesquels *Trigon*. Après que Koecher eut été démasqué, nul n'a demandé des comptes aux responsables qui l'avaient placé dans une telle position...

Ainsi, la lecture des documents confidentiels avait permis à Koecher de connaître *Trigon* « de la manière la plus intime, si bien qu'il n'a eu aucun mal à l'identifier et à le dénoncer à Moscou », reconnaît McCoy. Kissinger se trouvait disculpé, du moins dans cette affaire. Mais, en dépit des efforts conjugués de McCoy et de Sullivan, personne, ni à la CIA ni au FBI, ne fit jamais le rapprochement entre *Trigon*, Koecher et Paisley.

De la fin 1977 au début 1978, John Paisley navigua sur le *Brillig* jusqu'en Floride avec Betty Myers, voyant ses amis aux escales. Il est curieux de noter leurs impressions contradictoires : certains le trouvaient inquiet et abattu, d'autres gai et insouciant. Il dut écourter sa croisière par suite des mauvaises nouvelles qu'il reçut de sa mère, atteinte d'un cancer, et d'une offre d'emploi d'une firme d'expertise comptable de Washington, Coopers & Lybrand, dont un de ses anciens collègues,

Wayne Smith, était devenu directeur général. Le salaire annuel de 36 000 dollars proposé par Smith, ajouté aux quelque 17 000 de sa retraite de la CIA, lui assurait de confortables ressources. Or, pendant tout ce temps, Paisley allait continuer à travailler pour la CIA, sous des contrats temporaires payés par l'entremise de Coopers & Lybrand. Son poste d'attaché de direction lui servait donc vraisemblablement de couverture.

En mai 1978, après être allé dans l'Oregon voir sa mère mourante, Paisley prit ses fonctions chez Coopers & Lybrand. La secrétaire de Wayne Smith confirme que Paisley imputait une partie de son temps à la CIA. Wayne Smith, qui a quitté la firme depuis, explique que Paisley devait solder ses contrats en cours avec l'Agence qui, en vertu d'arrangements comptables, versait la rémunération correspondante à la firme. Par la suite, il était entendu que Paisley cesserait ses activités pour la CIA. Le mystère de son véritable emploi du temps demeure d'autant plus épais que Smith, après la disparition de Paisley, donna l'ordre de détruire tous les dossiers de ce dernier, sous prétexte qu'ils étaient sans valeur et sans intérêt.

Quand il séjournait à Washington entre ses croisières sur le *Brillig*, Paisley descendait chez l'un ou l'autre de ses amis et collègues. Au printemps 1978, avant d'entrer chez Coopers & Lybrand, il s'installa quelque temps chez Betty Myers à Bethesda pendant qu'il cherchait un appartement à louer. Il est pour le moins étrange de noter que, de tous les appartements disponibles dans la région de Washington, Paisley choisit d'en louer un au 1500 Massachusetts Avenue.

L'immeuble est situé à quelques rues des bureaux de Coopers & Lybrand. Pourtant, selon le personnel de la firme, Paisley n'y était presque jamais. Pour le joindre par téléphone, il fallait la plupart du temps l'appeler à la CIA — quatre ans après qu'il avait pris sa retraite ! Non seulement l'appartement l'éloignait de la CIA, mais il lui interdisait d'utiliser ses chers appareils de radio : un huitième étage en pleine ville ne représente pas l'endroit rêvé pour déployer une antenne et capter les ondes de l'autre bout du monde! Il n'avait pas non plus de motif économique pour s'y installer: son loyer s'élevait à deux cent vingt dollars par mois et il aurait trouvé des dizaines de logements plus vastes, plus confortables et moins chers dans la banlieue de Virginie, près de Langley. Alors, pourquoi se priver volontairement d'un passe-temps qu'on aime depuis l'enfance, s'éloigner de son principal lieu de travail et accepter de surpayer son logement?

La réponse est inquiétante, car elle repose peut-être sur un Soviétique. Haut gradé du KGB et responsable de la sécurité à l'ambassade d'URSS à Washington, Vitaly Sergueievitch Yourchenko supervisait en outre les activités d'une douzaine d'agents, surnommés les « oiseaux de nuit », tous logés dans l'immeuble où Paisley avait élu domicile. Le soir venu, ces personnages écumaient les bars d'homosexuels à la recherche de militaires et d'employés de ministères frustrés ou solitaires, afin de les compromettre et de les faire chanter pour leur extorquer renseignements et documents secrets. Or, en 1978, Yourchenko se rendait régulièrement au 1500 Massachusetts Avenue.

S'il est étonnant qu'un cadre supérieur de la CIA aille loger dans un immeuble connu pour abriter des agents du KGB, il est non moins étrange d'avoir découvert dans ses effets personnels des lettres adressées à « John Paisley, distributeur du *Washington Post* ». Une des enveloppes contenait même encore de l'argent, en règlement de journaux censés avoir été livrés. John Paisley n'avait jamais été employé au *Washington Post*, même à temps partiel. Certains experts supposent que Paisley a pu se servir du journal pour transmettre des messages à Yourchenko ou à ses hommes. La réponse, par exemple, pouvait prendre la forme de réclamations sur les livraisons.

La question se pose donc: Paisley agissait-il sur ordre de la CIA? Ou faut-il rapprocher ces énigmes des bizarreries de sa vie passée — « oubli » de certains voyages, boîte postale en Angleterre, indiscrétions aux journaux, partouzes avec Koecher ?

Si Paisley, dans le rôle du retraité aigri prêt à vendre sa patrie, s'était domicilié au 1500 Massachusetts Avenue à seule fin d'établir le contact avec Yourchenko ou un autre, ce n'était pas pour le compte du contre-espionnage de la CIA : Leonard McCoy affirme ne rien savoir d'une telle opération. Mais à supposer qu'il ait joué le jeu dangereux de s'offrir en appât, d'abord en participant à des orgies avec les Koecher, puis en s'installant dans le nid des « oiseaux de nuit » du KGB, il a pu être trahi ou démasqué, ce qui rendait inéluctable le dramatique dénouement de la baie de Chesapeake.

Notons ici que, lorsque Yourchenko « déserta » en août 1985, il fut soumis aux *debriefings* les plus déplorables de l'histoire du renseignement. Ses interrogateurs prirent ses mensonges pour argent comptant, sans que nul ait l'idée de le questionner sur Paisley. En novembre 1985, se disant « écœuré de la CIA », il regagna l'URSS, sa mission de désinformation accomplie. Ainsi, le seul homme au monde peut-être capable d'éclaircir le mystère Paisley était parti sans rien révéler.

Maryann et John Paisley avaient beau être séparés, ils restaient bons amis. Selon Katherine, la sœur de John, l'amitié leur réussissait mieux que le mariage. Il semblerait aussi que, sur les instances de leurs enfants Edward et Diane, ils aient décidé de consulter un conseiller matrimonial.

Le comportement de Paisley pendant l'été 1978 surprend par ses contradictions et ses apparentes incohérences : une fois encore, il paraissait déprimé aux uns, en pleine forme pour les autres. Il avait stupéfié son vieil ami Leonard Masters en lui demandant de l'aider à retrouver un emploi de radio dans la marine marchande. Juste avant sa disparition, Masters lui avait répondu qu'il y avait en effet des postes disponibles.

Paisley semble aussi avoir fait d'autres démarches dans le même sens.

Son rapprochement avec Maryann correspond à la fin de sa liaison avec Betty Myers, qui venait d'accepter un emploi dans le Maryland, à Cumberland, et s'apprêtait à déménager. Paisley approuvait sa décision : peut-être commençait-il à se lasser de la situation, selon le témoignage de plusieurs de ses amis à qui il se plaignait du caractère possessif de Betty.

Les Wilson invitèrent Paisley au mariage de leur fille le 12 août. Il s'y rendit seul après avoir hésité à emmener Maryann ou Betty. Norman Wilson, qui ne l'avait pas revu depuis le début de l'année, fut très surpris de sa transformation. Connu pour sa mise négligée, Paisley arborait un smoking. Lors de leur dernière rencontre, il fumait cigarette sur cigarette et buvait trop. Cette fois, il était presque sobre et fumait moins. « Nous avions beau être bons amis depuis des années, John se montrait toujours plutôt froid, distant, au point que nous n'osions pas lui poser de questions trop personnelles. Cette fois, nous l'avons à peine reconnu tant il était expansif et sentimental. Il me prenait par le cou, me faisait des confidences... »

Quelques jours plus tard, le 25 août, Betty Myers donna une petite fête chez John Paisley en l'honneur de son cinquante-cinquième anniversaire. Elle le trouva d'abord plus morose et déprimé que jamais. « Il était presque toujours comme cela auprès de moi. Mais à la fin de la réunion il s'est méta-morphosé ! Quelqu'un avait apporté des ballons. Après que tout le monde fut parti, il s'est assis par terre, il a gonflé les ballons et les a lancés par la fenêtre. Je ne l'avais jamais vu faire une chose pareille, c'était merveilleux... »

Au début de septembre, Gladys Fishel, son avocate, reçut un coup de téléphone de John Paisley. Il l'appelait pour lui apprendre qu'il avait perdu son portefeuille dans la rue, non loin de son appartement, et qu'il voulait faire paraître une annonce légale dans le *Washington Post*. Décontenancée par cette surprenante demande, Gladys Fishel lui répondit qu'il suffisait de prévenir sa banque et les organismes de ses cartes de crédit.

Cet étrange appel téléphonique serait suivi, dans les semaines à venir, de bien d'autres événements bizarres.

A la fin de juillet 1978, Paisley alla voir Leonard McCoy dans son bureau. Les deux hommes n'avaient jamais entretenu de bonnes relations, et McCoy était aussi surpris par la visite inopinée de Paisley qu'irrité de remarquer, sur sa pochette, un badge lui permettant de circuler comme chez lui dans les locaux les mieux gardés de la CIA, dont il était censé ne plus faire partie depuis quatre ans. Il se domina cependant et écouta avec étonnement Paisley lui dire qu'il enquêtait sur des fuites de documents secrets au bénéfice du KGB, dont la source serait au Parlement. McCoy écouta poliment : « Je me sentais mal à l'aise quand il est parti, raconte-t-il. Tout cela était trop vague. Mais j'avais autre chose à faire et je me suis borné à me demander ce que cela voulait dire. »

Paisley avait donné à McCoy l'impression qu'il enquêtait pour le compte de Mitre Corp., sous-traitant de la CIA. Or, son collègue Clarence Baier rappelle que Paisley n'y était chargé, en 1978, que d'une étude sur les systèmes d'alerte des mouvements de troupes soviétiques. William Tidwell, qui l'avait engagé à la CIA au début de sa carrière, puis chez Mitre en qualité de consultant, confirme que Paisley n'avait jamais eu à s'occuper de problèmes de sécurité. On retrouve sur le carnet d'adresses de Paisley les numéros de téléphone de l'amiral Turner qui, de son côté, dément l'avoir jamais rencontré. On pourrait supposer que, à la demande d'un adjoint de l'amiral Turner, la visite de Paisley à McCoy était liée aux documents que Sullivan, de plus en plus enragé de se heurter à l'indifférence ou à l'hostilité de ses collègues, communiquait à cette époque à l'assistant parlementaire d'un sénateur, dans l'espoir de se faire enfin écouter. Mais si Paisley ne travaillait ni pour l'amiral Turner ni pour Mitre Corp., pour quelle raison était-il venu dans le bureau de McCoy?

A la fin de ce même mois de juillet 1978, Sullivan fut informé qu'il allait être soumis à l'examen périodique au polygraphe, ou détecteur de mensonges, qu'il aurait déjà dû passer deux ans auparavant. Prévoyant qu'on le questionnerait sur ses contacts avec McCoy et l'assistant parlementaire, il prit les devants et donna tous les détails à son examinateur.

Quelques jours plus tard, le service de sécurité intérieure informa McCoy qu'il avait enfreint les règlements en communiquant à Sullivan son rapport sur *Trigon* et ses soupçons sur Kissinger. McCoy fit observer que Sullivan avait le droit d'accéder à ce type de renseignement, que l'agent *Trigon* était mort et son dossier classé. Il n'en fut pas moins convoqué devant le directeur général, l'amiral Turner, et son adjoint Frank Carlucci. D'entrée, celui-ci l'assura avoir été pleinement informé de son cas par l'Inspection générale, qui n'y trouvait aucun motif de sanction disciplinaire. McCoy s'attendit donc à une simple réprimande. Malheureusement, l'amiral Turner le prit sur le ton du maître d'école qui morigénerait un cancre. McCoy, qui considérait l'amiral comme un âne prétentieux, se rebiffa. Sans que Carlucci eût fait mine d'intervenir, Turner se vengea en rétrogradant McCoy d'un rang hiérarchique, ce qui revenait à briser sa carrière à la CIA.

Sullivan n'était pas non plus au bout de ses peines, mais la perspective de sanctions lui inspirait plus de colère que de frayeur. Aussi, lorsque, le 25 août 1978, Robert Gambino, chef des services de sécurité, lui reprocha d'être responsable de fuites, Sullivan contre-attaqua : « Tous les jours, nous perdons des satellites, des agents, des contacts. Croyez-vous que ce soit par hasard ? Il est inadmissible que mes rapports soient ridiculisés au lieu d'être applaudis comme ils le méritent ! L'Agence est infiltrée par le KGB, elle est infestée de taupes. » Là-dessus, il donna à Gambino une liste de dix noms parmi lesquels figurait en bonne place celui de John Paisley. Le jour même de son cinquante-cinquième anniversaire, qu'il célébrait par un lâcher de ballons, Paisley était accusé par un de ses anciens subordonnés d'être un agent double du KGB.

Ces accusations étaient trop graves pour que Gambino les ignorât. Mais il ne jugeait pas Sullivan digne d'être pris au sérieux et il fit donc vérifier sommairement la liste par ses collaborateurs. Des détails troublants apparurent au sujet de Paisley : il n'avait subi aucun examen au polygraphe depuis 1953 et, en dépit de sa « retraite », il continuait à avoir accès aux informations les plus secrètes. C'était anormal, mais pas exceptionnel : bien des cadres supérieurs de l'Agence, surtout avec l'ancienneté et le prestige de Paisley, passaient ainsi à travers les mailles de la sécurité. Estimant que Sullivan accusait Paisley sans preuves, Gambino n'alla pas plus loin. Il aurait pourtant dû savoir que le travail du contre-espionnage se fonde sur l'intuition et qu'il suffit souvent de bâtir une théorie cohérente pour qu'elle soit ultérieurement vérifiée par les faits.

Leonard McCoy prit sa retraite peu après ces événements et partit pour l'Allemagne en mission spéciale. Avant son départ, il transmit au FBI une copie de son rapport sur *Trigon* en précisant que le rôle de Henry Kissinger méritait d'être étudié en profondeur. Le FBI ne lui en accusa même pas réception et nul n'est jamais venu lui en parler depuis.

6

La baie de Chesapeake

Jeudi 21 septembre 1978, 10 heures

La fièvre matinale s'apaisait dans la salle de rédaction du *Washington Star* quand parvint le premier appel. Une voix masculine à l'accent indéfinissable annonça qu'un attentat allait avoir lieu « contre un homme de la CIA ». Plusieurs autres appels suivirent. Dans l'un d'eux, l'inconnu s'identifia sous le nom de Ghawzi Ullah et prétendit parler au nom d'un mouvement se faisant appeler le Conseil de guerre islamique. Faute de voir ses exigences satisfaites sous soixante-douze heures, le Conseil menaçait de procéder à l'exécution non plus d'un, mais de trois agents.

Un des journalistes du *Star* était informateur du FBI et de la CIA, à qui il transmettait tout ce qui était susceptible de les intéresser. Le Bureau et l'Agence le remerciaient en lui fournissant des informations ou en l'aidant dans ses enquêtes, et chacun trouvait son compte à cet échange de bons procédés. Il appela donc ses contacts au FBI et à la CIA et leur rapporta le curieux appel qu'il venait de recevoir.

Vendredi 22 septembre 1978, 11 heures

Suite aux accusations de David Sullivan, le service de sécurité de la CIA décida d'entreprendre une enquête détaillée sur John Paisley — formalité surprenante pour un agent officiellement retraité depuis 1974 ! — car l'examen de son dossier révélait qu'il avait toujours accès aux renseignements les plus secrets — photos des satellites espions, rapports d'agents, interceptions de communications. Le questionnaire qui lui fut adressé ce jour-là amorçait le long processus de l'enquête.

Vendredi 22 septembre 1978, 14 heures

John Paisley téléphona à Maryann pour lui dire qu'il partait faire de la voile et aimerait dîner avec elle à son retour, le dimanche soir. Il devait la rappeler dans la journée de dimanche pour préciser le rendez-vous.

Vendredi 22 septembre 1978, 19 heures

Paisley téléphona à Betty Myers et lui dit qu'il allait essayer de vendre le *Brillig* pendant le week-end. Quelques semaines auparavant, alors qu'elle cherchait un logement à Cumberland, John lui avait proposé d'acheter une maison pour moitié avec elle grâce au produit de la vente du bateau.

Samedi 23 septembre 1978, 15 heures

Dans le garage souterrain du 1500 Massachusetts Avenue, John Paisley monta en voiture et démarra en direction de Lusby, dans le Maryland, où le *Brillig* était amarré au ponton de son ami Norman Wilson.

Samedi 23 septembre 1978, 19 heures

En l'absence des Wilson, partis pour leur maison de Virginie recevoir des amis de passage, Paisley s'installa au salon avec un cocktail et un livre. Il était plongé dans sa lecture quand Gordon Thomas arriva avec son fils Richard. Ancien officier de renseignement reconverti dans le courtage des bateaux de plaisance, et lui aussi ami de Norman Wilson, Thomas avait appris que Paisley cherchait à vendre le *Brillig*. Il connaissait déjà Paisley, qu'il trouvait « bizarre mais génial... un vrai professionnel du renseignement ».

Le jeune Richard Thomas dut enjamber des gueuses de plongée pour monter à bord du *Brillig*. Pendant qu'il l'inspectait, son père discutait du prix avec Paisley : Thomas proposait quinze mille dollars, Paisley demandait dix-sept mille, car il envisageait l'achat d'un voilier plus grand qu'il pourrait habiter quand ses enfants auraient terminé leurs études. Comme, d'ici là, il ne se servirait pas du *Brillig*, Thomas lui suggéra de le rentabiliser en le louant. Paisley répondit qu'il allait y réfléchir. Les Thomas prirent congé en ajoutant qu'ils reviendraient la semaine suivante. Mais Gordon Thomas avait depuis le début l'impression que Paisley était distrait et « n'avait pas du tout la tête à ce que nous disions ».

Dimanche 24 septembre 1978, 10 heures

Conseiller du Département d'Etat près de l'Organisation des Etats américains, Michael Yohn avait été présenté à John Paisley en 1972 par des amis communs. Paisley lui avait vendu son précédent bateau, le *Quiescent*, amarré à côté du *Brillig* au ponton de Norman Wilson, à qui Yohn avait acheté du terrain en bordure de la baie pour se construire un pavillon de vacances.

Ce matin-là, les Yohn allaient se promener en mer avec un invité. En passant devant la maison des Wilson, ils virent Paisley qui en sortait, un porte-documents à la main, et ils se dirigèrent ensemble en bavardant vers l'appontement. Yohn dit à Paisley qu'il voulait récupérer son blouson, oublié sur le *Brillig* lors d'une promenade le mois précédent. Selon Mme Yohn, Paisley eut l'air surpris et courut après son mari qui venait de monter à bord. Yohn sortait du bateau au moment où Paisley y arrivait. En le croisant sur l'appontement, Paisley fit un faux mouvement et lâcha son porte-documents qui tomba à l'eau. Il le repêcha à la hâte, en expliquant qu'il travaillait depuis six mois sur un rapport qu'il emportait afin de le terminer.

Selon Mme Yohn, la maladresse de Paisley et sa nervosité ne cadraient pas avec son sang-froid habituel. Pour Yohn, en revanche, Paisley semblait d'excellente humeur à l'idée d'aller faire de la voile. Les deux hommes décidèrent de brancher leurs radios respectives sur les mêmes longueurs d'onde. Le *Quiescent* appareilla aussitôt, le *Brillig* une dizaine de minutes plus tard. Yohn se souvient que Paisley, ce jour-là, portait un pantalon kaki, une chemise de sport et des chaussures.

Une fois au large, Yohn et Paisley correspondirent par radio. Vers 11 heures, Paisley capta un radio amateur de Lusby, George Schellhas, à qui il parla de son projet de vente du *Brillig*. Arrivé près de l'embouchure de la Patuxent, Yohn dit à Paisley que le vent était trop faible pour s'amuser et qu'il préférait rentrer. Paisley l'encouragea à rester. Finalement, la mollesse du vent et la retransmission d'un match de football l'emportèrent sur l'attrait de la navigation : Yohn déclara à Paisley qu'il abandonnait et qu'il le reverrait le soir. A 13 h 45, Yohn amarra le *Quiescent* et courut allumer son téléviseur.

A la mi-temps, vers 15 h 15, Yohn appela Paisley à l'aide d'un petit émetteur portatif qu'il venait d'acheter et dont il voulait tester la portée. Au bout de plusieurs essais infructueux, il obtint une réponse vers 16 h 30. Paisley lui dit que le vent s'était levé et que tout allait bien. Il lui demanda de prévenir Wilson qu'il rentrerait sans doute tard. Deux autres radios amateurs se rappellent avoir parlé à Paisley cet après-midi-là.

Dimanche 24 septembre 1978, 17 h 15

Ingénieur de la NASA au centre spatial de Goddard, Ray Westcott aimait promener sa famille en voiture afin de distraire une de ses filles malade, clouée sur un fauteuil roulant. Ce jour-là, Ray, sa femme et leurs quatre enfants avaient pris la baie de Chesapeake pour but de promenade. Westcott gara son break dans un parking touristique dominant un vaste panorama sur la baie et la centrale nucléaire de Calvert Cliffs.

Le parking était équipé de télescopes fonctionnant avec des pièces de monnaie. Les Westcott étaient seuls et Ray suivait au télescope les évolutions d'un beau voilier blanc quand une voiture pénétra dans le parking et alla se ranger à l'écart, comme si ses occupants cherchaient à se cacher du préposé dans la guérite de l'entrée. Deux hommes et une femme en tenues de ville descendirent de voiture. L'un d'eux sortit du coffre une sorte de gros boîtier électronique. Leur comportement furtif parut si inquiétant à Westcott qu'il fit remonter sa famille en voiture et s'éloigna aussitôt. Cette rencontre allait longtemps lui laisser un sentiment de malaise.

Dimanche 24 septembre 1978, 17 h 30

Etonnée que John ne l'ait pas rappelée, comme convenu, pour confirmer leur rendez-vous du soir, Maryann Paisley téléphona à son appartement. Elle n'obtint pas de réponse.

Dimanche 24 septembre 1978, 20 heures

Voyant les Wilson rentrer chez eux, Yohn alla dire à Norman que Paisley voulait lui parler et appela ce dernier à l'aide de son émetteur. Paisley dit à Wilson qu'il n'avait pas fini de travailler sur son rapport et comptait rester mouillé quelques heures encore au large du phare de Hooper. Wilson lui répondit qu'il laisserait les lumières de l'appontement allumées et lui réservait un « accueil en fanfare ».

Wilson se souvient du ton détendu de Paisley : « Il m'a dit qu'il faisait doux, que le paysage était beau et paisible. Il avait déjà demandé à Yohn de me prévenir qu'il reviendrait tard quand il l'a rappelé pour lui dire qu'il voulait me parler. Avec le recul, je me demande si ce n'était pas une manière détournée de nous faire ses adieux... »

Nuit du dimanche 24 au lundi 25 septembre 1978

Après cette conversation, Wilson tint parole et alla brancher un magnétophone avec une marche militaire de John Philip Sousa pour accueillir Paisley quand il débarquerait Mais la soirée s'avançait sans que ce dernier se manifestât. Faute de posséder un émetteur radio, Wilson ne pouvait pas chercher à entrer en contact avec lui. Barbara Wilson s'inquiétait de ce retard. Norman lui répondit que Paisley était « un grand garçon », que le temps était splendide et qu'ils feraient mieux d'aller se coucher.

Plusieurs témoins se rappellent avoir vu ce soir-là le *Brillig*, avec son canot en remorque, mouillé près des îles Hooper. Après être resté en place toute la nuit, le bateau appareilla de bonne heure le lundi matin.

Réveillé vers 4 heures du matin et constatant que le *Brillig* n'était pas amarré à l'appontement, Norman Wilson alla éteindre les lumières et débrancher le magnétophone.

Lundi 25 septembre 1978, 9 heures

A deux milles au large de Ridge, Maryland, son port d'attache, Robert McKay pêchait à bord de son bateau, le *Miss Judy*, quand un sloop portant toute sa toile parut foncer sur lui « comme s'il courait une régate » et le dépassa à le frôler. McKay remarqua le nom *Brillig* sur le tableau arrière et ne vit personne à bord. Il estima sa vitesse à environ dix à douze nœuds.

Intrigué, McKay surveilla le *Brillig* pendant près de trois quarts d'heure. Puis, lorsque le vent changea et que le bateau se dirigea droit vers la terre, McKay décida de le suivre. Stupéfait qu'il se fût échoué sans avoir amorcé la moindre manœuvre, McKay s'en approcha le plus qu'il put, le héla à plusieurs reprises puis, faute de réponse, appela les gardes-côtes à la radio et signala l'incident.

Lundi 25 septembre 1978, 10 heures

Sur la plage de Scotland Beach, une femme promenait son chien. Au large, pêcheurs et plaisanciers profitaient du temps superbe de ce début d'automne. La baie de Chesapeake était parsemée de voiles comme en plein été.

C'est alors que la promeneuse vit un bateau s'approcher toutes voiles dehors et s'enliser dans la vase du haut-fond, en face du Hayes Beach Hotel près de Ridge, Maryland. Il n'y avait apparemment personne à la barre. La promeneuse trouva cela bizarre mais rentra chez elle sans plus y penser. En plusieurs endroits, le long de la baie, d'autres personnes furent témoins au même moment de l'échouage du *Brillig*.

Lundi 25 septembre 1978, 10 h 25

Suite à l'appel de Robert McKay, le poste des gardes-côtes de Saint-Inigoes alerta Gerald J. Sword, garde au Maryland Park Service, et lui ordonna de rechercher un voilier échoué à environ deux milles au nord de Scotland Beach.

Lundi 25 septembre 1978, 10 h 30

A Washington, dans les bureaux de Coopers & Lybrand, Wayne Smith attendait avec une irritation croissante l'arrivée de Paisley qui devait lui fournir des chiffres importants pour une réunion imminente. Il demanda à Kay Fulford, sa secrétaire, de joindre Paisley et de le rappeler à l'ordre.

Connaissant assez Paisley pour savoir qu'il ne se serait pas absenté sans avoir prévenu, Kay Fulford téléphona à tous les numéros dont elle disposait et termina par celui de l'appartement, qui ne répondit pas davantage. Inquiète, elle appela la gardienne de l'immeuble et lui demanda de laisser entrer un collaborateur de la firme, William Richbourg, chez John Paisley afin de vérifier s'il ne lui était rien arrivé.

Lundi 25 septembre 1978, 10 h 45

Etonné que John Paisley ne fût pas encore revenu, ni ne l'eût fait prévenir par un radio amateur, Norman Wilson ne s'inquiétait cependant pas : « Je croyais qu'il avait emmené Betty ou une de ses bonnes amies passer la nuit à bord. » Peu soucieux de confort, Paisley restait en effet volontiers sur le *Brillig* et se contentait d'une boîte de conserve froide en guise de dîner, surtout quand il faisait beau comme c'était le cas ce jour-là.

Lundi 25 septembre 1978, 10 h 55

Le garde Sword retrouva sans mal le *Brillig*, échoué à deux mètres du rivage. Il ne repéra dans le sable aucune trace de pas en provenance du bateau. Après avoir vainement appelé, il se hissa à bord et entra dans la cabine où, dans un grand désordre, il vit des vêtements jetés au hasard et des papiers épars sur la table.

Il se pencha vers ceux-ci et sursauta en lisant, sur la feuille du dessus, qu'il était question de missiles stratégiques du Pacte de Varsovie. Dans un porte-documents ouvert, il vit du courrier et des documents personnels. Une lettre, adressée à « John A. Paisley, distributeur du *Washington Post* », était une réclamation sur l'irrégularité des livraisons et contenait un chèque « en paiement des numéros reçus ».

Après avoir remarqué un nombre inhabituel d'appareils de radio, perfectionnés et d'aspect coûteux, Sword regagna la terre et alla téléphoner aux gardes-côtes.

Lundi 25 septembre 1978, 11 heures

La gardienne fit entrer Richbourg dans l'appartement de Paisley. Les journaux du jour et de la veille étaient encore à la porte. Dans l'appartement inoccupé, où Paisley avait cependant laissé son matériel de plongée, Richbourg remarqua un fichier d'adresses qu'il emporta dans l'espoir d'y trouver le numéro de téléphone de quelqu'un capable de le renseigner.

Lundi 25 septembre 1978, 11 h 20

Sword fit son rapport par téléphone aux gardes-côtes. Inquiet de laisser sans surveillance un bateau à bord duquel se trouvaient des documents secrets et un matériel de grand prix, il proposa de retourner garder le *Brillig* et fut très surpris de s'entendre répondre d'attendre un quart d'heure.

Deux marins des gardes-côtes montèrent à bord du *Brillig* avant le retour de Sword. Ils constatèrent tout de suite que le pilote automatique était enclenché. Mais alors, pourquoi le *Brillig* portait-il toute sa toile ? Il aurait dû tourner en rond.

Or, il avait parcouru 24 milles depuis le phare de Hooper, où il avait été signalé pour la dernière fois.

La table de la cuisine était presque arrachée de ses charnières et un sandwich entamé gisait sur le sol. Le matériel radio était le plus perfectionné que les marins eussent jamais vu. Ils découvrirent également dans une valise un jeu de boîtiers électroniques dont ils ignoraient l'usage. Parmi les papiers, ils trouvèrent l'immatriculation du bateau au nom de John Arthur Paisley. Un portefeuille contenait des cartes de visite d'un cabinet d'expertise comptable de Washington, des badges colorés d'allure officielle, un permis de conduire et une carte de crédit établis au même nom. (Paisley avait donc menti à Gladys Fishel sur la perte de son portefeuille.) En comparant le nom figurant sur les pièces d'identité à la correspondance dans le porte-documents, les marins déduisirent que le propriétaire du bateau travaillait au *Washington Post*, tout en s'étonnant qu'un chauffeur-livreur ait les moyens de s'offrir un aussi beau voilier.

Il fallait d'urgence renflouer le *Brillig* et le remorquer en lieu sûr, car il présentait un danger pour la navigation. Tout en amarrant le câble de remorque, les marins se demandèrent ce qu'était devenu le propriétaire : s'était-il noyé pendant un bain de minuit ? Il ne s'agissait pas de piraterie, comme l'attestaient le matériel intact, la présence d'un chèque et d'argent liquide. Mais le désordre de la cabine suggérait la violence ; le pantalon kaki où ils avaient découvert le portefeuille était accroché à la table cassée, sous laquelle gisaient une paire de chaussures et un briquet. Une chemise de sport était jetée sur le pont. Et pourquoi deux des radios étaient-elles allumées ?

Quand Sword revint sur les lieux, il vit un imposant navire militaire à quelques encablures et deux marins à bord du *Brillig*. L'un d'eux lui apprit qu'ils avaient trouvé les papiers du propriétaire et ajouta qu'il espérait que ce n'était pas un suicide. Les marins amenèrent les voiles, le navire hala le bateau échoué et le remit à flot. Sword suivit la manœuvre des yeux en se demandant de quoi il avait réellement été témoin.

Le quartier-maître James Maxton, chef du poste des gardes-côtes de Saint-Inigoes, avait déjà lancé des recherches dans la baie, de l'embouchure de la Patuxent à l'estuaire du Potomac, et avisé la police. La police d'Etat du Maryland n'intervint pas et les responsables locaux se bornèrent à classer l'incident sous la rubrique des noyades.

Les gardes-côtes avaient beau être submergés sous les appels de détresse de plaisanciers imprudents, comme celui-ci sans doute, Maxton monta à bord constater par lui-même ce qu'il en était. Il remarqua l'extraordinaire équipement radio, si perfectionné qu'il n'en connaissait pas la moitié des éléments. Il prit note de la table à demi arrachée, du sandwich entamé par terre. Il fut aussi frappé du contraste entre le désordre de la cabine et l'état impeccable des radios, sans un grain de poussière ni un câblage déplacé d'un millimètre.

Comme il fallait trouver quelqu'un à qui signaler la disparition de Paisley, Maxton, revenu à terre, commença par son employeur présumé, le *Washington Post*. Le journal répondit qu'il n'existait aucun employé du nom de John Paisley et que le numéro de sa carte appartenait à un autre.

Perplexe, Maxton remonta à bord du *Brillig*, feuilleta les papiers sur la table du carré et dans le porte-documents. Il comprit alors pourquoi Paisley était inconnu au *Washington Post*: le rapport, zébré de corrections et de ratures, parlait de l'armement stratégique de l'URSS et il était question de la CIA. En poursuivant sa fouille, Maxton trouva un chéquier, un calepin et un répertoire téléphonique métallique à curseur, d'un modèle déjà ancien. S'il reconnut l'indicatif du Pentagone dans un certain nombre de numéros, il ignorait que le 351 était réservé à la CIA et que, pour la plupart, ces numéros étaient top secret. Quant aux cartes de visite de Coopers & Lybrand, elles ne faisaient qu'ajouter au mystère.

Comprenant désormais qu'il ne s'agissait pas d'une disparition ordinaire et que ce Paisley était peut-être un personnage important, Maxton laissa les lieux en l'état et posta sur le *Brillig* une sentinelle armée. Il appela ensuite son quartier général à Porstmouth, Virginie, et décrivit en détail à un certain lieutenant Murray ce qu'il avait trouvé.

Depuis longtemps, la CIA avait déterminé, auprès des services de secours et de police, la procédure à suivre en cas d'accident survenu à l'un des quelque 30 000 collaborateurs, consultants et retraités de l'Agence. Le lieutenant Murray appliqua les consignes et communiqua ses informations au service de sécurité de la CIA. Il ajouta que « la nuit de la disparition de M. Paisley un bâtiment soviétique croisait dans la baie de Chesapeake et nous avons observé, cette même nuit, une activité radio inaccoutumée émanant de la résidence d'été de l'ambassade d'URSS, sise sur la rive Est ».

Entre-temps, grâce au répertoire téléphonique trouvé dans le porte-documents, Maxton avait réussi à localiser Diane Paisley et à la prévenir de la disparition de son père.

Lundi 25 septembre 1978, 12 heures
Quand Norman Wilson était en activité dans l'armée de l'air, il avait eu pour adjoint Phil Waggener, entré à la CIA depuis et promu en 1977 au poste qu'occupait son ancien patron, John Paisley, au Service de recherche stratégique. Waggener téléphona à Wilson pour lui apprendre que le *Brillig* avait été retrouvé échoué à 25 milles de chez lui sans personne à bord. Wilson en resta stupéfait. Waggener, qui aimait beaucoup Paisley, n'avait pas été moins bouleversé quand le service de sécurité, alerté par les gardes-côtes, l'en avait informé.

Wilson s'efforça de prévenir Betty Myers avant que Maryann ne s'en chargeât. Il ne put la joindre qu'après avoir laissé plusieurs messages à l'hôpital où elle travaillait. La nouvelle ne parut pas l'étonner, comme si elle s'y était attendue: « J'ai tout de suite senti qu'il était mort. Maryann n'était pas de cet avis, alors, j'ai essayé de garder l'espoir, comme les autres. »

Lorsque Richbourg revint dans les bureaux de Coopers & Lybrand, Phil Waggener avait déjà prévenu Wayne Smith, atterré par la nouvelle. Il avait toujours eu de l'estime et de l'amitié pour Paisley, dont il ne pouvait s'expliquer la disparition. Il l'avait vu quelques jours auparavant, le mercredi, et il lui avait paru de bonne humeur et en bonne santé, comme venait d'ailleurs de le confirmer son examen médical d'embauche.

Lundi 25 septembre 1978, 15 heures

Waggener réussit à joindre Maryann. Il lui apprit que les gardes-côtes l'avaient informé de la présence, à bord du *Brillig*, de documents secrets que l'Agence devait récupérer, comme tout ce qui pourrait se trouver chez John.

Maryann rappela Waggener dans la soirée pour lui dire qu'elle tenait à voir elle-même le *Brillig*. Selon Waggener, Maryann avait dès le début soupçonné quelque chose d'anormal dans cette disparition. Il passa la prendre en voiture et la conduisit à Saint-Inigoes.

Lundi 25 septembre 1978, 24 heures

Phil Waggener et Maryann Paisley retrouvèrent Norman Wilson au poste des gardes-côtes de Saint-Inigoes. Faute d'avoir été avisé de la présence d'un officiel de la CIA, dont il lui était impossible de vérifier l'identité à cette heure tardive, le quartier-maître Maxton refusa l'accès du *Brillig* à Waggener et n'autorisa que Wilson et Maryann à monter à bord. La police du Maryland n'avait toujours envoyé aucun enquêteur.

Maxton montra à Wilson et à Maryann la valise pleine d'appareils électroniques et le rapport dans lequel Paisley étudiait une nouvelle génération de satellites espions. Quand ils redescendirent à terre, Waggener fit observer que ce rapport, littéralement parlant, n'était pas classé « secret » tant qu'il n'était pas remis à l'Agence, puis il annonça à Maxton la visite prochaine d'agents du service de sécurité qui prendraient connaissance du rapport et des autres documents. Les gardes-côtes consentant à laisser le *Brillig* à la garde de Mme Paisley, Maryann et Norman Wilson se mirent d'accord pour que ce dernier vînt avec Edward Paisley chercher le bateau le week-end suivant pour le ramener à l'appontement.

L'attitude de Maryann Paisley cette nuit-là étonna Maxton : « Elle se souciait plus de récupérer le bateau que de savoir ce qu'était devenu son mari. J'en étais gêné. » Wilson confirme l'impression du quartier-maître : Maryann ne manifestait aucune hâte à retrouver la trace de John. Pourtant, alors qu'elle avait d'emblée parue convaincue du caractère inquiétant de cette disparition, « elle sentait que John était toujours vivant et elle communiquait avec lui par l'esprit ».

Mardi 26 septembre 1978, 9 heures

Dûment munis de documents attestant leur qualité d'agents de sécurité de la CIA, Joseph Mirabile et Frank Rucco se présentèrent au poste des gardes-côtes de Saint-Inigoes. Dans le rapport remis à Robert Gambino, chef du service, ils détaillèrent d'abord le matériel électronique et l'équipement radio trouvés à bord du *Brillig*, puis ils firent l'inventaire des divers papiers contenus dans le porte-documents.

Ceux-ci comprenaient le compte rendu d'une opération baptisée « Expérience équipe A-équipe B », où Paisley avait tenu un rôle de coordinateur, joint au brouillon d'un rapport dans lequel Paisley étudiait les avantages éventuels de ce type de compétition pour la mise au point des estimations de la CIA. Bien que le compte rendu et l'étude soient fondés sur des documents confidentiels, Gambino n'y décela pas de risque significatif. Il n'en allait pas de même pour la version presque définitive du rapport sur l'extension du rôle des satellites espions.

Bien que ses hommes n'aient rien découvert de réellement important à bord du *Brillig*, Gambino — que hantaient maintenant les accusations portées par Sullivan deux mois auparavant — était confronté à une situation grave : un homme informé des secrets de la CIA avait disparu. Il ordonna à ses subordonnés de prendre contact sans tarder avec Mme Paisley, afin de visiter l'appartement de son mari et d'y récupérer tous les documents confidentiels qui pouvaient s'y trouver, et s'apprêta à saisir le FBI de l'affaire.

Mercredi 27 septembre 1978, 9 heures
A la demande de Maryann, Phil Waggener transmit au *Washington Post* un communiqué annonçant que l'ancien analyste de la CIA John A. Paisley avait disparu de son voilier le 24 septembre dans la baie de Chesapeake. Cette information était rendue publique pour la première fois. Le *Post* la fit passer dans la rubrique des faits divers.

En se rendant au 1500 Massachusetts Avenue, Maryann et Edward constatèrent que l'appartement paraissait avoir déjà été visité. Edward fut stupéfait de noter la disparition d'un sac en papier, contenant les cassettes des souvenirs de sa grand-mère, enregistrés par Maryann le printemps précédent. Manquaient également un magnétophone et des tasses à café.

Jeudi 28 septembre 1978, 9 heures
Dès réception de la requête officielle de Robert Gambino, adressée au poste de Washington, le FBI se mit en branle.

Il existe au FBI une tradition inviolable, inculquée à ses hommes des décennies durant par J. Edgar Hoover : les écrits restent. Au FBI, on a le culte du dossier. Le moindre contact, le plus bref des coups de téléphone, la plus insignifiante des démarches doivent être notés noir sur blanc.

En apprenant qu'une des lumières de la CIA avait disparu dans la nature, nul ne se précipita à Saint-Inigoes examiner le

90

Brillig, éventuel théâtre d'un crime — la police du Maryland, à vrai dire, ne s'était pas davantage donné la peine de se déranger. Personne n'eut non plus l'idée d'alerter la section soviétique du FBI, ce qui eût pourtant semblé logique. N'écoutant que son devoir et les instructions de ses supérieurs, l'Incorruptible à qui échut l'affaire commença par ouvrir le parapluie et consulter ses dossiers. Sa réaction était fort judicieuse : l'exemple d'un agent chevronné, dont la brillante carrière avait connu une fin brutale parce qu'il avait négligé le dossier d'un certain Lee Harvey Oswald, était encore dans toutes les mémoires.

Une semaine s'était écoulée depuis que le journaliste du *Washington Star* avait informé le FBI des menaces téléphoniques contre « un homme de la CIA ». Le Bureau avait classé le dossier sans suite. On enquêta, en revanche, sur les déclarations des gardes-côtes concernant la présence d'un navire soviétique et la recrudescence du trafic radio dans la baie de Chesapeake la nuit de la disparition de Paisley. On s'aperçut alors que le navire était un cargo polonais, le *Franciszek Zubrzycki*, allant de Wilmington, Delaware, à Baltimore par la baie de Chesapeake et le canal du Delaware, et qui, le lendemain, avait repris la mer à destination de Rotterdam. Le FBI déclara que le cargo ne s'était à aucun moment trouvé à proximité du *Brillig* et qu'un pilote américain était présent à son bord pendant toute sa traversée des eaux territoriales.

Quant au trafic radio cette nuit-là, il est effarant que le FBI ait affirmé ne jamais écouter les communications émises par les Soviétiques dans leur propriété de Pionnier Point. Le FBI conclut en conséquence que les ondes radio détectées par les gardes-côtes étaient vraisemblablement émises par les « plaisanciers et bâtiments de commerce croisant dans les parages et dont la responsabilité incombe [aux gardes-côtes] ».

Depuis le début, le FBI semble avoir sciemment minimisé les liens éventuels entre les Soviétiques et la disparition de

Paisley. Aussi, compte tenu de la réponse du FBI, Gambino rédigea un rapport concluant qu'on ne pouvait attacher de signification particulière aux observations des gardes-côtes.

Jeudi 28 septembre 1978, 13 heures

Le FBI informa Gambino que l'enquête s'orienterait vers un enlèvement. Les gardes-côtes l'avertirent peu après que les recherches dans la baie étaient suspendues. Dans l'après-midi, munis de l'autorisation de Maryann et des clefs de l'appartement, les agents Mirabile et Rucco se rendirent au domicile de John Paisley.

Le FBI maintenait-il l'immeuble sous surveillance? C'est peu probable. En dépit de sa réputation de vigilance omniprésente, le Bureau dispose de moyens et d'effectifs insuffisants pour déjouer les agissements des agents soviétiques, qui grouillent à Washington sous couverture diplomatique ou commerciale. De son côté, Paisley n'avait jamais signalé au service de sécurité de la CIA qu'il avait pour voisins de palier des agents du KGB — aucun règlement, d'ailleurs, ne le lui imposait! Les deux limiers de la CIA ignoraient donc qu'ils étaient environnés de Soviétiques et ne s'en souciaient guère. Ils ne s'intéressaient qu'aux documents secrets.

Après avoir fouillé le logement, ils emportèrent une grosse pile de documents — pour la plupart des papiers personnels, factures, déclarations d'impôts, dans lesquels s'était glissée la photo d'une jolie femme nue couchée sur le pont du *Brillig* — qu'ils inventorièrent chez Maryann Paisley, en présence de Maryann et de Phil Waggener. Ils trouvèrent peu de chose. Ce fut Waggener qui fit la seule découverte digne d'intérêt. Sur la première page d'un bloc-notes, de la main de Paisley, un nom suivi d'un point d'interrogation était écrit en majuscules: « Chevchenko? » Ce nom était celui d'un diplomate soviétique aux Nations Unies, Arkady Chevchenko, récemment passé à l'Ouest.

Dans son rapport, Gambino en fit état sans commentaires et ne lança aucune enquête dans cette direction. Phil Waggener jeta le feuillet dans un lot de paperasses destinées à l'incinérateur. Cette étonnante négligence n'empêchera pas le nom de Chevchenko de refaire surface moins de quinze jours plus tard.

7

La baie de la mort

Vendredi 29 septembre 1978, 10 heures

Le journaliste du *Washington Star* reçut deux nouveaux appels de l'homme se présentant sous le nom de Ghawzi Ullah. Le second coup de téléphone le décida à prévenir le FBI.

D'une voix cette fois sans accent, le mystérieux correspondant déclara qu'un commando du Conseil de guerre islamique s'était emparé de l'agent de la CIA John Paisley dans la baie de Chesapeake, parce qu'il pouvait « identifier les agents sionistes dans plusieurs pays ». Outre une rançon d'un million de dollars et la libération de tous les prisonniers musulmans, le Conseil exigeait que Henry Kissinger lui fût livré (sic). Le correspondant précisa qu'il rappellerait pour donner plus de détails et conclut en disant : « Nous ne plaisantons pas. Le sort de l'Islam est en jeu. »

L'homme semblait mieux renseigné sur Paisley, y compris sur ses séjours au Moyen-Orient, que quiconque au FBI. Car cinq jours après la disparition de Paisley, le FBI était toujours dans le noir complet. Il faudra attendre le 5 février 1979, soit plus de cinq mois après les faits et au prix de féroces batailles bureaucratiques, pour que la CIA consente à transmettre au Bureau les versions expurgées du dossier personnel de Paisley et du rapport de l'Inspection générale sur l'affaire. Encore Gambino avait-il pris la peine de spécifier que pareille communication, d'un organisme officiel à un autre, constituait un cas « unique et sans précédent » !

Une note intérieure de la CIA en date du 29 septembre 1978 se réfère à l'appel reçu par le *Washington Star*. Elle indique

95

que le FBI suggère que ledit Ullah ait pu avoir pris connaissance de l'entrefilet du *Washington Post* signalant la disparition de John Paisley. Cela n'explique pas comment Ullah serait au courant des activités de Paisley au Moyen-Orient, notamment en Iran, en Irak et en Israël. Nul au FBI ni à la CIA ne semble avoir jamais envisagé l'hypothèse que Paisley ait été lui-même à l'origine de ces appels, dont les premiers sont antérieurs à sa sortie à bord du *Brillig* ce week-end-là.

Personne, au FBI, ne se soucia d'aviser la famille de l'ouverture d'une enquête sur l'enlèvement présumé de Paisley ni des nouvelles menaces du prétendu Ghawzi Ullah.

Samedi 30 septembre 1978, 11 heures
A Saint-Inigoes, accompagné de Norman Wilson et de Michael Yohn, Edward Paisley signa la décharge par laquelle les gardes-côtes lui redonnaient la garde du *Brillig*. Wilson et Yohn hissèrent la voilure et le sloop reprit le chemin de Lusby.

Après-midi du dimanche 1er octobre 1978
Le froid et le ciel menaçant décourageaient ce jour-là les plaisanciers, mais les bateaux de pêche sillonnaient comme d'habitude la baie de Chesapeake. Le *Miss Channel Queen* se trouvait à trois milles de la rive Ouest et à deux milles au sud-est de l'embouchure de la Patuxent quand ses trois hommes d'équipage repérèrent un objet flottant. Il ne leur fallut qu'un instant pour comprendre de quoi il s'agissait.

Sur appel radio du *Miss Channel Queen*, une vedette des gardes-côtes arriva promptement sur les lieux et hissa le noyé à son bord. Le cadavre était méconnaissable ; les crabes avaient visiblement festoyé jusqu'à ce que les gaz produits par la décomposition fissent remonter le corps vers la surface.

La vedette des gardes-côtes déposa son macabre chargement à la base navale de l'île Solomons. Pour la première fois depuis la disparition de Paisley, la police du Maryland dépêcha un représentant, le caporal John Murphy, que rejoignirent le Dr George Weems, coroner du comté, et son ami Harry Langley, propriétaire d'une marina, qui connaissait bien Paisley et le *Brillig*. Le spectacle que découvrirent les trois hommes n'était guère plaisant. Le cadavre était devenu chauve et perdait la peau des mains. Il était vêtu d'un bluejean, de chaussettes bleues, d'un T-shirt blanc et portait au poignet une montre-bracelet phosphorescente, mais n'avait pas de chaussures aux pieds. La matière cervicale suintait par une perforation de balle au-dessus de l'oreille gauche. Le corps était lesté autour de l'abdomen par deux sangles de plongée d'une dizaine de kilos chacune. Le coroner et le caporal Murphy notèrent en outre de « nombreuses marques autour du cou ». « Malgré le mauvais état du corps, déclara par la suite le Dr Weems, il s'agissait clairement d'un étranglement, infligé très probablement par une corde avant la mort de l'intéressé. On note le même genre de traces en cas de pendaison. »

Le Dr Weems ne mentionna cependant pas ces marques dans son rapport au médecin légiste de l'Etat du Maryland.

Lundi 2 octobre 1978

Avocat à Falls Church, Virginie, Paul Terrance O'Grady figurait sur la liste des hommes de loi recommandés par la CIA à ses employés pour leurs affaires personnelles. Maryann Paisley avait été satisfaite de ses services quelques années auparavant, à l'occasion d'une transaction immobilière. De plus en plus impatientée par les réponses évasives de l'Agence à toutes ses demandes, elle fit donc appel à lui.

O'Grady appela Gambino pour l'informer que sa cliente se plaignait de n'être tenue au courant des progrès de l'enquête ni par la CIA, ni par le FBI, ni par les autorités du Maryland. Gambino lui expliqua que l'Agence n'avait aucun pouvoir sur le FBI et la police du Maryland et que, au demeurant, la CIA ne se souciait que des documents secrets que Paisley aurait pu avoir en sa possession. Gambino prévint ensuite le FBI que Mme Paisley avait engagé un avocat,

Lundi 2 octobre 1978, 10 heures

Le caporal Murphy appela Gambino pour lui dire que le corps repêché dans la baie de Chesapeake était trop endommagé par l'eau pour être officiellement identifié sans de nombreux tests. Il alla ensuite interroger Norman Wilson.

Celui-ci lui déclara avoir « eu la vision » des circonstances du suicide de John Paisley et les avoir décrites à sa femme dès avant la découverte du corps : « D'une main, il s'est accroché au bordage, de l'autre il s'est tiré une balle dans la tête et il s'est laissé couler dans l'eau après s'être lesté de ses ceintures de plongée. »

Murphy voulut voir le bateau — pour la première fois, un représentant de la police du Maryland montait à bord du *Brillig*. Wilson lui dit avoir tout nettoyé et rangé sans avoir remarqué de traces de lutte. Il avait cependant découvert une balle de 9 mm qu'il remit à Murphy. Selon Wilson, Paisley aurait possédé un pistolet de ce calibre, acheté avant sa croisière du début de l'année au large de la Floride. Wilson s'étonnait d'ailleurs de n'avoir pas retrouvé l'arme.

Lundi 2 octobre 1978, 23 heures

A l'institut médico-légal de Baltimore, en présence de deux représentants de la police d'Etat, le Dr Stephen Adams, médecin légiste, procéda à l'autopsie de l'inconnu repêché dans la baie de Chesapeake.

Il constata qu'il s'agissait d'un individu de race blanche et de sexe masculin, mesurant un mètre soixante-dix et pesant soixante-cinq kilos. La blessure par balle au-dessus de l'oreille gauche avait provoqué la mort. L'estomac du sujet était vide. Il ne restait pas assez de sang dans le corps pour procéder à une analyse permettant de déterminer le groupe sanguin. La peau des mains se détachait de telle sorte qu'une identification des empreintes digitales était virtuellement impossible. A l'exception de six calculs dans la vessie, le corps ne présentait aucun dysfonctionnement des principaux organes.

Bien que le Dr Adams n'eût rien découvert permettant de conclure que le corps fût celui de John Arthur Paisley, le Dr Russell Fisher, son supérieur, décida que le noyé résolvait le mystère du *Brillig* abandonné. Il porta dans le rapport d'autopsie que la mort était due à une blessure par balle, sans préciser si la victime s'était suicidée ou avait été assassinée. Le Dr Adams détacha ensuite les mains du cadavre et les remit à la police du Maryland qui les transmit ultérieurement au FBI, aux fins d'identification des empreintes digitales.

Le Dr Fisher ne mentionna même pas les marques au cou, qui avaient tant intrigué le Dr Weems, M. Langley et le caporal Murphy. Il antidata le rapport du 1er octobre 1978, alors que l'autopsie n'avait eu lieu que le 2. Il déclara enfin avoir identifié le corps comme étant celui de John Arthur Paisley grâce... aux empreintes digitales fournies par le FBI.

Mercredi 4 octobre 1978, 10 heures

La presse n'avait jusqu'alors mentionné la disparition de Paisley que par des entrefilets dans la rubrique des faits divers. Mais lorsqu'un petit journal de Wilmington, Delaware, dévoila la véritable personnalité de Paisley et révéla que la CIA se demandait avec inquiétude s'il avait été victime du KGB parce qu'il accédait à d'importants secrets, les journaux du monde entier reprirent l'information.

Le retentissement de l'article dans l'opinion publique prit la CIA complètement au dépourvu. Dale Peterson, porte-parole de Herbert Hetu, l'un des nombreux « amateurs » introduits à la CIA par l'amiral Turner, déclara que le reportage était « un tissu d'absurdités » et que Paisley n'était qu'un « analyste de troisième ordre ». Cette déclaration allait porter un coup plus sévère à la crédibilité de l'Agence que les enquêtes de la commission du sénateur Church en 1975.

Aux questions pressantes des journalistes, notamment sur l'identification du noyé et les véritables fonctions de Paisley à la CIA, le secrétariat de presse répondait par des inexactitudes flagrantes. Les déclarations fantaisistes de Hetu et de Peterson finirent par ébranler la réputation de l'amiral Turner lui-même. Déjà impopulaire à la CIA, tant pour avoir révoqué des centaines de vétérans que pour son caractère autocratique, il se trouva de plus en plus isolé. Les professionnels qui auraient pu lui venir en aide l'abandonnèrent à l'inexpérience de ses collaborateurs étrangers à la Maison.

Jeudi 5 octobre 1978, 9 heures

Ray Westcott n'avait pas oublié l'inquiétant comportement des trois individus dans le parking dominant la centrale nucléaire de Calvert Cliffs. Il comprit qu'il avait assisté à un événement grave lorsqu'il entendit, à la radio, les nouvelles concernant Paisley et son bateau. Il parla aussitôt à un de ses collègues de la scène dont il avait été témoin. L'après-midi même, il reçut un appel téléphonique du service de sécurité de la CIA et la visite de deux agents, qui lui demandèrent de répéter son histoire.

Jeudi 5 octobre 1978, 12 heures

Katherine Lenahan, la sœur de John Paisley, apprit coup sur coup la disparition de son frère et le repêchage d'un noyé dans la baie de Chesapeake. A aucun moment, elle ne crut que le corps pût être celui de John, d'abord parce qu'il ne portait pas de chaussures : depuis leur enfance misérable, qui le forçait parfois à aller pieds nus, John ne supportait pas d'être déchaussé. En outre, John était le préféré de Clara Paisley, sa mère, à qui il rendait son adoration. Il ne se serait jamais suicidé tant qu'elle était en vie, de peur de lui causer une peine capable de hâter sa fin.

Vendredi 6 octobre 1978, 13 heures

Le scandale prenait de telles proportions que Robert Gambino sentait qu'il lui échappait. Il n'avait répété à personne, en dehors de la CIA, les propos de Sullivan accusant Paisley

100

d'être une taupe du KGB. Or, alerté par les reportages du journal de sa ville, William Roth, sénateur républicain du Delaware et membre influent de la commission sénatoriale chargée de superviser les activités de l'Agence, exigeait une enquête approfondie sur la disparition de Paisley. Les absurdes mensonges, derrière lesquels le service de presse avait cru pouvoir se retrancher, se retournaient maintenant contre la CIA.

Un autre facteur aggravait la situation : le rapport du Dr Fisher, chef du service de médecine légale, prétendant avoir identifié le cadavre comme étant celui de Paisley, n'avait pas convaincu la police du Maryland. Gambino dut se rendre au quartier général de Pikesville afin de répondre aux questions des enquêteurs. Ceux-ci manifestèrent leur déception, sinon leur scepticisme, en apprenant que la CIA ne possédait pas d'empreintes digitales de Paisley, car l'Agence était censée confier toutes les empreintes de son personnel au FBI. Or, le FBI avait lui aussi déclaré ne posséder aucun jeu d'empreintes de Paisley, sa carte ayant été détruite avec six millions d'autres en 1972 dans le cadre d'une réorganisation des archives. Le caporal Murphy estimait inconcevable qu'il n'existe nulle part la trace des empreintes digitales d'un personnage aussi haut placé à la CIA que John Paisley.

Samedi 7 octobre 1978, 10 heures

Un coup de téléphone de William O. Cregar, de la direction générale du FBI, fit perdre à Gambino son dernier espoir d'étouffer l'affaire. Le bureau de Washington venait de signaler que Paisley avait élu domicile dans un immeuble où résidaient au moins huit agents du KGB, connus et répertoriés.

Samedi 7 octobre 1978, 19 heures

Les collègues et amis de John Paisley avaient organisé un service funèbre à sa mémoire. La cérémonie civile — Paisley était notoirement irréligieux — eut lieu ce soir-là dans la vaste salle municipale de McLean où se pressaient plus de trois cents personnes, dont beaucoup venues de l'étranger.

Betty Myers y assistait en compagnie des Wilson, que gênait l'animosité tangible entre Maryann et elle. Brouillées depuis la liaison de John et de Betty, les deux anciennes amies s'opposaient même sur les circonstances de sa mort. Maryann restait persuadée que le noyé repêché dans la baie n'était pas son mari, quand Betty croyait au suicide de son ancien amant.

Avec nombre d'anciens collègues de Paisley, Clarence Baier se demandait si quelqu'un dans l'assistance saurait jamais ce qui lui était arrivé. Il s'étonnait aussi que l'Agence prétendît ne pas posséder un seul jeu de ses empreintes digitales.

Semaine du 9 au 16 octobre 1978

Selon les membres de la famille, le Dr Fisher s'ingénia à les empêcher d'identifier le corps de John Paisley. Ainsi, lorsque sa fille Diane vint demander de voir au moins les photographies de l'autopsie, Fisher la fit éconduire. Il prétexta, par la suite, que le cadavre était dans un état tel qu'il valait mieux ne pas en infliger le spectacle à ses proches.

Fisher devait aussi faire face au sérieux problème des empreintes digitales. La peau des mains se détachait de telle sorte que les empreintes disparaissaient. Fisher ayant publiquement déclaré avoir identifié le corps, il ne lui restait qu'un seul espoir, celui que la police parvienne à reconstituer les empreintes grâce à une méthode chimique afin de les comparer à celles détenues par le FBI. Or, ce dernier avait fait savoir à la police qu'il ne les possédait plus ! Aux questions d'un journaliste, Fisher avait répondu qu'il s'était fié à l'identification opérée par le FBI. Mais comment le FBI aurait-il pu comparer un jeu d'empreintes prétendument inexistant à celles que le médecin légiste n'avait pu relever sur le cadavre en décomposition qu'il s'obstinait à baptiser John Paisley ? On nageait en pleine absurdité, pour ne pas dire plus.

Devant l'étrange incapacité du FBI, de la CIA et de la police du Maryland à se procurer des empreintes de Paisley, les reporters du journal de Wilmington se mirent en quête de leur côté. Ils revinrent voir le Dr Fisher munis d'un extrait du dossier de Paisley, établi en 1942 au moment de son incorporation dans la marine marchande et obtenu en vingt-quatre heures à l'état-major des gardes-côtes à Washington, où figuraient ses empreintes parfaitement lisibles. Les journalistes firent également observer à Fisher que le véritable Paisley mesurait un mètre quatre-vingts et pesait soixante-dix-sept kilos, et non un mètre soixante-dix pour soixante-cinq kilos comme le corps autopsié par le Dr Adams. Alors, sous les yeux des journalistes, le Dr Fisher ratura les chiffres figurant sur son rapport d'autopsie et y inscrivit ceux qu'on venait de lui fournir, en précisant la date de la visite des journalistes !

Aucun membre de la famille Paisley ni aucun proche ne put voir le corps avant sa levée par l'entreprise funéraire mandatée par la CIA. Dans les propos tenus par Fisher et la police, Maryann avait cru comprendre que Norman Wilson avait formellement identifié le corps, tandis que Wilson avait l'impression que l'identification avait été faite par la famille. Quand les Paisley se rendirent compte du quiproquo, il était trop tard pour intervenir. Mais il s'était écoulé dix jours entre la prétendue identification du corps par le Dr Fisher et sa crémation, dix jours pendant lesquels la famille et la presse s'interrogeaient sur la véritable identité d'un cadavre sciemment, ou par négligence, soustrait à leur examen.

Lundi 9 octobre 1978, 19 heures

En regardant le journal télévisé de la NBC ce soir-là, Robert Gambino eut l'appétit coupé : sur l'écran venait d'apparaître Arkady Chevchenko. Dans son reportage, le journaliste James Polk ne se contentait pas de « griller » le diplomate soviétique le plus haut placé ayant jamais passé à l'Ouest ; il dévoilait un scandale extrêmement gênant pour la CIA, en révélant qu'elle avait déboursé plus de 40 000 dollars depuis six mois, sans parler des à-côtés, pour les « services » rendus à Chevchenko par une call-girl, Judy Chavez.

La note manuscrite de Paisley, jetée à l'incinérateur par Phil Waggener, revint d'autant plus douloureusement à la mémoire de Gambino que le journaliste disait tenir son information d'une « source proche de l'équipe Nixon et du Watergate ». Or, Paisley avait été activement mêlé au scandale du Watergate. Aurait-il, directement ou indirectement, renseigné la source de Polk afin de discréditer le transfuge ? Ce ne serait pas la première fuite dont il aurait été soupçonné. L'absence de preuve rendait la théorie hasardeuse. Il n'en restait pas moins que cette affaire venait fort mal à propos jeter une nouvelle tache sur la réputation de la CIA.

Vendredi 13 octobre 1978

La dépouille mortelle identifiée comme étant celle de John Arthur Paisley fut remise au cimetière de Cedar Hill, à Washington, pour y être incinérée. Bien qu'elle eût toujours déclaré ne pas avoir vu le corps, Maryann Paisley avait dû signer, conformément à la loi du Maryland, un document par lequel elle reconnaissait avoir identifié son mari.

En dépit des affirmations du Dr Fisher, qui prétendait avoir identifié le corps dès le 1er octobre grâce au FBI, ce dernier ne communiqua les résultats de ses tests que quatre mois plus tard. Le Dr Robert Smialek, successeur de Fisher à la tête du service médico-légal, réexamina le dossier sans y découvrir de preuve indiscutable que le corps ayant fait l'objet de l'autopsie ait réellement été celui de John Paisley.

Vers la fin d'octobre, les langues de tous ceux qui avaient connu John Paisley commencèrent à se délier, à la plus vive inquiétude de l'amiral Turner et de ses « communicateurs » incompétents assaillis par les médias.

De son côté, Maryann Paisley se fâchait. La loyauté que la CIA lui inspirait naguère se muait en écœurement. Elle n'admettait pas qu'un des porte-parole de l'Agence eût traité John d'« analyste de troisième ordre » et minimise ses responsabilités en prétendant qu'il n'avait jamais eu de contact avec les transfuges soviétiques. Furieuse contre la police du Maryland, elle en arrivait à se défier de Norman Wilson qui, elle en était désormais persuadée, « ne disait pas tout ce qu'il savait ». Ainsi, Wilson avait témoigné que les charnières de la table tenaient par des goupilles qui se défaisaient souvent. Or, la nuit où elle était montée à bord du *Brillig*, Maryann avait nettement vu les vis arrachées du bois. Elle était convaincue qu'on s'était battu à bord du *Brillig* et que John avait probablement été assassiné.

Quant à Paul O'Grady, l'avocat qu'elle avait engagé au début, Maryann lui reprochait de manquer d'énergie. Elle lui retira le dossier pour confier ses intérêts à un de ses anciens voisins, Bernard Fensterwald Jr, avocat réputé pour son agressivité et qui s'était rendu célèbre en défendant le meurtrier de Martin Luther King, James Earl Ray, ainsi qu'un des plombiers du Watergate, James McCord.

Se considérant trahie par la CIA, Maryann ne pouvait admettre la thèse du suicide. Elle connaissait trop John pour le croire capable de se tirer un coup de pistolet dans la tête. A bout de patience, elle exhala son ressentiment en écrivant à l'amiral Turner lui-même le 16 janvier 1979 :

En vingt ans de fidélité absolue à l'Agence, de la part de mon mari comme de la mienne, je croyais pouvoir compter sur elle pour m'assister lorsque mon mari serait empêché. Or, dès mon premier appel à l'aide, je me suis sentie trahie...

Elle poursuit en parlant des différences de taille et de poids entre le corps repêché dans la baie et celui de son mari, qui jettent un doute sérieux sur son identification, et affirme ne pas croire le FBI et la CIA quand ils déclarent ne pas posséder d'empreintes digitales de John Paisley.

*La police du Maryland m'a restitué un certain nombre
d'effets personnels, parmi lesquels un répertoire téléphonique dont j'ignore jusqu'à ce jour où et comment il a été
découvert. Si j'avais vu cet objet plus tôt, je l'aurais immédiatement rendu à l'Agence avec les badges de John. Car ce
répertoire soulève de sérieuses questions... J'ai relevé avec
surprise l'absence d'un certain nombre de noms, que j'ai
connus durant mon propre temps de service à l'Agence, dont
je sais qu'ils avaient travaillé en liaison étroite avec mon
mari. Pourquoi? J'ai le droit de le savoir. Vous avez connu
John assez longtemps pour savoir qu'il n'aurait pas conservé
un tel répertoire hors d'un coffre sans raison impérieuse.*

Les questions de Maryann sont sérieuses, c'est vrai. Pourquoi Paisley avait-il emporté un répertoire top secret sur le
Brillig ce jour-là? Pourquoi n'avait-il pas appelé Maryann,
comme convenu, pour confirmer ou annuler leur rendez-vous
du dîner? Pourquoi n'avait-il pas appelé Wilson pour le
prévenir qu'il ne rentrerait pas de la nuit?

Si Maryann avait été au courant des soupçons pesant sur son
mari, elle aurait été encore plus étonnée de la désinvolture du
directeur général. Le 2 février 1979, l'amiral Turner lui répondit qu'il « regrettait que des nuages aient pu assombrir la
carrière honorable de John Paisley », que la CIA n'avait pas
qualité pour enquêter et devait, en conséquence, s'en remettre à la police du Maryland. Pareille réponse, on s'en
doute, eut pour effet d'accroître la fureur de Maryann Paisley.

Maryann et la presse n'étaient pas seules à protester: la
commission sénatoriale déplorait le manque de zèle du FBI et
fustigeait les méthodes de la police du Maryland. Celle-ci
concluait au suicide en déclarant, sans preuve formelle à
l'appui, que John Paisley, lesté de deux ceintures de plongée,
avait sauté du *Brillig* en se tirant une balle dans la tête.

Or, on n'avait pas relevé la moindre trace de matière
cervicale sur le pont du bateau. De même, au moment de son
départ, Paisley avait été vu par plusieurs témoins vêtu d'un

pantalon kaki, d'une chemise vivement colorée et de chaussures. Se serait-il changé en blue-jean et en T-shirt blanc, comme le cadavre repêché nu-pieds, dans le seul dessein de se suicider ? Tout en admettant que sa théorie péchait par certains côtés, la police donnait pour preuve de ses intentions suicidaires l'achat par Paisley d'une ceinture de plongée peu avant sa disparition, en se fondant sur une déclaration de Wayne Smith, le patron de Paisley au cabinet Coopers & Lybrand. Or, Wayne Smith nie énergiquement avoir donné pareille information à la police et affirme tout ignorer des achats personnels effectués par Paisley. Il n'existe en réalité aucune preuve de cet achat de ceinture, à l'exception d'un ticket de caisse d'une boutique de matériel de plongée de Washington où, selon Betty Myers, Paisley aurait été acheter un détendeur d'oxygène pour remplacer le sien en panne. Détail étonnant, la date du ticket de caisse en question, sur lequel la police étayait toute sa thèse, avait été modifiée de 9/8/78 en 8/9/78. La police était-elle soumise à des pressions extérieures, comme la rumeur en a longtemps couru, pour accréditer à tout prix la thèse du suicide ?

Rien n'empêche d'envisager un autre scénario : en mettant à la voile ce jour-là, Paisley serait allé à un rendez-vous avec son officier traitant soviétique, qui aurait reçu l'ordre de l'éliminer parce qu'il était démasqué. Sachant ce qui l'attendait, Paisley aurait déjà préparé la mise en scène de sa disparition. La prétendue perte de son portefeuille, les mystérieux appels téléphoniques au journaliste du *Washington Star* connu pour ses liens avec la CIA et le FBI, les démarches sans suite pour retourner dans la marine marchande, toutes ces pistes auraient dû être explorées par la police, qui n'en a rien fait. Ainsi, la théorie selon laquelle Paisley aurait pris la seule issue dont il disposait, c'est-à-dire liquider son officier traitant et s'évanouir sans laisser de traces, est aussi crédible — ou invraisemblable — que celle du suicide.

Dès le moment où elle chercha à arracher à la CIA la vérité sur le sort de son mari, Maryann se trouva en butte à d'inquiétants phénomènes. Peu après sa lettre de janvier 1979 à l'amiral Turner, ses voisins entendirent des bruits bizarres qui émanaient de chez elle. Une voisine lui déclara même avoir entendu « comme un bang supersonique ».

William Miller, membre d'un club de radios amateurs auquel appartenait John Paisley, avait l'expérience des systèmes électroniques les plus perfectionnés pour en avoir lui-même installé un peu partout dans le monde. Il reconnut dans le « bang supersonique » un dispositif d'alarme, destiné à prévenir de l'entrée ou de la sortie imminente d'un occupant ceux qui placent un lieu sous surveillance. Il découvrit de même que la CIA avait mis le téléphone de Maryann sur table d'écoute et dissimulé des micros en divers endroits de la maison.

En rentrant chez elle un soir de janvier 1980, Maryann s'aperçut qu'on avait touché en son absence à l'équipement de plongée de John. Les bouteilles d'oxygène étaient déplacées, de sorte qu'on « butait dessus en ouvrant la porte » de la pièce où elles étaient rangées. Quant au matériel radio, stocké dans des caisses et que Maryann avait récemment fait inventorier et expertiser dans l'intention de le vendre, elle retrouva les caisses ouvertes et un poste posé sur l'établi de l'atelier, à côté d'une courroie qu'elle n'avait jamais vue.

Fensterwald, son avocat, estima qu'il s'agissait d'une grossière tentative d'intimidation. Maryann déclara, pour sa part, qu'on « cherchait évidemment à me montrer qu'on avait pénétré chez moi par effraction » et elle avait eu toute la semaine l'impression d'avoir été suivie. A la même époque, elle déjeuna dans un restaurant de Washington avec Fensterwald, un autre avocat et un journaliste du *Washington Post*. Fensterwald se rappelle que « le couple assis à la table voisine de la nôtre écoutait manifestement notre conversation. Plus

108

tard, j'ai vu l'homme posté devant l'immeuble où se trouve mon bureau ». Tim Robinson, le journaliste, ajoute que « ces gens faisaient tout pour qu'on les remarque, pour bien nous montrer qu'ils nous suivaient ». Les voisins de Maryann furent témoins, plusieurs jours durant, du manège d'une voiture qui stationnait devant sa porte, partait et revenait un peu plus tard.

Les problèmes de Maryann Paisley ne se limitèrent pas à ceux que lui causait la CIA. Deux des trois compagnies d'assurances auprès de qui John Paisley avait contracté une assurance-vie refusèrent de payer pendant des mois, car elles récusaient, comme Maryann, les preuves de sa mort. Ces deux compagnies finirent par accepter un compromis, mais la troisième s'obstina. Maryann dut lui intenter un procès, dont son avocat se servit avec succès pour produire des témoins, qui vinrent dire sous serment ce qu'ils savaient de John Paisley.

A la fin d'avril 1980, Maryann reçut une lettre de Birch Bay, sénateur de l'Indiana, l'informant que la commission sénatoriale lavait John Paisley de tout soupçon de trahison mais que, du fait de la nature confidentielle des activités de ce dernier pour la CIA, le rapport de la commission ne pouvait être rendu public. Michael Epstein, rapporteur de la commission et responsable de l'enquête, se montra plus franc: « En réalité, il y a peu de chances pour que nous sachions jamais le fin mot de l'affaire. Nous n'avions pas les moyens de mener l'enquête jusqu'au bout. »

Les rares renseignements que Maryann réussit à obtenir de la CIA sur son mari, à l'issue d'un long et coûteux procès, se révélèrent étrangement contradictoires. Ainsi, l'Agence proclamait publiquement que Paisley n'était jamais allé dans les pays de l'Est, quand Maryann constatait sur les copies de ses ordres de mission qu'il s'y était rendu à plusieurs reprises. Certaines missions importantes, en Iran et en Irak par exemple, avaient purement et simplement disparu du dossier.

Pour ses amis, la fin de John Paisley reste une énigme. Les

uns, comme Norman Wilson et Betty Myers, croient à la thèse du suicide. D'autres, tels Clarence Baier ou Gladys Fishel, se posent la question. Gladys Fishel admet que Paisley ait pu être « un agent de l'autre camp... Il est presque incroyable qu'on se donne autant de mal pour couper les ponts avec son passé ». Betty Myers s'étonne de la disparition des cassettes que Maryann avait fait enregistrer par Mme Paisley mère avant sa mort : « Maryann m'a téléphoné pour me demander si je savais où elles étaient. Je lui ai dit que je l'ignorais, qu'elles étaient peut-être au fond de la baie avec le pistolet. Si John était désespéré au point de se tuer, il avait peut-être aussi envie de jeter des choses auxquelles il tenait... »

Indices, mystères et fausses pistes abondent autour de John Paisley : ses demandes de renseignement pour reprendre sa carrière dans la marine ; la prétendue perte de son porte-feuille ; le début de l'enquête intérieure de la CIA l'avant-veille de sa disparition ; les inexplicables menaces télépho-niques d'un groupe terroriste inexistant, adressées à un jour-naliste informateur de la CIA ; le projet de vente ou de location du *Brillig* ; l'inquiétant trio aux boîtiers électroniques sur le parking de la falaise ; les cassettes de Mme Paisley envolées. Seules, quelques certitudes surnagent — et elles sont non moins étonnantes : la manière effarante dont la CIA et le FBI ont saboté l'enquête ; le « certificat de moralité » délivré par la commission sénatoriale qui, pourtant, n'avait jamais été informée des accusations portées contre Paisley un mois avant sa disparition et de l'enquête intérieure à laquelle il allait être soumis.

Une question reste posée, la plus angoissante car elle jette son ombre sur tout le problème de la sécurité des Etats-Unis : John Paisley a-t-il été prévenu qu'il était accusé d'être une taupe et qu'il allait être soumis à une enquête ? Quelle autre raison, en effet, l'aurait poussé à se donner « autant de mal pour couper les ponts avec son passé », selon les termes de Gladys Fishel, et à organiser une telle mise en scène ? Pour un spécialiste du contre-espionnage, il n'existe qu'une réponse : Paisley travaillait avec quelqu'un d'aussi bien placé que lui, sinon mieux encore, au sein de la CIA.

L'aspect le plus déconcertant de l'affaire Paisley se trouve sans doute dans ce que nous appellerons le « mystère des cartes postales ».

Après la disparition de John et la mort de Clara Paisley sa mère, sa sœur Katherine et son mari Pat Lenahan voulurent se changer les idées en allant rendre visite à des parents dans l'Arizona au début de janvier 1979. Quelques semaines après leur retour, ils reçurent une carte postale envoyée de Valparaiso, au Chili, qui disait : *Comment va tout le monde dans la famille? A bientôt peut-être*. Signé : *Sandy*.

Katherine demanda à son mari : « Qui diable est donc ce Sandy? Il m'a répondu qu'il n'en savait rien. Nous avons d'abord cru qu'il s'agissait d'un copain rencontré dans un bar. Pat est très sociable, il bavarde avec n'importe qui », raconte Katherine. Après s'être creusé la tête, les Lenahan conclurent qu'ils ne connaissaient aucun Sandy. Le seul personnage de ce nom dont ils aient entendu parler était un ami de John, disparu dans un accident d'avion en se rendant au Sri Lanka. On n'avait jamais retrouvé les débris de l'appareil ni les corps des victimes. John Paisley devait emprunter ce vol en 1970 mais s'était décommandé à la dernière minute.

Les cartes continuèrent à arriver au rythme d'une par mois, si bien que Katherine finit par se demander s'il n'y avait pas un rapport quelconque avec son frère. Un soir, au cours d'une conversation téléphonique avec Maryann, celle-ci lui dit que si John était toujours en vie, il ne manquerait pas de le faire savoir d'une manière ou d'une autre à un membre de la famille. Katherine parla alors des étranges cartes postales qui lui parvenaient régulièrement. Or, John Paisley ne voyageait pratiquement jamais sans envoyer de cartes postales.

Maryann demanda à Katherine de lui communiquer deux des cartes postales où le mystérieux correspondant, dont l'écriture ne ressemblait cependant en rien à celle de John, citait un de ses poèmes préférés. Sur les cinq ou six cartes qu'elle avait reçues, Katherine n'avait conservé que ces deux-là, les autres ne présentant pour elle, sur le moment, aucune signification particulière. Katherine envoya les cartes à Maryann, qui les confia à son avocat Bud Fensterwald. Quelques semaines plus tard, Maryann annonça à Katherine que les cartes postales avaient été volées dans le bureau de l'avocat.

Après cette conversation téléphonique, elles ne reçurent, ni l'une ni l'autre, plus jamais de cartes postales.

SHADRIN

8

L'évasion

STOCKHOLM, 25 juin 1959 (Reuter) — Le gouvernement suédois a accordé l'asile politique à l'officier de marine soviétique qui, accompagné d'une jeune étudiante polonaise, s'était échappé du port de Gdynia au début du mois pour gagner la Suède à bord d'une vedette.

Ainsi débute l'histoire de Nikolaï Fedorovich Artamonov. Sous le nom de Nicholas Shadrin, il fascina seize ans durant le Tout-Washington officiel. Le secret de son enlèvement par les Soviétiques à Vienne en 1975 fut gardé plus d'un an et le public n'apprit qu'en 1981 qu'il était un agent double du FBI.

En 1985, deux envoyés du FBI frappèrent à la porte de la grande maison d'Ewa Shadrin à McLean, Virginie. Elle s'attendait à cette visite. Depuis dix ans, voulant croire au miracle, elle se ruinait en procès contre les autorités de sa nouvelle patrie dans l'espoir d'apprendre ce qu'il était réellement advenu de son mari. Les premiers mois, avec l'aide de son avocat Richard Copaken, elle avait réussi à arracher au FBI et à la CIA des bribes de vérité jusqu'à ce que les portes se referment devant elle. Maintenant, les deux émissaires du FBI venaient lui dire, de la part du transfuge soviétique Vitaly Sergueievich Yourchenko, que son mari était mort. Elle pouvait toutefois puiser quelque consolation dans le fait qu'il n'avait pas souffert...

Ainsi s'achevait la longue incertitude d'Ewa Shadrin. L'homme dont elle était tombée amoureuse un hiver en Pologne, près de trente ans auparavant, et qui l'avait emmenée vers l'Occident par une nuit de tempête, cet homme était officiellement décédé. Elle pouvait se fier au transfuge : le FBI affirmait avoir recoupé ses dires grâce à d'autres sources. D'ailleurs, le directeur général de la CIA, William Casey en personne, se portait garant de Yourchenko.

Et puis, au bout de trois mois, Yourchenko était reparti pour la Russie. Mais, avant de tirer sa révérence, il avait déclaré que la CIA l'avait obligé à mentir : Shadrin n'était pas mort accidentellement en franchissant le Rideau de fer. Alors, Ewa Shadrin se retrouva plongée dans un nuage de mensonges et de faux-semblants émanant, pour la plupart, des autorités du pays où elle était venue chercher sécurité et liberté.

En mars 1958, la marine soviétique donna au commandant Nikolaï Fedorovich Artamonov une affectation qui l'obligeait à quitter Elena, son épouse, et Sergei Nikolaïevich, son fils âgé de dix ans. Le sacrifice valait d'être consenti : gendre de l'amiral Gorchkov, grand maître de la marine, Artamonov pouvait à bon droit considérer son avenir assuré.

A l'époque, l'amiral Gorchkov avait pour ambition de faire de l'Union soviétique une puissance navale mondiale. Il devait pour cela mener de front deux opérations : d'une part, alléger la flotte en revendant ses unités vieillies ou démodées et, d'autre part, obtenir du Kremlin les fonds considérables nécessaires à la constitution d'une marine moderne. L'amiral demanda tout naturellement à son gendre de participer à cette lourde tâche.

Artamonov se vit confier le commandement d'une petite escadre composée de deux antiques corvettes, construites dans les années 20 par la République de Weimar et récupérées par l'URSS au titre des dommages de guerre, d'un poussif sous-marin à propulsion diesel et de divers bâtiments dépareillés. Il avait pour mission de transférer sa flottille de rafiots à la marine indonésienne, dans le cadre du pacte d'assistance conclu par l'URSS avec le Président Soekarno. Partie de la base navale de Leningrad, l'armada fit une escale technique à Kaliningrad pour finalement jeter l'ancre à la base de Gdynia, en Pologne, où les Indonésiens devaient prendre livraison des bâtiments.

Artamonov se rendit vite compte que les Indonésiens n'éprouvaient qu'un intérêt limité pour l'art et la manière de faire naviguer des navires de guerre. Il constata également, ce qui n'arrangeait rien, que les Soviétiques étaient plutôt mal vus à Gdynia comme dans toute la Pologne. Le temps lui parut donc très long, et Artamonov n'avait pas la réputation d'un homme patient.

Jadwiga Gora crut suffoquer d'horreur en découvrant que sa fille Ewa, douce et obéissante étudiante de vingt et un ans, fréquentait un officier de marine soviétique. La mère frémit en pensant aux réactions de son mari Zygmont, capitaine au long cours de la marine marchande polonaise, quand il apprendrait la folie de sa fille. Heureusement, il était à ce moment-là en route vers la Chine et les choses auraient peut-être le temps de s'arranger d'ici son retour.

Ewa Gora n'avait pas avoué à sa mère que le beau Nikolaï, dont elle était éperdument amoureuse, était déjà marié. Elle l'avait rencontré en octobre 1958, à un bal donné par les officiers de marine polonais de Gdynia en l'honneur de leurs hôtes indonésiens et de leurs « frères » soviétiques. Les présentations avaient été faites par le commandant Janusz Kunde, mari de la meilleure amie d'Ewa. Chargé d'assurer la liaison entre la marine polonaise et les délégations navales étrangères, Kunde était aussi résident du SB, homologue polonais du KGB.

Sur des photographies prises pendant ce bal, on voit le commandant Artamonov avec son second, le capitaine Yakovlev, et un groupe d'Indonésiens, dont la mine trahit un profond ennui. Ewa lève vers le séduisant et souriant Nikolaï un regard extasié. On la comprend : avec son opulente chevelure brune, sa haute taille et sa large carrure, Artamonov avait un physique de star de cinéma. Son charme irrésistible était servi par une brillante intelligence. Quand il entrait dans une pièce, aucune femme ne restait insensible à sa présence. Malgré sa timidité, Ewa y avait succombé.

Ce soir-là, Artamonov n'avait dansé qu'avec Ewa, à qui ses amis Kunde dirent par la suite qu'elle lui avait « beaucoup plu ». Leurs rapports allaient se resserrer au mois de décembre, quand Artamonov décommanda une partie de chasse pour se rendre à un anniversaire où il savait qu'Ewa devait être présente. L'amour que son cher Nick lui avait dès lors inspiré fait encore briller le regard d'Ewa quand elle évoque cette soirée près de trente ans plus tard.

L'entraînement des Indonésiens, dont il ne s'occupait pas directement, laissait à Artamonov beaucoup de loisirs. Ewa et lui se virent de plus en plus souvent, de plus en plus longuement et la jeune fille, à qui sa vie retirée n'avait guère donné l'occasion d'approcher les hommes, se laissa emporter par la passion que lui inspirait le séduisant officier.

Cette passion résista à une séparation de quinze jours au moment de Noël, pendant une permission qu'Artamonov était allé passer en Union soviétique. N'avait-il pas dit à Ewa que son ménage marchait mal et que son fils était en réalité celui d'un premier mariage de sa femme ? A son retour, il mit tout en œuvre pour se faire bien voir de la mère d'Ewa, qui refusait catégoriquement de le recevoir quand il venait rendre visite à sa fille et lui faisait ouvrir la porte par son fils Roman. Elle finit par se radoucir devant son empressement à consoler Ewa, victime d'une mauvaise grippe : il la couvrit de fleurs, de fruits, de bonbons apportés tous les jours par des officiers de son état-major. Seul, un amiral — ou le gendre d'un amiral — pouvait se permettre de telles fantaisies. Selon Ewa, Artamonov semblait investi de pouvoirs illimités, qu'il s'agisse de recevoir, de disposer de voitures et de chauffeurs, de se mêler à la population.

Ewa ne songeait pas à s'étonner de ses privilèges : « Il faisait tout ce qu'il voulait, sans doute parce qu'il était bien noté. » Elle aurait pourtant dû être surprise, car rien de tout cela n'aurait pu se produire dans des conditions normales. Si les marins polonais devaient manifester des égards à leurs « frères » soviétiques, il était de notoriété publique que les Polonais n'éprouvaient aucune affection pour les Russes. Les sous-officiers et marins soviétiques n'avaient pas le droit de se mêler à la population. Leurs sorties à terre, sévèrement réglementées, ne se faisaient qu'en groupes. Ils assistaient, par exemple, aux matches de football sans adresser la parole aux femmes, ni même faire mine de les regarder. Tout marin soviétique surpris à fraterniser avec un Polonais s'exposait à des sanctions disciplinaires.

L'exceptionnelle liberté de mouvement dont jouissait Artamonov en dehors de son service contrevenait donc aux règles les mieux établies. En outre, il est inimaginable que les agents du GRU, chargés de le surveiller ainsi que ses hommes, aient ignoré ses rapports avec Ewa. Ainsi, il se servait pour sortir avec elle d'une limousine officielle, dont le chauffeur travaillait pour les services de renseignement polonais dépendant du GRU, et les feuilles de route de la voiture étaient obligatoirement visées par la lourde bureaucratie soviétique. De même, afin de vaincre l'ennui de sa semi-inaction, il avait fait installer, sans passer par le standard du navire ni le central téléphonique de Gdynia, une ligne directe de sa cabine à la chambre d'Ewa, avec qui il bavardait le soir pendant des heures. Tout porte à croire que cette ligne était mise sous écoute par le GRU, le KGB ou les services polonais.

Artamonov n'allait pas tarder à proposer le mariage à Ewa : « C'était au mois de mars, se souvient-elle. Mais je lui ai répondu que je n'accepterais jamais d'aller vivre en URSS. » Ewa avait beau être jeune et naïve, elle avait assez de bon sens pour se rendre compte que, malgré son amour pour le beau navigateur, la vie là-bas serait intenable pour une Polonaise.

De son côté, Artamonov était conscient que la brutalité avec laquelle les Soviétiques avaient récemment maté des grèves en Pologne, au nom de la « solidarité socialiste », attisait la haine atavique du peuple polonais pour les Russes. Aussi s'habillait-il en civil lorsqu'il sortait en ville, pour le plus grand soulagement d'Ewa.

A Pâques 1959, Artamonov donna une grande réception à bord de son « navire amiral ». Le père d'Ewa était de retour au port. Les protestations de sa fille, qui affirmait que ses relations avec Artamonov restaient sur le plan de l'« amitié fraternelle », l'avaient laissé sceptique. Leur conduite pendant le bal dissipa ses derniers doutes. Accablé à l'idée de voir sa fille épouser un ennemi héréditaire et de la perdre à jamais, il préféra repartir aussitôt pour un nouveau voyage en Chine car, selon Ewa, « si Nick avait été un civil ordinaire, il l'aurait tué sans hésiter ».

Le 19 mai, jour de son anniversaire, Artamonov fit sa deuxième demande en mariage. Cette fois, cependant, il ne fut plus question de s'installer en Union soviétique mais de fuir Gdynia pour demander asile à l'Ouest. « J'étais stupéfaite, se souvient Ewa. Nick avait un avenir si brillant que je n'aurais jamais pensé qu'il puisse envisager une chose pareille. Il m'a dit qu'il serait incapable d'être heureux s'il faisait tout cela sans moi, mais qu'il ne partirait pas si je refusais. »

Elle ne s'était pas jusqu'alors bercée d'illusions, car trop de choses les séparaient. Pourtant, il lui proposait sérieusement de renoncer pour elle à sa carrière et de recommencer une vie nouvelle, au prix de risques énormes dont elle était consciente. Sans lui révéler les détails de leur évasion, Nick voulut une réponse sous vingt-quatre heures. Ewa hésitait encore. Finalement, il accepta d'attendre la fin prochaine de ses études à l'école dentaire.

Une fois certain de l'accord d'Ewa, Artamonov se lança dans ses préparatifs. Il examina d'abord la vedette dont il entendait se servir pour gagner la Suède. Il étudia ensuite le parcours d'environ 115 milles nautiques de Gdynia à l'île d'Ölan, au large de la côte sud-est de la Suède, à effectuer dans une embarcation pouvant atteindre une vitesse de 7 à 9 nœuds en haute mer. Il vérifia enfin les mouvements des navires polonais et étrangers prévus dans la Baltique la nuit de leur traversée. Il avait choisi celle du 6 juin, la veille d'un dimanche au cours duquel l'activité de la base navale serait traditionnellement ralentie. Le dimanche, les Polonais avaient quartier libre pour aller à la messe, les Russes soignaient leur gueule de bois. Le KGB lui-même relâchait sa vigilance ce jour-là.

Artamonov croyait n'avoir rien laissé au hasard quand un événement imprévu remit tout en question : l'anniversaire du commandant polonais de la base de Gdynia. Artamonov et Ewa ne pouvaient pas ne pas assister à la fête, leur absence aurait donné l'alarme. Artamonov décida donc de retarder leur évasion de vingt-quatre heures et prévint Ewa qu'ils feraient leur « partie de pêche » le dimanche soir. Entre-temps, ils se montreraient ensemble à la réception comme si de rien n'était.

Ewa prit peur et demanda un nouveau délai. Mais le temps pressait : Artamonov était convoqué quelques jours plus tard à Moscou pour rendre compte de l'opération de remise des navires aux Indonésiens. S'il partait, leur seule chance d'évasion était peut-être compromise à jamais car, une fois là-bas, il pouvait recevoir de l'état-major une nouvelle affectation.

Ce retard de vingt-quatre heures menaçait l'expédition de manière plus sérieuse : Artamonov n'avait pas compté sur la détérioration de la météo. Le temps incertain prévu pour le dimanche soir risquait d'empirer les jours suivants. Artamonov garda cependant confiance et la suite des événements justifia son optimisme : les circonstances mêmes de son équipée allaient convaincre la CIA et la marine US qu'il était un vrai marin et non un agent dépêché par le KGB sous le masque d'un transfuge.

Tout se passa comme prévu. Aux commandes de la vedette, le quartier-maître Ilya Alexandrovich Popov embarqua Artamonov et Ewa pour une partie de pêche nocturne — ce n'était pas la première fois et Popov n'avait aucune raison de se méfier. Artamonov lui dit de mettre le cap sur la péninsule de Hel et descendit dans le carré avec sa passagère. Popov largua les amarres vers 20 heures. La nuit devait tomber vers 21 h 45 et il faisait un temps médiocre mais encore calme.

Vers 23 heures, au large de la pointe de Hel, Artamonov monta au poste de pilotage, invita Popov à descendre se restaurer, prit lui-même la barre et piqua vers la haute mer. Mais la Baltique devenait mauvaise. Il fallut à Artamonov toute son habileté manœuvrière pour négocier des creux de plus en plus impressionnants et éviter de se mettre en travers. Ewa en garde le souvenir de « la nuit la plus longue » de sa vie.

La vedette atteignit enfin les eaux plus calmes du Kalmar Sund, entre l'île de Öland et la côte suédoise, qu'elle remonta jusqu'au petit port de pêche de Farjestaden. Persuadé qu'ils avaient été déroutés par la tempête, Popov accosta sans protester près de vingt-quatre heures après leur départ de Gdynia. Une fois la vedette amarrée à la jetée, les villageois curieux vinrent regarder de plus près ces étrangers surgis de nulle part. Artamonov déboucha une bouteille de cognac et en offrit au comité d'accueil improvisé.

Pendant ce temps, à Gdynia, l'évasion d'Artamonov passait encore inaperçue. Le port était resté fermé durant presque toute la journée du lundi 8 juin à cause de la tempête. On supposait que le commandant, s'étant abrité le long de la péninsule de Hel, rentrerait probablement le mardi. Artamonov disposait ainsi d'une précieuse marge de manœuvre.

Les habitants de Farjestaden se montrèrent hospitaliers. Si un ou deux d'entre eux comprenaient quelques mots de russe, aucun ne pouvait réellement soutenir une conversation ; mais le cognac et le charme naturel d'Artamonov y suppléèrent.

Les « naufragés » furent nourris et abrités pour la nuit dans la prison du lieu, local accueillant où les villageois ayant abusé du schnaps étaient logés jusqu'à ce qu'ils soient en état de rentrer chez eux sans provoquer de scandale.

Le lendemain matin, un ferry-boat accosta à la jetée. Le capitaine, un Finlandais qui parlait couramment le russe, invita Artamonov et ses compagnons à traverser le détroit à son voyage de retour pour gagner la Suède. Il promit en outre de prévenir un de ses amis, officier de la marine suédoise en poste à Stockholm, qui viendrait à leur rencontre à Kalmar.

Le Finlandais tint parole, mais la marine suédoise envoya un officier de renseignement, le commandant Sven Rydström, qui prit immédiatement l'affaire en main. Artamonov l'ayant informé de son intention de demander avec Ewa l'asile politique, Rydström préféra en référer à ses supérieurs, car pareille demande ne manquerait pas de provoquer une certaine effervescence internationale et de poser de sérieux problèmes aux autorités suédoises. Les trois voyageurs passèrent donc la nuit à Kalmar.

Le mercredi 10 juin, Rydström appela Stockholm. On lui répondit de ne pas bouger jusqu'à ce que l'ambassade d'URSS ait été officiellement avisée de la présence de deux marins — sans précision de noms ni de grades — « égarés » sur le territoire suédois. En fin d'après-midi, les deux fonctionnaires de l'ambassade venus prendre livraison de leurs compatriotes se firent rabrouer avec hauteur par un officier en civil, qui ne daigna pas se présenter. Ils repartirent fort penauds en compagnie du seul Popov, sans avoir rendu compte par téléphone du demi-échec de leur mission. Nul ne savait donc à l'ambassade qu'Artamonov avait refusé de les suivre. Ces fonctionnaires auraient-ils appartenu au KGB que les choses se seraient passées autrement ; mais il ne s'agissait encore, selon les apparences, que du cas fort banal de marins en bordée, ou poussés par la tempête dans les eaux suédoises, et on n'avait pas jugé utile de déranger le gratin pour si peu.

Transférés à Stockholm quelques jours plus tard, Artamonov et Ewa firent leur demande officielle d'asile politique. Devant la gravité de la situation, les ministères suédois de la Marine et des Affaires étrangères en avisèrent les ambassades d'URSS et de Pologne. Ainsi, Moscou apprenait enfin l'évasion d'Artamonov. Le résident du KGB à Gdynia fut aussitôt sommé d'enquêter sur cette trahison et d'en démasquer les complices éventuels. Mais Artamonov avait parfaitement brouillé sa piste : les marins et officiers sous ses ordres ignoraient tout de ses intentions. Le père d'Ewa se trouvait quelque part en mer de Chine. Faute de suspects, le KGB ne put se rabattre que sur Mme Gora, qui n'en savait pas davantage.

Les limiers du KGB ne furent pas plus heureux quand ils fouillèrent la cabine d'Artamonov : tous ses papiers — carte du Parti, passeport intérieur, livret militaire, carnet de paie et même son argent — étaient bien en vue sur la table, ses uniformes dans la penderie. Il ne manquait qu'un costume civil. La perquisition révéla une autre surprise : aucun document officiel ou secret n'avait disparu du navire. Il ne pouvait donc exister qu'une seule explication à la défection d'Artamonov, celle du « coup de folie » amoureuse pour la belle Ewa — hypothèse qui, on s'en doute, ne satisfit guère la direction du KGB à Moscou.

Alexandre Nikolaïevich Chelepine, directeur général du KGB, alla en personne informer l'amiral Gorchkov que son gendre, accusé du vol d'un bâtiment de la marine soviétique, avait déserté pour passer à l'Ouest en compagnie d'une jeune Polonaise et l'amiral exprima sa profonde consternation. Connu pour « lécher les bottes » de Khrouchtchev, Chelepine avait bâti sa carrière sur des affaires similaires. Cette fois, malgré tous ses efforts, il ne parvint pas à compromettre l'amiral.

Entre-temps, à Stockholm, l'ambassade d'URSS s'était efforcée de convaincre Artamonov qu'il serait pardonné s'il

124

rentrait au bercail, mais Ewa et lui refusaient tout contact. Les Suédois avaient déjà compris qu'il ne s'agissait pas de transfuges ordinaires ; craignant que le KGB ne décide de les enlever, voire de les éliminer, ils les installèrent dans un abri sûr en attendant la décision de la Commission des étrangers, devant statuer sur leur demande d'asile politique.

La marine suédoise profita de cette période d'attente pour interroger Artamonov sur les opérations des sous-marins soviétiques, qui s'égaraient un peu trop souvent dans les eaux territoriales de la Suède. Le commandant Rydström, leur officier traitant, conduisait tous les jours Artamonov et Ewa au quartier général de la marine, où les interrogatoires se déroulaient de façon amicale et détendue. Rydström les rassurait sur le succès de leur demande d'asile politique et leur répétait qu'ils seraient les bienvenus s'ils choisissaient de rester en Suède.

Si ces égards satisfaisaient l'amour-propre d'Artamonov, il n'en allait pas de même pour Ewa, qui n'avait rien d'autre à faire que de feuilleter des magazines tant que duraient les conversations « sérieuses » entre les deux hommes. Elle était en outre la plus menacée du couple, car ce serait à elle que le KGB s'attaquerait le plus volontiers s'il décidait d'user de l'intimidation. Aussi s'ennuyait-elle ferme, sans même avoir la ressource de se promener dans les rues de Stockholm ou de courir les magasins.

A Moscou, la *nomenklatura* faisait des gorges chaudes de la défection d'Artamonov, dont la presse ne soufflait mot. Avec beaucoup de dignité, l'amiral Gorchkov dédaignait les médisances et la marine serrait les rangs autour de son chef.

En Pologne, les choses allaient mal pour le père d'Ewa : à cinquante-trois ans, il voyait sa carrière brisée par la fuite de sa fille. Aux sanctions disciplinaires s'ajoutaient les vexations du KGB qui allait le faire venir à Varsovie pour l'interroger, des mois durant, dans les locaux de l'ambassade d'URSS.

A Stockholm, le commandant Rydström s'efforçait de sonder les véritables intentions d'Artamonov, qui lui avoua ne pas envisager de rester en Suède. Rydström lui conseilla de se méfier des Américains qui, selon lui, ne feraient que l'exploiter avant de se débarrasser de lui quand il leur serait devenu inutile. Seuls, en fait, deux pays occidentaux étaient susceptibles de s'intéresser à un personnage tel qu'Artamonov, les Etats-Unis et la Grande-Bretagne. Or, Ewa refusait d'aller en Angleterre où son père, comme beaucoup de réfugiés polonais, avait été traité « de façon indigne » pendant la guerre. De toute façon, Artamonov avait déjà choisi les Etats-Unis.

L'attente s'éternisant, Artamonov décida de brusquer les choses. Un matin, il pria Ewa de prendre un taxi et de se rendre à l'ambassade des Etats-Unis, où elle devrait faire connaître leurs intentions à « quelqu'un qui parle russe ». La directive était plutôt vague, mais cette démarche aurait au moins, espérait-il, le mérite d'éveiller l'attention des agents de la CIA en poste à Stockholm.

Ewa obéit sans discuter. Arrivée devant une masse de verre et d'acier aux lignes sévères, le premier bâtiment ultramoderne qu'elle ait vu de sa vie, elle fit taire ses appréhensions et pénétra dans un vaste hall où elle avisa un colosse en grand uniforme, le caporal de Marines Karl Larson, qui montait la garde près d'une sorte de colonne tronquée dissimulant un téléphone. Le caporal lui demanda vainement en suédois puis en anglais l'objet de sa visite. Décontenancée, Ewa prononça quelques mots de russe, auxquels le caporal ne comprit rien mais dont il reconnut les inflexions. Ayant signifié par gestes à la jeune femme d'attendre un instant, il appela un attaché militaire connaissant le russe, le lieutenant-colonel Anthony Caputo, qui arriva aussitôt.

Le colonel Caputo mit Ewa à son aise, la fit asseoir dans une antichambre et voulut savoir en quoi il pouvait lui être utile. Soulagée d'avoir en face d'elle « quelqu'un qui parle russe », Ewa lui raconta l'histoire de leur fuite et de leur traversée mouvementée jusqu'en Suède. Ses révélations ne surprirent

126

pas Caputo, déjà informé par la marine suédoise de l'aventure d'Artamonov et des résultats de ses interrogatoires. Mais si Artamonov pouvait intéresser les services de renseignement de la marine US, Ewa et lui étaient avant tout de la compétence de la CIA. Ayant déjà transmis à Washington le peu de renseignements qu'il avait pu glaner sur Artamonov, Caputo expliqua donc à Ewa qu'il devait en référer au chef de station de la CIA. Puis, ayant offert à la visiteuse une tasse de café, il demanda au deuxième secrétaire de l'ambassade, Paul Garbler, de venir à la réception s'occuper d'une transfuge et regagna son bureau dès que l'autre les eut rejoints. Dans les ambassades des Etats-Unis, comme dans beaucoup d'autres, les attachés militaires n'éprouvent guère d'affection pour les « espions » déguisés en diplomates.

L'apparition d'Ewa tombait très mal pour Garbler, sur le point de regagner les Etats-Unis et qui attendait littéralement les déménageurs. Il se borna à transmettre le dossier Artamonov à Edward Goloway, son remplaçant, qui suggéra à Ewa de revenir le voir avec Artamonov dès que la Suède leur aurait accordé le droit d'asile. Il pourrait alors agir utilement.

En fait, la visite d'Ewa à l'ambassade rendait un grand service à la CIA. De nombreux agents en mal de promotion fondent leur carrière sur l'exploitation d'un transfuge de l'importance d'un Artamonov, état d'esprit que le colonel Caputo était loin de partager. Il ne voyait aucune urgence à envoyer Artamonov aux Etats-Unis. Pour lui, il existait des garde-fous et des règles précises à respecter vis-à-vis des transfuges, la plus importante concernant la conduite méthodique des interrogatoires de telle sorte que les renseignements obtenus puissent être soigneusement vérifiés et recoupés.

Mais Goloway savait qu'Artamonov représentait une mine d'or pour la poignée d'observateurs spécialisés dans l'expansion de la marine soviétique. Aussi, après avoir fait intervenir l'ambassadeur lui-même pour décider Caputo à se dessaisir des transcriptions d'interrogatoires communiquées par la marine suédoise, il transmit au siège de la CIA cette somme de renseignements non vérifiés comme s'il s'agissait d'un scoop. Le dossier atterrit entre les mains de Leonard McCoy, analyste subalterne chargé d'un large assortiment de sujets soviétiques.

Affolé à l'idée que les Suédois puissent rendre Ewa et Artamonov à l'URSS pour éviter des problèmes diplomatiques, et persuadé par ailleurs que les Soviétiques n'avaient « jamais encore envoyé d'officier de renseignement infiltrer la CIA », McCoy décida de court-circuiter la procédure normale. Il passa par-dessus la tête de son chef de service et, sans avoir pris rendez-vous, se présenta chez l'un des hommes les plus puissants de la CIA, James Jesus Angleton, chef du contre-espionnage et bras droit du directeur général Allen Dulles, afin de le convaincre de faire pression sur le gouvernement suédois pour hâter le transfert d'Artamonov aux Etats-Unis.

Amusé par l'audace du jeune employé, Angleton l'écouta cependant avec intérêt développer ses arguments et téléphona à Allen Dulles. Celui-ci promit d'en parler à son ami Olof Palme, alors au cabinet du Premier ministre Tage Erlander. Son coup de bluff valait à McCoy de remporter une éclatante victoire.

Dulles tint parole : il câbla à Palme en lui demandant d'intervenir auprès de la Commission des étrangers afin de hâter l'octroi du droit d'asile à Artamonov et à sa compagne. Mais le message de Dulles sonna l'alarme un peu partout, d'abord en révélant que Palme avait des « rapports privilégiés » avec la CIA, donc qu'il avait touché ou touchait encore des subsides de l'Agence. Intercepté par les Soviétiques, le câble confirmait leurs soupçons sur Palme et leur apprenait qui, en fin de compte, s'intéressait à leur marin déserteur. A part cela, la manœuvre de McCoy avait eu un plein succès : il s'était fait un allié d'Angleton et avait réussi à « mouiller » Allen Dulles.

Ewa croit encore avoir pris seule avec Nikolaï la décision d'aller en Amérique. McCoy considère que, après sa visite à Angleton et le câble de Dulles à Olof Palme, « ils n'avaient plus le choix. S'ils avaient refusé de venir aux Etats-Unis, comment auraient réagi les Suédois? Peut-être en les menaçant de les rendre aux Soviétiques parce qu'ils ne pouvaient plus les garder ». Quoi qu'il en soit, la Commission accéléra ses délibérations et accorda l'asile politique aux transfuges. A compter de ce moment, ils avaient le droit de solliciter un visa pour se rendre aux Etats-Unis.

Conformément aux instructions du siège, l'antenne de la CIA à l'ambassade se chargea de diligenter leur demande de visa et les installa dans un abri sûr, le premier d'une longue série de cachettes où ils allaient vivre au cours des mois à venir. On ne leur posa que des questions anodines, on s'attacha à les mettre en confiance. Bientôt, Dulles donna l'ordre d'emmener Artamonov et Ewa à Francfort afin de les interroger au centre spécialisé connu sous le nom de Westport Station. Ils entraient dans une nouvelle phase de leur aventure.

9

Le centre de Westport

Le 1er août 1959, à 21 h 30, un DC-3 arborant les emblèmes de la Croix-Rouge internationale et chargé de « fournitures médicales » se posa sur l'aéroport de Francfort-sur-le-Main. Une jeep le guida aussitôt vers l'extrémité sud du terrain, jusqu'à un hangar anonyme devant lequel il s'immobilisa. Tandis que la porte de la carlingue s'ouvrait de l'intérieur, des hommes d'équipe approchaient la passerelle et posaient des cales sous les roues de l'appareil. Trois hommes attendaient sur la piste à côté de deux Mercedes, moteurs au ralenti et chauffeurs au volant. Dans le silence de la nuit, on n'entendit bientôt plus que le sourd grondement de l'autoroute à quelques centaines de mètres de là. En dehors du personnel de la CIA, nul n'avait observé l'atterrissage de l'avion.

Le « convoyeur » du poste de Stockholm, chargé de remettre ses « fournitures médicales » à la base de Francfort, apparut en haut de l'échelle. Salutations et présentations se déroulèrent selon le rituel d'usage. L'importance du commandant Artamonov et d'Ewa Gora, ainsi que l'intérêt manifesté par le directeur général Dulles justifiaient que le chef de base, George Carroll, se fût déplacé lui-même pour les accueillir.

Vétéran du renseignement, George Carroll avait déjà tout fait et tout vu dans le métier pendant la Seconde Guerre mondiale et la guerre froide. L'arrivée d'Artamonov et de sa compagne n'augurait pour lui que des ennuis. Dès l'instant où il prendrait en charge ses deux « colis », l'état-major de la CIA épierait ses faits et gestes. La moindre erreur d'un de ses hommes serait connue du directeur général, comme des services est-allemands, avant même qu'il en soit avisé. Carroll savait trop bien que le SSD d'Allemagne de l'Est et le KGB n'ignoraient rien de ce qui se passait dans sa base. Mais il savait aussi, par son propre réseau d'informateurs chez les truands et trafiquants de marché noir — souvent plus dignes de foi que les professionnels —, que ses adversaires ne tenteraient rien contre Artamonov et Ewa à moins d'y être poussés par des événements imprévus de la plus haute importance.

Dans son rapport à Allen Dulles, Carroll indiqua que ses hôtes se disaient satisfaits et que les impressions de Stockholm lui semblaient justes: Artamonov était maître de lui et hautain, Ewa dépassée par la situation. Il ne prévoyait pas de problèmes pendant leur séjour à Francfort, où n'aurait lieu aucun travail essentiel. De même, il estimait que le SSD et le KGB préféreraient apprendre le résultat de leurs interrogatoires plutôt que d'enlever ou d'éliminer les transfuges.

Trois jours plus tard, dans son bureau au dernier étage de l'ancien siège social de l'I.G. Farben, Carroll étudia les transcriptions des premiers interrogatoires du couple. Les informations recueillies par ses agents recoupaient parfois mal celles communiquées par Stockholm, mais il réserva son jugement jusqu'à la fin du *debriefing*. Le chef de la base de Berlin, David Murphy, lui avait prêté pour l'occasion son meilleur spécialiste du contre-espionnage, George Kisvalter, né à Kiev et vétéran du traitement des transfuges.

Kisvalter croyait que l'identité et la personnalité d'Artamonov avaient déjà été soigneusement vérifiées quand, en réalité, il possédait sur son « client » des renseignements erronés. On lui avait dit, par exemple, qu'Artamonov avait fait la cour à Ewa en secret, ce qui expliquait pourquoi un officier soviétique avait pu nouer des liens avec une civile polonaise. De même, Artamonov avait laissé entendre que sa position lui donnait le pouvoir de neutraliser les « chiens de garde » du KGB et du GRU et de les empêcher de fouiner dans sa vie privée.

Kisvalter cuisina Artamonov sur les organigrammes hiérarchiques, l'articulation des services de renseignement, les personnes. Au bout de deux jours, il se rendit compte qu'Artamonov savait de quoi il parlait mais n'avait que des connaissances limitées, conformes d'ailleurs à celles d'un officier de son grade et de sa spécialité : « Il m'a dit tout ce qu'il savait, sans chercher à rien me cacher », estimait Kisvalter.

Si le polygraphe ne peut être considéré comme un outil infaillible, il peut toutefois se révéler très utile dans les mains d'un habile opérateur, parce qu'il décèle chez le sujet des réactions ambiguës qu'il faut éclaircir par des interrogatoires serrés. L'Agence désigna un de ses opérateurs les plus expérimentés, Paul Bellin, pour examiner Artamonov. Lui-même transfuge soviétique, Bellin était mieux à même que quiconque de comprendre l'état d'esprit de son sujet. Ancien des services de renseignement, il savait déceler les techniques utilisées par les transfuges pour leurrer leurs examinateurs.

Le résultat du premier examen d'Artamonov et d'Ewa au « détecteur de mensonges » inquiéta Bellin et Carroll, en ce qu'il jetait le doute sur une grande partie des renseignements personnels donnés par les fugitifs à la marine suédoise et à la station CIA de Stockholm. Mais les premiers examens étant souvent mal interprétés ou inadaptés aux circonstances, Carroll demanda par principe à Bellin de procéder à un deuxième examen et avisa Allen Dulles de sa décision. Rien, jusqu'à présent, ne prouvait en effet de manière indiscutable qu'Artamonov et Ewa aient sciemment menti à leurs interrogateurs.

Artamonov se soumit de mauvaise grâce à ce nouvel examen, qui se montra tout aussi décevant. Les zones d'ombre détectées auparavant restaient obscures et, dans plusieurs cas, les réponses encore plus évasives. Après en avoir de nouveau référé à Dulles, Carroll ordonna un troisième et dernier examen, sans obtenir de résultats plus probants.

Pendant ce temps, d'autres agents du centre questionnaient

séparément Ewa et Artamonov. Ce dernier leur donna alors de véritables cours magistraux sur la marine soviétique, pour la plus grande joie de ses auditeurs dont il confirmait les opinions sur une variété de sujets, allant de la mainmise du KGB sur les services de renseignement polonais aux approvisionnements des forces du Pacte de Varsovie. Impressionné par son style, son public captivé fermait les yeux sur ses lacunes. Dépourvue du brillant d'Artamonov, Ewa fournissait de son côté d'intéressants renseignements sur la vie quotidienne en Pologne et le mécontentement croissant de la population sous l'occupation soviétique. Sa candeur et sa timidité attendrissaient ses interrogateurs, qui en oubliaient les mauvais résultats des examens au polygraphe. Le problème n'en restait pas moins posé.

Pour Paul Bellin, Artamonov était un imposteur. Ne pouvant faire valoir son opinion à Westport, il se confia à son vieil ami Peter Kapusta, officier du contre-espionnage à la section soviétique de la CIA, à qui il communiqua les résultats des examens au polygraphe. Longtemps après qu'Artamonov fut devenu Nick Shadrin, Kapusta et Bellin tiraient encore la sonnette d'alarme. En vain : trop de carrières à la CIA s'étaient bâties sur l'authenticité du personnage d'Artamonov pour qu'il fût question de revenir en arrière.

Aucun analyste, ou presque, ne s'inquiéta au début des « révélations » éventées d'Artamonov, qui ne disait à la CIA que ce qu'elle savait déjà ou tenait de services alliés. Le sérieux problème de savoir s'il fallait accepter ou rejeter l'authenticité d'Artamonov fut résolu non pas grâce à l'originalité ou à la nouveauté de ses renseignements, mais grâce à leur qualité. Or, sans être exceptionnel, ce qu'Artamonov dévoilait à ses interrogateurs sur la marine soviétique était d'une qualité supérieure à ce qu'ils avaient entendu jusqu'alors. On décida donc de fermer les yeux sur ses examens au polygraphe — et même de le dispenser des procédures normales d'interrogation et de vérification qui auraient dû suivre.

134

Westport donna son aval à Artamonov, mais avec prudence, en ne se fondant que sur la valeur des renseignements obtenus grâce à lui. On attribua les mauvais résultats de ses examens au fait que les Soviétiques d'un certain niveau, endoctrinés depuis leur plus jeune âge par le Parti communiste, ont trop l'habitude du mensonge et de la dissimulation pour qu'on puisse déduire de ce comportement des conclusions valables,

Tandis que le sort du couple se décidait entre Washington, Francfort et Berlin, Artamonov passait par des sautes d'humeur dont Ewa garde le souvenir, et son tempérament hautain prenait de plus en plus le dessus. Au cours de longues promenades dans le parc de la villa où ils étaient logés, ils parlaient, échafaudaient des projets d'avenir. Nick ne dissimulait pas la haine que la CIA commençait à lui inspirer : « Ils ne valent pas mieux que le KGB », répétait-il. Son humeur s'améliora quand il apprit leur prochain départ pour les Etats-Unis, mais il se fit encore plus réticent pendant les interrogatoires.

Artamonov et Ewa quittèrent Francfort le 21 août 1959 à midi, à bord d'un C-54 de la US-Air Force, pour atterrir à la base d'Andrews, près de Washington, à l'aube du 22 août. Leur comité d'accueil de la CIA, conduit par Walter Onoshko de la section soviétique, était enchanté de les voir enfin : aucun des agents « russophones » n'avait depuis longtemps eu la chance d'approcher et de faire parler un officier soviétique en chair et en os. Dès leurs premiers contacts, Onoshko éprouva pour Artamonov et Ewa une vive sympathie, que ceux-ci lui rendirent. Selon Ewa, Onoshko resta le préféré de tous les Américains dont Artamonov fit connaissance par la suite.

On les installa à Leesburg, en Virginie, dans l'une des meilleures « planques » de la CIA. Sans être aussi luxueuse que la villa de Francfort, elle possédait néanmoins tout le confort souhaitable et ils y trouvèrent une chaleureuse hospi-

135

talité. A Francfort, le personnel voyait les transfuges se succéder avec une ennuyeuse régularité, alors qu'on n'avait pas l'occasion d'être aussi blasé en Virginie : aux yeux des gardiens de la maison, Ewa et Artamonov étaient des célébrités à choyer, non une corvée de plus à expédier. Ils arrivaient précédés de leur histoire d'amour et de leur fuite romanesque qui piquaient la curiosité de leurs hôtes, prêts à les traiter en héros.

Il leur fallut quelques jours pour s'habituer à leur nouveau cadre de vie, se pourvoir d'une garde-robe et d'objets de première nécessité. La CIA surveillait étroitement la maison. Le FBI et la police locale ne signalaient dans les parages aucune activité anormale. Les choses sérieuses pouvaient commencer.

Plein de sollicitude et soucieux du bien-être de ceux qu'il considérait comme ses protégés, Onoshko conduisit les premières séances sur le ton d'amicales conversations plutôt que comme des interrogatoires. Ewa et Artamonov manifestaient beaucoup de bonne volonté et apprenaient l'anglais entre les sessions. L'attitude protectrice d'Onoshko présentait toutefois le grave inconvénient d'élever Artamonov au statut de collègue, alors que les interrogateurs auraient dû garder les mains libres pour tenter de découvrir ce qu'il savait ou ce qu'il s'efforçait de cacher. Nul ne mettait en doute sa bonne foi, tacitement admise.

Artamonov était simultanément interrogé par d'autres agences, notamment le service de renseignement de la marine (Office of Naval Intelligence ou ONI). Le capitaine Thomas Dwyer, son principal contact avec l'ONI, noua lui aussi des liens d'une étroite amitié avec Artamonov. Au début, les deux hommes faisaient appel à un interprète, mais Artamonov progressa rapidement en anglais. Comme tant d'autres, Dwyer supposait « qu'on l'avait fait venir en Amérique après s'être assuré de son authenticité. Personne ne m'a jamais dit le contraire, même si nous avions tous conscience que Nick était

136

peut-être un agent double et que nous devions nous conduire en conséquence ».

La marine lui fit passer une autre sorte d'examen. Un ancien attaché naval à Moscou l'emmena à bord d'un destroyer et lui fit, pendant trois heures, prendre le commandement d'un exercice de lutte anti sous-marine, au large de Rhode Island, contre un submersible nucléaire. Artamonov assuma ses fonctions de façon irréprochable, son seul problème provenant de ce qu'il devait avoir recours à un interprète qui transmettait ses ordres. La marine fut assez favorablement impressionnée par sa démonstration pour s'intéresser sérieusement à lui par la suite.

Mais, au sein de la section soviétique de la CIA, « le Russe d'Onoshko » était loin de faire l'unanimité. Les uns affirmaient qu'Artamonov ergotait afin d'éluder les questions gênantes et qu'il était mal informé de sujets qui auraient dû lui être familiers, compte tenu de sa formation pratique et politique. Les autres rétorquaient qu'on avait tort d'attendre de lui des certitudes ou des prises de position sur des informations étrangères à ses connaissances ou à son expérience. Ces derniers cherchaient avant tout à se renseigner au maximum sur les capacités et les activités navales soviétiques, sujet de peu d'intérêt pour la plupart des autres analystes.

Un événement imprévu survint alors, qui dévalorisait une grande partie des renseignements fournis par Artamonov: le retrait du service de la classe entière des navires qu'il connaissait le mieux. Pour Peter Kapusta, un de ses interrogateurs, ce fut un signal d'alarme. Il fit part à son ami Paul Bellin des soupçons que lui inspirait cette décision soudaine et inattendue de la marine soviétique, et informa Leonard McCoy ainsi que d'autres responsables des doutes qu'elle faisait planer sur la personne même d'Artamonov. On lui répondit qu'il était trop soupçonneux et que « ce que disait Nick intéressait d'autres gens à la CIA ». Ceux-ci se limitaient, en réalité, à Onoshko, McCoy, Funkhouser et une poignée de spécialistes des questions navales.

Le moment était venu de « reclasser » les réfugiés, en effaçant les dernières traces de leur passé et en leur donnant une nouvelle identité. C'est ainsi qu'Artamonov fut baptisé Nicholas Shadrin et que Ewa Gora se mua en Ewa Blanka. Sur le moment, on dit à Ewa que leurs nouveaux noms ne seraient que provisoires, à seule fin de les enregistrer à la sécurité sociale et de brouiller leur piste pour les services soviétiques. Le subterfuge ne trompa personne : les faux noms devinrent permanents et, de toute façon, les Soviétiques ne manifestaient aucun intérêt pour les deux évadés.

Au début des années 60, les transfuges d'Europe de l'Est étaient le plus souvent fort mal traités. La CIA leur arrachait le plus vite possible le maximum de renseignements, leur offrait des cours d'anglais chez Berlitz et leur disait ensuite de se débrouiller pour trouver du travail. Les Shadrin eurent droit à davantage d'égards et furent d'abord confiés aux soins attentionnés de Peter Sivess et de sa femme Ellie, qui dirigeaient le centre de reclassement d'Ashford, sur la côte du Maryland. Comme tant d'autres, les Sivess éprouvèrent aussitôt une vive sympathie pour Nick et Ewa. Peter parlait russe couramment. Sportif et chasseur impénitent, il initia Nick aux plaisirs de la chasse et de la pêche.

La CIA n'en souhaitait pas moins se décharger du fardeau administratif de ses « pensionnaires », sans cependant les abandonner tout à fait. Ewa avait son diplôme polonais de dentiste, mais elle devait poursuivre des études complémentaires et perfectionner son anglais avant de pouvoir exercer sa profession aux Etats-Unis. Il n'en allait pas de même pour Nick : quelle que soit la durée de son séjour aux Etats-Unis, ou le nombre de diplômes qu'il y acquerrait, il ne serait jamais plus autorisé à commander un navire.

Inquiet pour son avenir, Shadrin se souvint alors des mises en garde du commandant Rydström. La CIA allait-elle le mettre à l'écart, comme on jette un citron pressé jusqu'à la dernière goutte, sans même lui avoir accordé la protection de

138

la nationalité américaine? La CIA ne semblait, en effet, nullement décidée à s'en occuper, alors qu'elle aurait pu aisément obtenir la naturalisation immédiate du couple.

Pour la première fois, Shadrin regretta ouvertement son erreur et déclara qu'il ferait peut-être mieux de rentrer chez lui. Il confia à Peter Sivess qu'il n'était pas heureux aux Etats-Unis et, surtout, qu'il craignait de se voir abandonné par la CIA sans avoir pu obtenir sa naturalisation. Trop souvent témoin de pareille réaction chez d'autres émigrés pour ne pas prendre celle-ci au sérieux, Sivess informa immédiatement la CIA de l'inquiétude que lui causait l'état d'esprit de Nick.

Tom Dwyer confirme l'humeur sombre de Shadrin à cette époque : « Il était en pleine dépression. Quand j'allais le voir, je le trouvais au fond du jardin, assis sur une souche, la tête basse. Je lui parlais, je lui remontais le moral de mon mieux. Nous avons réussi à le distraire en lui faisant construire un canot à moteur — le patron du service (l'ONI) disait même : "Pourvu qu'il ne s'en serve pas pour filer à Cuba !" »

Son abattement se dissipa dès que la Marine s'intéressa à lui. Son brillant exercice naval au large de Rhode Island n'était pas passé inaperçu et l'ONI, manquant de renseignements valables sur la marine soviétique, fit de plus en plus appel à ses connaissances. Certains domaines, tels que le processus de recrutement et de sélection des officiers, ne présentaient pratiquement aucun intérêt pour la CIA quand, au contraire, ils passionnaient les spécialistes.

William Corson, adjoint du commandant Rufus Taylor, sous-directeur de l'ONI, fut chargé à ce moment-là de questionner Shadrin sur le radar de son navire cédé à l'Indonésie. Corson trouva Shadrin tel qu'on le lui avait décrit, intelligent, sûr de lui, prompt à détourner une question embarrassante mais volontiers disert le reste du temps. Corson fut d'autant plus étonné quand Shadrin se montra incapable de répondre à des questions précises sur les caractéristiques du radar monté sur son propre navire. On s'aperçut, une fois les bâtiments arrivés à Djakarta, que les radars ne fonctionnaient pas, bien qu'ils eussent été vendus comme s'ils avaient été en parfait état de marche ! Shadrin était sans doute perplexe devant l'insistance de l'ONI à vouloir se renseigner sur un radar factice, mais il s'abstint de manifester sa curiosité à son interlocuteur. Plus tard, dans sa thèse de doctorat, il dira d'ailleurs que cette « braderie de navires et de matériel de guerre » à l'Indonésie avait été une gigantesque escroquerie.

Pendant la visite de Corson, Shadrin fit preuve d'un anti-communisme de bon aloi, sur le thème du militaire de carrière déçu par les mensonges des apparatchiks du Parti. L'atmosphère se détendit ensuite ; en attendant la voiture qui devait venir chercher Corson, les deux hommes allèrent s'asseoir sous la véranda et bavardèrent amicalement. Il faisait beau et doux. Corson demanda à Shadrin les vraies raisons de sa défection. Ce dernier lui montra en pouffant de rire la photographie de deux femmes, à l'allure séduisante de manœuvres ou de balayeuses : « A Leningrad, répondit-il, il y a une sévère crise du logement. Aimeriez-vous cohabiter dans un studio avec ces épouvantails ? » Sans les identifier formellement comme étant sa femme et sa belle-mère, il le laissait toutefois sous-entendre.

Corson apprit par la suite que l'adresse de Leningrad indiquée par Shadrin était celle d'une « cabine d'escale », qu'il n'avait jamais partagée avec sa famille et où il ne faisait que coucher de temps à autre, quand il lui était impossible de passer la nuit à bord de son navire. Nul ne savait encore, à cette époque, que les Artamonov résidaient en réalité dans un vaste et confortable appartement de Kaliningrad, occupé pendant la Seconde Guerre mondiale par un général allemand. Contrairement à Leningrad, Kaliningrad n'avait pratiquement pas souffert des conséquences de l'offensive allemande de juin 1941.

Au printemps 1960, la Marine offrit à Nick Shadrin un contrat de consultant auprès de l'ONI. De son côté, Ewa s'était inscrite à une école dentaire. Ils paraissaient donc l'un et l'autre définitivement débarrassés de la CIA. Or, celle-ci leur réservait une dernière surprise.

En mai 1960, un membre de l'Agence, Daniel Awanto, vint leur dire qu'ils devaient se marier. Pourquoi le fallait-il à ce moment précis, Awanto ne le leur révéla pas. Nick et Ewa n'y étaient certes pas opposés mais, la CIA le savait fort bien, il existait un obstacle de taille : Shadrin était déjà marié en URSS. L'envoyé de la CIA balaya l'objection en déclarant « nous nous chargeons de tout », propos dont Nick et Ewa ne relevèrent pas l'absurdité. Depuis quand, en effet, la CIA avait-elle le pouvoir de dissoudre des mariages ? Ils accompagnèrent donc leur ange gardien à Raleigh, Caroline du Nord, où, le 31 mai 1960, l'honorable James A. Rowland, juge de paix, unit par les liens du mariage Nicholas Shadrin, résident d'Arlington en Virginie, et Blanka Pawlowska, nom inventé pour les besoins de la cause, domiciliée à Washington D.C.

Leur certificat de mariage, figurant sous le numéro 536 dans les registres d'état-civil du comté de Wade, Etat de la Caroline du Nord, indique que Nicholas Shadrin, âgé de trente-deux ans, était fils de F.E. Shadrin et de Nina Shadrin, tous deux décédés. Quant à Ewa, âgée de vingt-deux ans, elle était fille de Zygmunt Pawlowski et Yadwiga Pawlowska, tous deux vivants et domiciliés à Gdynia en Pologne. Ce mariage administratif fut ultérieurement suivi d'une cérémonie catholique à Baltimore, destinée à apaiser les scrupules de la mère d'Ewa.

Le 1er juin 1960, Nick Shadrin prit avec un plaisir évident ses nouvelles fonctions à l'ONI. Il se sentait enfin utile et, comme le dit Tom Dwyer de son nouveau collègue, « il était convaincu que les gens de la CIA étaient une bande de cinglés avec lesquels il ne voulait plus rien avoir à faire ».

10

Le fidèle conseiller

L'ancien Observatoire de la Marine se dresse au milieu d'un parc, dans l'un des quartiers les plus agréables de Washington. Le visiteur, qui remonte la partie de Massachusetts Avenue connue sous le nom d'« avenue des ambassades », peut y admirer de vastes demeures, entourées de pelouses où flottent des drapeaux étrangers. Tous les matins, venant de sa petite maison de style colonial dans la banlieue résidentielle d'Arlington, Nick Shadrin y passait en se rendant aux bureaux de l'ONI, installés dans l'ancien Observatoire.

Rufus Taylor avait dû user de toute son influence pour faire entériner l'engagement de Nick Shadrin à l'ONI au titre de conseiller permanent. Il tenait à garder sous la main cet expert tombé du ciel, capable de le renseigner sur une marine soviétique dont, pendant trop longtemps, il n'avait rien su, ou presque. Convenablement manœuvré, pensait-il, Shadrin pourrait rendre d'inestimables services. Mais il fallait d'abord vaincre les objections de William Abbott, chef civil du contre-espionnage de l'ONI, qui jugeait dangereux d'introduire un transfuge dans le saint des saints. Taylor eut raison de son opposition. Il fit admettre l'idée que l'ONI ne pouvait pas se permettre de laisser échapper un si précieux atout et Shadrin fut intégré à l'équipe. La marine des Etats-Unis comptait désormais dans ses rangs, au plus haut niveau, un officier soviétique.

Dans leur conduite à son égard, ses collègues s'inspirèrent de la façon dont Taylor le traitait. Jerry Edwards, un ancien de l'aéronavale devenu analyste à l'ONI, avait son bureau de l'autre côté du couloir. Il voyait constamment Taylor venir à la

143

section traduction où travaillait Shadrin, s'asseoir en face de lui, poser les pieds sur la table et se lancer dans d'interminables conversations. Etonné de ce que Taylor abordât avec Shadrin les sujets les plus confidentiels, il s'abstenait d'en faire la remarque mais n'en pensait pas moins : « L'aide de camp de l'amiral Taylor, se souvient-il, m'avait recommandé de ne discuter avec Shadrin "de rien que vous ne puissiez trouver dans le *New York Times*", selon ses propres termes. » Manifestement, l'amiral considérait qu'il était lui-même exempté de cette règle.

Peu après son entrée à l'ONI, Shadrin fut chargé de faire, devant un public composé de fonctionnaires et d'assistants parlementaires, une conférence sur la marine soviétique et les projets belliqueux de l'URSS. Il captiva ses auditeurs en confirmant leurs soupçons sur les véritables intentions des Soviétiques. La récente affaire de l'U-2 et le durcissement de l'attitude de Khrouchtchev relançaient l'anticommunisme des milieux dirigeants américains. Les problèmes de sécurité nationale occupaient le premier plan d'une campagne électorale présidentielle qui battait alors son plein.

Le magnétisme de sa personnalité et la véhémence de son anticommunisme firent bientôt de Shadrin un conférencier que tout Washington s'arrachait, en dépit de son mauvais anglais. La Commission des activités antiaméricaines, dernier vestige du maccarthysme au Congrès, demanda à l'amiral Taylor de le faire comparaître comme témoin. Taylor pensa qu'il serait de bonne politique d'accepter tandis que d'autres, tels que McCoy et Tom Dwyer, estimaient qu'il serait beaucoup trop dangereux de l'exhiber en public, ce qui reviendrait à le dénoncer aux Soviétiques. La direction de la CIA eut le dernier mot et Shadrin lui-même accepta de témoigner devant la Commission.

Les séances publiques de la Commission devaient prouver à l'opinion que les Soviétiques faisaient peser sur les Etats-Unis une redoutable menace, tant sur le plan militaire que sur celui

144

de l'espionnage. Au cours des entretiens préparatoires, Shadrin séduisit les collaborateurs de la Commission. Ils virent en lui le témoin idéal, qui dirait de son plein gré ce que souhaitait entendre leur président. Ces contacts lui permirent surtout d'étendre ses relations aux milieux parlementaires, au-delà du cercle restreint de la CIA et de l'ONI. Il y gagnait également un nouveau prestige aux yeux de ses collègues.

Le 14 septembre 1960, le représentant démocrate de Pennsylvanie, Francis E. Walter, président de la Commission, ouvrit la séance en présentant Nicholas Shadrin qui, à une carrière militaire pleine d'avenir en Union soviétique, avait préféré la Liberté en Amérique. Il officialisait de la sorte la « légende » de Shadrin, qui ne reposait jusque-là que sur une accumulation d'erreurs et de contradictions. Pendant leurs entretiens préparatoires, les collaborateurs de la Commission n'avaient rien vérifié de ce que leur confiait Shadrin — ils n'étaient pas chargés, à vrai dire, de s'inquiéter des véritables dangers du communisme, mais de présenter leurs témoins sous le meilleur jour possible. Tout le monde acceptait donc ses dires sans discuter, pour la simple raison qu'il était un « communiste touché par la Grâce ».

Sous un déguisement approximatif, Shadrin lut une déclaration que la Commission écouta avec un vif intérêt :

Lundi, Khrouchtchev arrive aux Etats-Unis, soi-disant pour parler de désarmement. Je dois vous faire observer que, selon les renseignements dont je dispose en tant qu'officier de la marine soviétique et membre du Parti communiste, la stratégie soviétique ne correspond nullement aux propos de Khrouchtchev sur le désarmement. Depuis février 1955, la stratégie de l'URSS reste fondée sur la doctrine de l'attaque surprise dans une guerre nucléaire. Cette doctrine, exposée dans une publication destinée aux officiers supérieurs des forces armées soviétiques, a été répétée à plusieurs reprises depuis quatre ans et elle n'a pas varié. Je suis persuadé que la dictature soviétique lancerait sans hésiter une attaque surprise si elle espérait gagner du premier coup. Ne vous y trompez pas: ces gens ne sont pas des idéalistes, ils recherchent uniquement le pouvoir.

Cette bombe fit beaucoup d'effet dans les médias. Le *New York Times* en tira une belle manchette: *Un transfuge met en garde les USA contre un raid nucléaire de Moscou.* La partie la plus révélatrice de sa déclaration passa cependant inaperçue. Après s'être demandé s'il avait le devoir de « participer à la propagation d'idéologies [qu'il] condamn[ait] » ou « d'aider la clique du Kremlin à étendre son pouvoir », il se demanda s'il n'avait pas trahi son peuple en fuyant et répondit: « Non, je ne trahirai jamais mon peuple ni ne l'abandonnerai. Je suis et resterai toujours un Russe. »

Le président fustigea la présence au premier rang d'un secrétaire de l'ambassade d'URSS en disant: « J'espère qu'il aura compris que, dans une société libre comme la nôtre, les témoins choisissent eux-mêmes les sujets dont ils veulent parler sans qu'on leur dicte ce qu'ils doivent dire. » Le secrétaire d'ambassade n'était autre que Vladimir Bykov, numéro trois de la station KGB-GRU, venu ostensiblement prendre des notes. Le président Walter aurait-il levé les yeux vers le fond de la salle qu'il aurait remarqué la présence de trois hommes et d'une femme qui, eux aussi, suivaient les débats avec attention. Il s'agissait du contre-amiral Yashin, attaché naval, de ses adjoints le commandant Alexandre Astaviev et le capitaine Storyguine — ce dernier connaissait bien Artamonov dont il avait été l'ami — ainsi que de la fille de l'amiral, la ravissante Tania. On ne saura malheureusement jamais quelles réflexions leur inspirèrent les fracassantes déclarations de Shadrin...

Les autorités soviétiques réagirent promptement. Le lundi 19 septembre, jour de l'arrivée de Khrouchtchev aux Etats-Unis, la presse de Kaliningrad annonça que « Nikolaï Fedorovich Artamonov est accusé d'avoir trahi la Patrie, pendant une mission dans le port polonais de Gdynia, en prenant la fuite

146

vers la Suède où il a demandé et obtenu l'asile politique ». Un entrefilet dans la *Pravda* du 23 septembre 1960 précisa : « Jugé par un Tribunal du Peuple et convaincu de haute trahison, Nikolaï Fedorovich Artamonov est condamné à mort par contumace. »

Sa comparution devant la Commission avait fait de Shadrin une star à Washington. Les agences et ministères censés lutter contre la menace soviétique le réclamaient à cor et à cri. Sa réputation de conférencier gagnait un lustre croissant auprès des auditoires les plus divers, allant des écoles navales aux clubs du Rotary. Chaque fois qu'il prenait la parole, il accréditait davantage la raison essentielle de sa désertion : à trente-deux ans, les yeux enfin ouverts, il n'avait pu supporter d'entendre plus longtemps les mensonges des dirigeants soviétiques.

Un examen plus attentif de son curriculum vitae par les responsables de la sécurité aurait pourtant pu faire naître des doutes sur sa bonne foi. Ainsi, selon les documents, sa date de naissance varie de 1926 à 1928. Simple faute de frappe, ou effort délibéré de compliquer les recherches dans son passé ? De même, tout ce qui concerne sa jeunesse à Leningrad, ses études et ses états de service dans la marine fourmille d'éléments contradictoires, parfois carrément erronés ou relevant de la forfanterie pure et simple.

Les personnes appelées à témoigner devant des commissions parlementaires cèdent volontiers, comme les demandeurs d'emploi, à la tentation d'embellir leur curriculum vitae. Dans le cas de Shadrin, les « embellissements » parurent invraisemblables aux familiers du système scolaire et de la marine soviétiques. Ainsi en était-il de Peter Sivess, qui avait eu l'occasion de coopérer avec la marine soviétique pendant et après la Seconde Guerre mondiale ainsi que de fréquenter de nombreux transfuges. Frank Steinert, transfuge lui aussi, détecta au fil des ans des contradictions choquantes dans les assertions de Shadrin. Ancien de l'Académie navale Frounze,

Steinert affirme que Shadrin mentait en prétendant avoir été élève de l'Académie navale à Leningrad et Frounze à Moscou : « Je suis sorti de Frounze, je lui ai posé des questions précises auxquelles il était incapable de répondre. A l'évidence, il n'y a jamais mis les pieds. » Jim Wooten, agent du FBI à l'époque, montra des photos de Shadrin à un autre transfuge et ancien élève de Frounze, Youri Nosenko, qui ne reconnut à aucun moment celui qui prétendait avoir été son condisciple.

Les biographies fantaisistes, comme les faux papiers, ne résistent pas à un examen attentif. Celle de Shadrin ne fit jamais l'objet d'une vérification sérieuse — ou alors, il faut admettre que les services américains en ont été incapables. Tout le monde le crut sur parole quand il dit que son père était mort en 1958 et sa mère en 1956. En réalité, comme on allait le découvrir longtemps plus tard, il était fils d'un colonel Artamonov, tué pendant la guerre en 1944. Il descendait d'une vieille lignée de militaires de carrière et d'officiers de renseignement dont l'un, son grand-oncle Victor Alexeïevich, attaché militaire du Tsar à Belgrade, avait financé l'assassinat de l'archiduc François-Ferdinand à Sarajevo. D'autres membres de sa famille avaient collaboré avec l'Intelligence Service anglais et la Tcheka de Feliks Dzerjinski après la révolution d'Octobre. Quant à sa mère, Alexandra Grigorievna — baptisée selon les cas Nina, Tania ou Elena — le doute plane encore sur sa véritable identité. Au cours de ses seize ans de vie commune avec Ewa, Shadrin ne fit que deux brèves allusions à ses parents et à ses ancêtres, étonnante modestie quand on connaît l'esprit de famille de la plupart des Russes.

Sa condamnation à mort en URSS n'empêchait pas Shadrin de mener sans se cacher une vie très active. Il avait versé un acompte sur la maison d'Arlington grâce à la somme forfaitaire réglée par la CIA « en paiement de ses services » depuis sa défection. Ewa suivait des cours à l'école dentaire de l'université Howard pour obtenir les certificats indispensables à l'exercice de sa profession aux Etats-Unis. Nick touchait un salaire régulier de l'ONI, auquel s'ajoutaient les honoraires des conférences qu'il donnait dans tout le pays. Matériellement parlant, ils étaient l'un et l'autre hors d'affaire.

En 1961, à l'insistance d'Ewa et lui-même désireux d'élargir le cercle de ses relations dans l'administration Kennedy, où l'on était friand de diplômes, Shadrin s'inscrivit à l'école d'ingénierie de l'université George Washington, qui constituait alors une sorte d'annexe du Pentagone et de la CIA. Les cours du soir étaient suivis par de nombreux officiers, venus directement de leurs bureaux en uniforme, qui s'efforçaient d'acquérir les diplômes essentiels au progrès de leur carrière. On ne parlait pas encore du Viêt-nam, les faits d'armes de la Seconde Guerre mondiale étaient oubliés et les exploits de la guerre froide sans effet sur le tableau d'avancement.

Shadrin y fut comme un poisson dans l'eau. Militaire de carrière, il s'en donnait à cœur joie avec d'autres militaires de carrière pour critiquer civils et politiciens qui semaient le désordre dans l'armée. Il se fit également d'inestimables relations parmi ses condisciples, dont beaucoup allaient gravir les échelons de la hiérarchie à la faveur du conflit vietnamien.

Il se révéla d'emblée un étudiant hors de pair. Ses dissertations récoltaient les meilleures notes et lui valaient l'admiration de ses professeurs. Certains, qui entretenaient des rapports suivis avec la CIA, s'étonnaient que l'Agence se fût privée d'un si brillant sujet au profit de l'ONI. Sans même avoir besoin de passer des examens, il obtint sa maîtrise par la seule valeur des points accumulés par les recherches qu'il effectuait sur les conseils de ses professeurs. Devant la facilité avec laquelle il avait réussi, Ewa l'incita à poursuivre ses études jusqu'à un doctorat. Shadrin s'inscrivit donc en septembre 1964 aux cours du Collège de politique internationale de la même université George Washington.

Entre-temps, Ewa avait terminé ses études dentaires. Les Shadrin donnaient l'exemple du couple industrieux, débarqué en Amérique sans autre fortune que leur intelligence et leur courage, devant qui s'ouvrait un avenir prometteur. Ewa pouvait désormais exercer une lucrative profession libérale. Sympathique et généreux, Nick avait la réputation unanime d'un expert digne de confiance. De nombreux collègues, officiers de marine eux aussi tels que Tom Dwyer et William Howe, se flattaient de le compter parmi leurs amis. Mary Louise Howe, épouse de ce dernier, s'était instituée l'ange gardien des Shadrin, qu'elle introduisait dans la meilleure société de Washington et dont elle ne cessait de chanter les louanges. Par son entregent et ses relations, elle savait avec qui entrer en contact pour obtenir des résultats. Et c'est ainsi que le sénateur James Eastland, son voisin, fit voter par le Congrès la loi S.2789 conférant à Nick Shadrin la nationalité américaine. Pour la première fois, il n'était plus à la merci de la CIA. Disposant désormais de tous les droits et privilèges d'un citoyen des Etats-Unis, il échappait à l'emprise d'un organisme qui ne lui inspirait depuis longtemps qu'aversion et mépris.

Au printemps 1965, son prestige était au plus haut. Ses prophéties de 1960 sur l'accroissement de la puissance navale soviétique étaient vérifiées par les faits. La crise des missiles de Cuba avait convaincu de l'imminence et de la gravité de la menace nucléaire soviétique, annoncée par Shadrin, tous ceux qui, à la Maison Blanche ou ailleurs, se souciaient de la sécurité nationale. Ses propos sur les capacités offensives de la marine soviétique, dont le renforcement se poursuivrait, selon lui, en dépit des changements de personnel au Politburo, trouvaient à l'ONI des oreilles complaisantes.

Mais son contrat avec l'ONI allait expirer le 30 juin. Ne voulant pas se priver de son expert favori, l'amiral Taylor fit proroger de six mois le contrat de son protégé et lui obtint un poste de consultant temporaire au Centre de documentation scientifique et technique de la Marine. Cela ne pouvait altérer le cours des événements. Promu directeur adjoint des services centraux de renseignement de la Défense, l'amiral Taylor quitta l'ONI en juin 1966. Son successeur ne souhaita pas garder Nick Shadrin dont l'avenir, du même coup, allait prendre une orientation radicalement différente.

Le vent du changement soufflait aussi à Moscou. En 1964, Brejnev avait renversé Khrouchtchev en grande partie grâce au soutien des militaires, impatients de poursuivre le réarmement de la mère patrie. Dans les rudes combats budgétaires, la marine avait discrètement gagné des points sur les autres armes pendant le règne de Khrouchtchev, ce qui ne l'avait pas empêchée de se placer avec résolution dans le camp du vainqueur. Vers le milieu de 1966, l'armée de terre et l'aviation exigèrent de Brejnev, en compensation de leur soutien, que le KGB et le GRU entreprennent un effort concerté en vue de leur procurer les renseignements scientifiques et techniques indispensables à leur modernisation. De toutes parts, des pressions s'exerçaient pour évincer Vladimir Semitchasni, directeur général du KGB et vestige de l'ère khrouchtchévienne.

Les sourdes luttes d'influence qui se livrent au sein de la *nomenklatura* ne sont pas des jeux d'enfants. Semitchasni se savait condamné. Ceux qui pariaient sur les chances de son adjoint Perepiltsine de lui succéder s'aveuglaient sur l'irrésistible ambition de Youri Andropov, qui l'emporterait bientôt. D'ores et déjà, les survivants de l'époque Khrouchtchev devaient faire flèche de tout bois s'ils voulaient conserver un peu de leur pouvoir — et le plus possible de leurs privilèges.

Il y avait, parmi eux, une mère qui se souciait moins de son propre sort que de l'avenir de sa fille, de son gendre et de sa petite-fille Marina, née en 1964 : Ekaterina Alexeïevna Fourtseva allait faire de son mieux avec l'ambassadeur Nikolaï Pavlovich Fyrioubine, son mari, pour protéger leurs enfants.

Ekaterina et Nikolaï appartenaient de plein droit à la

151

nouvelle aristocratie du régime. Leur fille Svetlana avait épousé Igor Kozlov, fils de Frol Romanovich Kozlov, haut dignitaire du Parti et plusieurs fois ministre. Ekaterina Fourtseva, Son Excellence Fyrioubine et Kozlov père étaient sortis du rang pour atteindre les plus hauts échelons de la hiérarchie, mais leur pouvoir n'était pas héréditaire. Nommée ministre de la Culture en 1960 par Khrouchtchev, dont la rumeur publique disait qu'elle avait été la maîtresse, Fourtseva était pragmatique avant tout. Sentant venir la disgrâce, elle voulait au moins assurer la position de sa fille et, plus encore, l'avenir de sa petite-fille. Son gendre Igor, obscur officier du KGB, n'avait malheureusement hérité ni la classe ni la chance de son père.

Comme beaucoup de rejetons de la *nomenklatura*, Igor Kozlov avait été casé au KGB où sa carrière stagnait lamentablement, surtout depuis la mort de son père le 30 janvier 1965. Affecté à l'inspection du Premier directorat (opérations de renseignement à l'étranger) avec le grade de commandant, il n'avait que peu de chances de se voir promu lieutenant- colonel et d'accéder un jour au saint des saints. La CIA possédait de vagues renseignements sur le personnage, qui lui avait fait en 1960, au Pakistan, des offres de service restées sans suite. A l'époque, Kozlov espérait être envoyé aux Etats-Unis. Un ambitieux collègue, Oleg Sokolov, lui avait volé à la dernière minute cette affectation convoitée.

Au début de mars 1966, Ekaterina Fourtseva se dit qu'elle devait agir. Depuis le mariage de sa fille, elle s'abstenait d'aborder franchement avec son gendre le sujet délicat de son échec professionnel, mais elle ne pouvait plus tergiverser. Selon une source particulièrement bien informée (qui, pour d'évidentes raisons, souhaite garder l'anonymat), cette conversation décisive se déroula comme suit.

Sachant sa datcha truffée de micros par Semitchasni, Ekaterina proposa à Igor une « promenade au grand air » sur le chemin enneigé. Là, à l'abri des oreilles indiscrètes, elle lui dit

152

que les bouleversements apportés par Brejnev menaçaient de dépouiller la famille de ses maisons, de ses privilèges et de ses positions. Elle expliqua ensuite que l'actuel directeur général du KGB était un incapable et un imbécile, et que les militaires réclamaient à cor et à cri des renseignements capitaux sur les technologies occidentales. Kozlov se contenta de hocher la tête, sans bien comprendre où sa belle-mère voulait en venir. Alors, les pieds dans la neige, elle lui confia des secrets dont l'importance dépassait tout ce qu'il avait entendu au long de sa triste carrière d'espion manqué.

Fourtseva révéla d'abord à son gendre que celui de l'amiral Gorchkov, le commandant Nikolaï Artamonov, était devenu un homme très influent aux Etats-Unis, où il avait accès aux secrets les mieux gardés de la marine américaine. Kozlov comprit immédiatement l'intérêt d'un tel renseignement : s'il parvenait à recruter Artamonov, il ridiculiserait Oleg Sokolov, son rival exécré au sein du KGB, et sa carrière connaîtrait enfin l'épanouissement tant attendu.

Mais ce ne fut pas là le seul secret confié ce jour-là à Igor Kozlov par Ekaterina Fourtseva. Elle lui décrivit comment elle s'y était prise pour empêcher Semitchasni de recruter Lee Harvey Oswald à Minsk plusieurs années auparavant. Elle lui apprit que les Américains n'avaient pas cru le transfuge Youri Nozenko quand il leur avait transmis ce renseignement. Mais les Américains le croiraient, lui, Igor. Par pur désintéressement, sa belle-mère affectionnée lui offrait ces dons inestimables, qui sauveraient sa carrière au KGB et feraient étinceler sa renommée dans le monde ténébreux du Renseignement...

Alors qu'ils revenaient vers la datcha, ils virent le plus proche voisin d'Ekaterina, le « journaliste » bien connu Victor Louis, qui descendait de sa Mercedes. Fourtseva le salua avec de grandes effusions. Louis se demanda longtemps ce qui pouvait justifier pareille bonne humeur.

11

Opération *Kitty Hawk*

Cédant à l'insistance pressante de James Angleton, chef du service de contre-espionnage de la CIA, le FBI s'évertuait depuis des années à poursuivre l'ombre insaisissable du pseudo maître-espion soviétique *Sacha*, alias Igor Orlov, obscur transfuge reconverti dans l'encadrement de tableaux. En 1966, excédé de perdre son temps et celui de ses maigres effectifs, Courtland Jones, chef du contre-espionnage du FBI à Washington, avait mis fin à la surveillance d'Orlov qu'il considérait comme un inoffensif artisan. Or, Angleton ne jurait que par son transfuge favori, Anatoli Golitzine, qui persistait à accuser Orlov. Pour les hommes du FBI, Angleton perdait le nord.

En 1964, un transfuge important, Youri Nozenko, était arrivé d'Union soviétique. Elbert Turner, le meilleur agent de Courtland Jones, avait été autorisé à l'interroger. Furieux de ce que J. Edgar Hoover, sans prévenir la CIA, eût claironné à la Maison Blanche et au Congrès que les Soviétiques déclinaient toute responsabilité dans l'assassinat du Président Kennedy par Lee Harvey Oswald, Angleton avait aussitôt interdit au FBI tout contact avec Nozenko. Celui-ci déclarait, en effet, qu'il avait été chargé d'étudier le cas Oswald et que le KGB avait décidé de ne pas le recruter parce qu'il était manifestement déséquilibré. Cette interdiction semblait d'autant plus amère à Elbert Turner que l'affaire Oswald avait brisé sa carrière au FBI. Plus que quiconque, il aurait voulu pouvoir faire toute la lumière sur les rapports entre le KGB et Oswald pendant son séjour en URSS. Faute de pouvoir faire parler Nozenko, le FBI perdait l'espoir de se blanchir des accusations d'incompétence qui pleuvaient sur lui depuis l'assassinat de John F. Kennedy. Pour comble d'infortune, après avoir longtemps ridiculisé les agents soviétiques du FBI, Angleton discréditait maintenant Nozenko lui-même. On comprendra, dans ces conditions, que les relations entre la CIA et le FBI se soient sérieusement détériorées.

Les Soviétiques avaient brillamment réussi à neutraliser tous les services américains de contre-espionnage car, à la CIA même, les choses n'allaient pas mieux. Obsédé par sa chasse à la taupe et persuadé que David Murphy, chef de la section soviétique, avait été recruté par le KGB pendant son tour de service à Berlin, Angleton avait complètement isolé la section du reste de l'Agence, ce qui interdisait à la CIA toute tentative de recrutement d'agents soviétiques. Les nouveaux dossiers étaient répartis entre les autres sections.

C'est au milieu de cette situation chaotique que, en juin 1966, l'amiral William Raborn céda sa place à Richard Helms à la tête de la CIA. Le hasard voulut que ce dernier, au moment de sa nomination, se séparât de sa femme Julia, de six ans son aînée et sculpteur d'un certain renom.

Le samedi 18 juin 1966, à 8 h 30, le téléphone sonna chez les Helms à Georgetown. Mme Helms décrocha et entendit un certain major Igor Kozlov qui, dans le dessein évident de l'impressionner, lui demanda des nouvelles de sa jambe — elle s'était blessée quelques jours plus tôt en tombant d'une échelle alors qu'elle accrochait un tableau. Trop longtemps mariée à une « moustache » pour mordre à pareil appât, Julia Helms se borna à répondre que son mari était absent et qu'on pouvait le joindre à son club, le Congressional Country Club. Les renseignements du KGB étaient donc assez bons pour couvrir un incident insignifiant chez le nouveau patron de la CIA, sans toutefois être assez « pointus » pour savoir que l'intéressé avait quitté le domicile conjugal.

156

Igor Kozlov appela Helms au club et, lui ayant précisé qu'il appartenait au KGB, déclara aussitôt qu'il désirait travailler pour les services américains. Il expliqua avoir pris, quelques années auparavant, des contacts au Pakistan avec un agent de la CIA, Gardner Hathaway, qu'il désigna par son diminutif de Gus. Helms connaissait Hathaway, qui jouissait d'une excellente réputation. Kozlov ajouta sur lui-même des renseignements que Helms pourrait aisément vérifier.

Peu d'hommes de métier peuvent se vanter d'être plus prudents que Richard Helms. Il n'apprécia nullement que Kozlov lui dise en conclusion qu'il le rappellerait deux heures plus tard et qu'il ne pourrait plus être joint par la suite. Ce type de contact « en rappel » est toujours hasardeux, en ce qu'il peut constituer une provocation ou une tentative de compromettre la personne contactée. Helms savait que la Maison Blanche était sur le point de faire confirmer sa nomination par le Sénat, il ne pouvait donc pas se permettre la moindre erreur.

Résolu à ne prendre aucun risque, il appela aussitôt James Angleton à son domicile d'Arlington et le mit au courant. Doutant d'emblée de la bonne foi de Kozlov, Angleton prévint Helms qu'il ne fallait en aucun cas que la section soviétique, dont il soupçonnait le chef d'être un agent double, ait vent d'une affaire aussi délicate. Il lui suggéra plutôt d'y affecter Bruce Solie, du service de sécurité de la CIA, en collaboration avec William Branigan du FBI — par exception, Solie et le FBI s'entendaient à merveille. Helms nota le numéro de téléphone de Solie puis, quand Kozlov le rappela, il organisa une rencontre entre celui-ci et Solie à 13 heures le même jour, dans un lieu situé à une certaine distance de l'ambassade d'URSS.

Bruce Solie est un homme taciturne, qui n'agit qu'en appliquant le règlement à la lettre. Sachant que la CIA n'avait légalement pas le droit de « traiter » Kozlov sur le territoire des Etats-Unis, il appela aussitôt William Branigan, chef du

157

contre-espionnage soviétique au FBI, pour l'informer de la rencontre prévue à 13 heures. Branigan l'écouta en soupirant. Obsédé par la subversion intérieure des mouvements pacifistes, des étudiants contestataires et des militants noirs, J. Edgar Hoover ne laissait à Branigan que des effectifs squelettiques pour contrer l'espionnage, bien réel, des « diplomates » et autres « attachés commerciaux » des pays du bloc soviétique.

L'étouffante chaleur estivale dont Washington a le secret chassait les habitants pour le week-end. A 10 h 30 ce matin-là, Courtland Jones et sa famille s'apprêtaient à partir pour leur maison de campagne de Kitty Hawk, en Caroline du Nord, quand le téléphone sonna. C'était Branigan, qui informa son chef du contact avec Kozlov et de la réunion de 13 heures, en lui demandant un nom de code. Jones réfléchit un instant : « Nous partons pour Kitty Hawk. Que diriez-vous de ce nom-là ? » Branigan approuva. Les deux hommes convinrent que Solie se rendrait seul à ce premier rendez-vous. Jones décida ensuite d'affecter à l'opération Elbert Turner, son meilleur agent, qui serait par la suite officier traitant de Kozlov quand celui-ci viendrait aux Etats-Unis.

A 13 heures précises, Igor Kozlov, alias *Kitty Hawk*, arriva au lieu du rendez-vous. Solie remarqua tout de suite sa maîtrise de l'anglais, son élégance, ses manières raffinées qui le classaient nettement au-dessus de l'agent type du KGB et dénotaient un milieu social élevé. Kozlov lui expliqua qu'il était en mission d'inspection à l'ambassade et ne resterait qu'environ deux mois. Il déclara qu'il voulait bien travailler avec la CIA mais en aucun cas avec le FBI. Courtland Jones reconnut dans sa répugnance une réaction fréquente chez les agents du KGB, car le FBI a le pouvoir de procéder à leur arrestation. La raison la plus vraisemblable était sans doute que le KGB visait la CIA plutôt que le FBI, qui n'avait aucun renseignement valable à lui offrir.

158

Kozlov fit miroiter à Solie sa nomination probable de chef de poste du KGB à Washington dans un proche avenir si tout se passait bien. Il conclut par une proposition que tout agent de la CIA rêve d'entendre : devenir agent double de la CIA au KGB. L'Agence l'aiderait à développer sa carrière, précisat-il, de sorte qu'il atteindrait une position dans laquelle il pourrait se rendre encore plus utile. Il n'avait pourtant aucune intention de déserter pour se fixer aux Etats-Unis. Si la CIA acceptait sa proposition, Kozlov solliciterait son concours afin de remplir le véritable objet de sa mission à Washington : recruter un ancien officier de marine soviétique passé à l'Ouest sept ans plus tôt, Nikolaï Fedorovich Artamonov.

Solie lui demanda posément pourquoi la CIA devrait l'aider à recruter Artamonov. Kozlov abattit alors sa carte maîtresse : en échange de ce bon procédé, il se ferait un plaisir d'aider la CIA dans sa chasse aux taupes. C'était à lui qu'il incombait d'infiltrer l'Agence, il était donc mieux placé que quiconque pour connaître ses propres agents. Solie tenta de lui arracher des détails. En vain : Kozlov refusa d'en dire plus tant qu'il n'aurait pas de réponse ferme à sa proposition. Il ajouta, cependant, qu'il se sentirait plus à l'aise avec l'agent dont il avait fait la connaissance au Pakistan plusieurs années auparavant. En bon professionnel, Solie ne promit rien. Avant de se séparer, les deux hommes convinrent d'un nouveau rendez-vous à quelques jours de là.

Avant d'en rendre compte à Angleton et Branigan, Solie écrivit un résumé détaillé de la conversation, en insistant sur tous les points lui paraissant douteux ou inquiétants. Angleton se méfiait de Kozlov depuis le début. Il dit à Solie que ce dernier était sûrement envoyé par le KGB mais, comme il est de règle en pareil cas, qu'il fallait mener l'affaire à son terme. Il demanda ensuite à son vieil ami Peter Kapusta, le seul de la section soviétique en qui il eût confiance, de lui communiquer le dossier du contact entre Kozlov et Hathaway au Pakistan, et s'arrangea enfin pour faire revenir Hathaway d'Amérique du

Sud sans attirer l'attention de David Murphy, son chef de service. Spécialiste du recrutement des agents d'infiltration au KGB, Hathaway avait servi au Pakistan après être longtemps resté en poste en Europe de l'Est. Lorsque le gouvernement Kennedy fit porter ses efforts sur l'Amérique latine, au Brésil et au Chili notamment, Hathaway y avait été affecté.

Entre-temps, Angleton et son équipe se demandèrent pourquoi Kozlov voulait recruter Shadrin : que ferait donc le KGB de ce simple officier, si peu utile à la CIA que celle-ci s'était débarrassée de lui au bout d'à peine un an en le recasant dans les services de la marine ? Les collaborateurs d'Angleton pensaient que le KGB cherchait à prouver qu'aucun transfuge ne lui échappait. Obsédé par ses « taupes », et se fiant à la bonne impression de Golitzine sur son compatriote, Angleton n'avait jamais étudié de près les antécédents de Shadrin. Il vit que l'opération présentait pour lui un double avantage : Shadrin servirait d'appât pour obtenir de Kozlov de précieux renseignements sur le KGB, et la CIA ne serait pas responsable de Shadrin, puisqu'il serait contrôlé par le FBI. Angleton en resta là et ne souleva pas d'objection.

Un problème de taille se posait cependant : le FBI ne disposait plus d'aucun moyen de pression sur Shadrin qui, depuis un an, était devenu citoyen américain. S'il refusait de coopérer, comment le convaincre de se faire contre-espion ? Il était, en outre, sur le point d'être repris par l'amiral Taylor, qui voulait lui donner un nouvel emploi aux services centraux de renseignement de la Défense.

Au FBI, Elbert Turner s'entendit avec son collègue Jim Wooten afin qu'il contrôle Shadrin tandis que Turner « traiterait » *Kitty Hawk*. Mais il fallait d'abord en apprendre davantage sur le major Igor Kozlov. A première vue, ce qu'il avait dit de lui-même semblait vrai. Les registres de l'immigration indiquaient qu'il était entré aux Etats-Unis sous passeport diplomatique, en compagnie d'un certain Vladimir Zaïstev. Il allait s'écouler près d'un an avant que le FBI ne découvre que

160

le compagnon de voyage de Kozlov était un des plus redoutables exécuteurs du KGB. Cette faute d'inattention fit que le dossier de Kozlov ne fut pas soumis par le FBI à l'examen minutieux qu'il aurait mérité.

Le FBI devait maintenant procéder avec précaution au recrutement de Shadrin... pour le compte du KGB. Le général Carroll, directeur général des services centraux de renseignement de la Défense, et l'amiral Taylor, son adjoint, donnèrent leur accord à une rencontre entre Shadrin et Turner. Après de délicats travaux d'approche, celui-ci parvint à persuader Shadrin de ne pas « flanquer son pied au derrière » d'un agent du KGB qui viendrait lui faire des propositions malhonnêtes. En réalité, Shadrin se savait à la merci du KGB, qui ne manquerait pas de se venger de son refus d'obéir sur sa femme et son fils à Kaliningrad. C'est pour cette raison, qu'ignoraient la CIA et le FBI, que Nick Shadrin devint agent double du FBI et accepta de collaborer à l'opération *Kitty Hawk*, en dépit des mises en garde de son ami Tom Dwyer.

Shadrin perdait du même coup l'espoir de se rapprocher à nouveau de l'amiral Taylor et de l'état-major de la marine. Taylor donna en effet l'ordre immédiat de le tenir à l'écart de toute activité confidentielle et le fit affecter en permanence au petit service de traduction où il ne remplissait jusqu'alors qu'un intérim. De même, le comportement de Taylor à son égard se modifia radicalement : s'il restait toujours amical en apparence, il n'était plus question des longues et confiantes conversations stratégiques d'antan. D'ailleurs, l'amiral Taylor était depuis trop longtemps dans le métier pour se montrer curieux de ce que le FBI entendait faire de son ancien protégé.

Le deuxième entretien avec *Kitty Hawk* eut lieu une semaine après le premier. Gus Hathaway accueillit Kozlov avec de chaleureuses poignées de main et lui expliqua que, s'il restait son contact dans les pays étrangers, un autre « agent de

161

la CIA », Elbert Turner, était mieux qualifié pour lui servir de correspondant aux Etats-Unis. Solie lui présenta Turner lors d'une rencontre suivante, qui eut lieu dans un restaurant, et tenta une nouvelle fois de le faire parler sur l'infiltration de la CIA. Avant de répondre, Kozlov voulut savoir si Shadrin était d'accord. Quand Solie le lui eut confirmé, Kozlov accepta de révéler à Solie et à Turner les infiltrations de la CIA par le KGB, en précisant qu'il restait un agent en activité : *Sacha*. Il renchérit sur ce que Golitzine en disait à l'époque, identifia formellement Igor Orlov, l'encadreur, et spécifia même que sa boutique servait de boîte aux lettres.

Persuadés d'avoir pris Kozlov en flagrant délit de bluff, Solie et Turner lui dirent qu'Orlov avait été blanchi plus d'un an auparavant, au bout de plusieurs années de surveillance étroite et de près de deux mois d'interrogatoires serrés. Sans se démonter, Kozlov répliqua : « Vous savez donc qu'il se rendait encore à notre ambassade en avril 1965. » Ebranlés mais toujours sceptiques, Solie et Turner lui firent observer que, si Orlov s'était vraiment rendu à l'ambassade d'URSS, le FBI l'aurait photographié. Or, la photo n'existait pas. « Cherchez mieux, leur répondit Kozlov, très sûr de lui. La photo a été prise. » Là-dessus, il lâcha une nouvelle bombe en disant à Turner qu'il était en mesure de lui prouver, de façon irréfutable, que Nozenko avait été chargé par le KGB du dossier de Lee Harvey Oswald et que ce dernier n'avait pas été recruté parce que « mentalement instable ».

Kozlov avait raison pour la photo d'Orlov, que les deux compères retrouvèrent au bureau de Washington du FBI. L'agent de service ce jour-là était souffrant et avait négligé d'archiver correctement les photos prises par la caméra automatique. Le FBI possédait donc bien le portrait d'Igor Orlov en train de quitter l'ambassade d'URSS par la porte de derrière, mais le document était mal classé.

Dans une analyse du dossier *Kitty Hawk* réalisée en 1980, le FBI concluait que les renseignements communiqués par Kozlov et, surtout, la perspective de disposer d'un agent à un niveau élevé du KGB avaient fait « perdre tout sens critique aux services de contre-espionnage » de la CIA et du FBI. Personne ne tint plus compte des signaux d'alarme énumérés par Solie à l'issue du premier contact, car personne n'avait le temps de réfléchir : il ne restait que cinq semaines avant le départ de Kozlov, il fallait se hâter d'en tirer le maximum. L'opération *Kitty Hawk* était lancée, rien ne pouvait la ralentir, encore moins la stopper.

Quelques jours après son entretien avec Turner, Shadrin fut contacté par Kozlov dans une rue de Washington. Celui-ci se montra amical et professionnel. Shadrin lui débita le discours préparé avec Turner : il se repentait de sa désertion, son mariage avec la Polonaise était un échec, il déplorait d'être séparé de sa femme et de son fils. Il était prêt à tout pour se faire pardonner ses torts envers la patrie soviétique. Kozlov lui répondit qu'il pourrait espérer obtenir sa grâce en prouvant sa fidélité à l'Etat, mais que l'annulation de sa condamnation à mort était un processus long et difficile. Il devait donc dès maintenant rédiger une pétition dans ce sens, que Kozlov se faisait fort de transmettre à qui de droit par la filière appropriée. Il obtiendrait même l'aval et le soutien du KGB quand Shadrin aurait concrètement fait ses preuves.

Toujours selon le scénario établi avec Turner, Shadrin lui dit alors qu'il était conseiller contractuel de la CIA et avait, à ce titre, accès à des documents secrets concernant les questions navales. Il pouvait donc servir utilement sa patrie. Kozlov répondit que ces renseignements intéressaient le KGB, mais qu'on souhaitait de façon plus urgente des informations sur les transfuges et émigrés avec qui il travaillait. Shadrin lui donna aussitôt les noms de ses collègues et de son chef de service, sans cependant en dire davantage. Compte tenu des circonstances, il ne pouvait en effet savoir avec certitude si Kozlov faisait réellement partie du KGB ou s'il s'agissait d'un test auquel le soumettait le FBI.

Kozlov indiqua ensuite à Shadrin les grandes lignes de sa mission: il devait rester en place, transmettre autant de documents qu'il pourrait sans éveiller les soupçons et fournir des rapports sur certains transfuges et émigrés auxquels Moscou s'intéressait plus particulièrement. Le moment venu, dans plusieurs années peut-être, le KGB interviendrait pour régler ses problèmes judiciaires de sorte qu'il puisse enfin rentrer chez lui. Shadrin fit preuve de gratitude et dit qu'il commencerait sans tarder à rassembler des documents intéressants. Les deux hommes convinrent d'un système de signaux et se donnèrent rendez-vous dans un supermarché de banlieue, non loin du domicile de Shadrin, où ils se rencontreraient « par hasard ».

Cette deuxième rencontre convainquit Shadrin que *Kitty Hawk* était bien membre du KGB. Kozlov voulut d'abord connaître les adresses de Nozenko et de Golitzine. Shadrin lui répondit qu'il les ignorait mais tenterait de se les procurer. *Kitty Hawk* lui demanda ensuite de lier connaissance avec un transfuge de longue date, un certain Nicolas Kozlov, qui travaillait au même étage que lui et qu'il devrait recruter pour le compte du KGB.

Jusqu'à son départ, en octobre 1966, *Kitty Hawk* rencontra cinq fois Shadrin et eut six entretiens avec Turner, Solie et Hathaway. Il mit en garde Shadrin contre son successeur, un certain Oleg Sokolov, personnage volontiers brutal et qui n'admettait pas l'échec. Avec Turner, Kozlov se montra encore plus franc: « Il faut que vous l'expulsiez des Etats-Unis d'ici six mois », lui déclara-t-il. Etonné, Turner lui demanda pourquoi. Kozlov lui expliqua que Sokolov était son principal concurrent pour le poste qu'il convoitait à l'ambassade de Washington; si ce dernier était officiellement considéré « persona non grata », ses chances d'être nommé à sa place s'accroîtraient d'autant.

Au cours de leur dernière rencontre, Kozlov tendit à Shadrin une enveloppe contenant deux lettres, une de sa femme et une de son fils, ainsi que des photographies. Nick vit que son fils était un beau jeune homme, aussi grand que lui, qui lui ressemblait de façon frappante au même âge. Il lut les lettres, regarda les photos et rendit le tout à Kozlov comme il était d'usage. Kozlov lui confirma sa mission en précisant le type de documents que demandait le KGB. Il conclut sur une note d'espoir, en lui laissant entendre que le KGB envisageait pour lui « de grandes choses ».

Cet après-midi-là, Shadrin rapporta le détail de la conversation à Jim Wooten, son officier traitant, et spécifia quels documents il fallait lui procurer. Wooten lui répondit que cette partie de l'opération était déjà prévue.

Peu après, en effet, Shadrin reçut un coup de téléphone de Peter Sivess. Sivess et sa femme avaient beaucoup aidé Nick et Ewa, les premiers temps, à s'adapter à la vie américaine. Ils étaient restés bons amis depuis et Shadrin aimait aller chasser ou pêcher avec Sivess. Cette fois, cependant, il ne s'agissait pas d'une invitation pour le week-end : Sivess était chargé de mettre Shadrin en rapport avec son nouveau contact à la CIA, John Funkhouser. Shadrin connaissait déjà Funkhouser, l'un des principaux experts des questions navales à la CIA, qui l'avait interrogé peu après son arrivée. Sivess devait passer chercher Shadrin en voiture et l'emmener dans un jardin public le long du Potomac afin de refaire connaissance avec Funkhouser, chargé de fournir les renseignements que Shadrin devait communiquer au KGB dans le cadre de l'opération *Kitty Hawk*.

C'est ainsi que, neuf ans durant, Shadrin transmit au KGB des milliers d'authentiques secrets militaires. Funkhouser, Wooten et lui se réunissaient dans des planques du FBI afin de prévoir les réponses aux questions que lui poseraient ses correspondants soviétiques. On pourrait, par exemple, craindre qu'ils s'étonnent de la manière dont Shadrin se procurait les documents les plus confidentiels. La réponse serait en partie vraie : Shadrin dirait les tenir des hautes relations qu'il cultivait depuis longtemps, et qui inspiraient en outre ses notes et analyses sur certains projets stratégiques américains. En fait, pendant toute cette période, Shadrin continua à donner de nombreuses conférences, qui lui apportaient de nouvelles relations. Il s'attacha aussi à fréquenter la bonne société de Washington et les milieux proches du pouvoir. Sa réputation auprès du KGB s'améliorait d'autant.

Shadrin se montrait de plus en plus exigeant quant à la qualité des documents qu'il était chargé de transmettre. « Tout passait par Funkhouser avec le visa de l'Agence, se souvient Jim Wooten. Au FBI, nous n'avions ni les connaissances nécessaires ni les moyens de nous procurer ce genre de choses. Il s'agissait, dans bien des cas, de désinformation difficile à vérifier. En tout cas, n'oublions pas que *Kitty Hawk* avait besoin de Nick et réciproquement. S'il était arrivé quoi que ce soit à Nick, *Kitty Hawk* [Kozlov] aurait sauté à son tour. »

Funkhouser, qui continua de participer à l'opération après avoir pris sa retraite, faisait viser par John Paisley, son chef au Service de recherche stratégique, les documents authentiques ou trafiqués que Shadrin communiquait ensuite aux Soviétiques. Les procédures normales étaient souvent négligées et la situation était rendue plus confuse par les soupçons qui commençaient à peser sur Paisley : c'était lui qui approuvait les documents transmis aux Soviétiques ; il était également en mesure de les prévenir s'ils étaient faux ou trafiqués. Selon Peter Kapusta, « la CIA et le FBI ont fait cadeau aux Soviétiques de tout ce dont ils avaient besoin pour se bâtir une marine moderne ».

Dans son ensemble, l'opération désorganisait tout et faisait peser la suspicion sur tous ses acteurs. Au FBI, les services de

Branigan, déjà surchargés, devaient disperser leurs maigres effectifs : en plus de *Kitty Hawk*, ils avaient dû rouvrir l'enquête sur l'espion fantôme *Sacha*, à la suite des allégations de Kozlov. A la CIA, Angleton se défiait désormais de Shadrin, que Golitzine accusait ouvertement d'être depuis le début un agent d'infiltration. Kozlov lui paraissait de plus en plus suspect, parce que trop bien renseigné sur des sujets qui n'étaient pas normalement de son ressort — le cas de Nozenko et d'Oswald, par exemple — et qu'il avait réponse à tout, comme s'il connaissait d'avance les questions que lui posait la CIA.

Les rapports entre Shadrin et ses collègues se détérioraient, car ils ne supportaient plus sa hauteur de caractère et ses sautes d'humeur. Ses amis attribuaient ses accès de colère à son travail de traducteur, qu'il jugeait indigne de lui, et à la jalousie que lui inspirait la réussite professionnelle d'Ewa. Les rapports du couple devenaient de plus en plus tendus et des scènes violentes éclataient souvent devant témoins. En réalité, son rôle d'agent double lui devenait de plus en plus difficile à assumer sur le plan psychologique, au point que Turner et Wooten avaient parfois du mal à le contrôler.

Dans son travail, cependant, son excellence provoquait encore l'étonnement. Bernard Weltman, un de ses collègues avec qui il avait noué des liens d'amitié, se souvient de deux exemples surprenants. Le premier avait trait aux photographies très floues d'un chantier naval, communiquées par un service de renseignement allié. Shadrin y jeta un bref coup d'œil avant de déclarer sans hésiter qu'il s'agissait d'un nouveau sous-marin lance-missiles de la classe *Typhon*, type d'engin auquel personne ne croyait. Il fallut le voir apparaître quelques années plus tard dans la flotte soviétique pour avoir la preuve formelle de son existence. Comment Shadrin l'avait-il reconnu ?

Le second concernait un traité complexe, paru sous la signature de l'amiral Gorchkov. Weltman avait demandé à

167

Shadrin s'il pouvait en faire rapidement une traduction à livre ouvert. Or, le soir même, Shadrin avait dicté une traduction complète, de très loin supérieure aux versions réalisées par des traducteurs de métier qui avaient eu le texte en main plusieurs semaines. Un tel tour de force ne s'explique logiquement que si Shadrin avait eu au préalable connaissance de ce document.

Ce surcroît d'activités n'empêchait pas Shadrin de poursuivre la rédaction de sa thèse de doctorat — avec l'aide pratique d'un de ses amis pour la bibliographie et des dactylos du FBI pour la frappe des quelque sept cents pages. Une lecture attentive de cette thèse réserve d'intéressantes surprises. On y découvre notamment une description des projets navals soviétiques introuvable dans aucun autre ouvrage : les services de renseignement américains ne mirent la main que longtemps plus tard sur de nombreux éléments utilisés par Shadrin. Certains collègues affirment qu'il aurait bénéficié du concours occulte de la CIA pour obtenir son diplôme. D'autres déclarent qu'il a simplement plagié les documents soviétiques qui passaient par le service de traduction. Quoi qu'il en soit, la qualité et la précision du travail ont de quoi troubler l'observateur.

Vers le début de 1971, l'opération *Kitty Hawk* perdait son éclat. Kozlov n'avait pas reparu à Washington — Branigan en accusait le Département d'Etat, qui avait refusé d'accéder à la demande d'expulsion de Sokolov. Si le KGB s'estimait à juste titre satisfait des renseignements que lui fournissait Shadrin, l'opération n'avait rien rapporté de tangible au FBI au bout de cinq ans. Le Bureau s'estimait victime d'un marché de dupes.

Faute de pouvoir intervenir sur l'opération en territoire étranger, Elbert Turner se tenait au courant de ce qui se passait à Moscou par l'intermédiaire de Bruce Solie. Celui-ci lui communiquait le peu que la CIA apprenait sur les faits et gestes de Kozlov, que l'on voyait rarement. Un agent de la CIA avait pu le contacter à Sofia sans rien apprendre de neuf. On savait aussi qu'il avait obtenu sa promotion au grade de lieutenant-colonel et qu'il était affecté au Deuxième directorat, où sa couverture consistait à escorter dans le monde les délégués soviétiques à la Commission internationale de l'Energie atomique. Cette nouvelle laissait espérer de le voir revenir un jour à Washington.

C'est alors que des informations parvenues aux services d'Angleton ranimèrent l'intérêt général. Un correspondant des services israéliens à Moscou rapporta que le lieutenant-colonel Igor Romanovich Kozlov n'était autre que le gendre de la puissante Ekaterina Alexeïevna Fourtseva et du non moins considérable Nikolaï Pavlovich Firyoubine. Il était, par-dessus le marché, le fils d'un des dirigeants du Parti, décédé en 1965. Le KGB avait senti que les Américains perdaient leur intérêt dans l'opération et qu'il était grand temps de leur faire savoir, par l'intermédiaire d'une source indépendante, qui était réellement *Kitty Hawk*...

Pour le FBI, cette information apportait la preuve que Nozenko n'avait pas menti sur le rôle d'Oswald dans l'assassinat du Président Kennedy. Pour la CIA, elle expliquait pourquoi Kozlov bénéficiait de renseignements plus étendus et de meilleure qualité que ceux dont disposait normalement le KGB. Les soupçons d'Angleton paraissaient donc injustifiés. Mieux : la CIA ne pouvait se permettre de négliger un correspondant d'un tel calibre et à un tel niveau, Angleton lui-même devait l'admettre. Il importait donc de relancer l'opération *Kitty Hawk* et de l'alimenter avec ce qui se faisait de mieux. Au FBI comme à la CIA, on voyait déjà s'ouvrir les plus brillantes perspectives de renseignement de toute la guerre froide.

12

La corde raide

Impressionnés par les qualités d'agent double dont Shadrin témoignait, malgré son manque d'expérience du métier, Branigan, Wooten et Turner décidèrent de les exploiter pour faire sortir Kozlov de l'ombre où il s'obstinait à rester. Ils dirent donc à Shadrin d'exiger une entrevue dans un pays étranger avec un représentant du KGB, à qui il demanderait des explications sur l'avancement de son recours en grâce et sur ce qu'on lui réservait à l'avenir. Si l'entrevue était accordée, Shadrin en profiterait aussi pour tenter d'obtenir un nouvel officier traitant en remplacement de Sokolov.

En juin 1971, celui-ci informa Shadrin qu'il devrait se rendre au Canada au mois de septembre afin d'être présenté à une « importante personnalité ». Le FBI organisa une discrète surveillance de la rencontre avec la Police montée canadienne. Pendant ce temps, Wooten et Funkhouser préparèrent avec Shadrin l'ordre du jour de cet entretien.

Shadrin dit à Ewa que son travail l'appelait à Montréal et qu'ils en profiteraient pour prendre des vacances ensemble. Le jour du rendez-vous, Ewa resta à l'hôtel regarder la télévision. La personnalité annoncée par Sokolov était un haut gradé du KGB, inconnu des services américains: « Il s'agissait d'un examen plutôt que d'une entrevue, se souvient Jim Wooten. Nick s'est fait évaluer par un agent d'un rang supérieur à celui de ses précédents contacts à Washington. Ils ont parlé durant une heure en marchant de long en large. »

Shadrin fut doté peu après d'un nouvel officier traitant, Oleg Kozlov — simple homonyme d'Igor Kozlov avec qui il n'avait aucun lien de parenté. En poste à Washington depuis

1970 et connu du FBI, il avait la réputation d'être beaucoup plus dur que Sokolov. Curieusement, Shadrin s'entendit mieux avec lui qu'avec son prédécesseur.

Kozlov lui annonça qu'il allait bientôt se voir confier une importante mission et qu'il recevrait plusieurs colis au cours des semaines à venir. Quelques jours plus tard, dans le parking d'un supermarché proche de son domicile, Shadrin prit livraison du premier élément d'un émetteur « par éclairs », arrivé d'URSS par la valise diplomatique.

Un émetteur de ce type émet par fractions de secondes des signaux codés en direction d'un satellite. La brièveté du signal le rend à peu près indétectable. Si le FBI n'avait encore jamais pu se procurer un de ces appareils, il en connaissait l'utilisation : ces émetteurs servaient essentiellement aux communications avec les agents clandestins — ceux introduits sur le territoire clandestinement ou sous une fausse identité, et qui n'ont donc pas d'existence légale. Ils ont pour mission, en cas de rupture des relations diplomatiques, de se substituer aux agents « légaux », dûment répertoriés sous leur couverture diplomatique. La traque des clandestins constitue un objectif prioritaire des services de contre-espionnage. Aussi, quand Shadrin annonça que Moscou lui expédiait un de ces émetteurs, Wooten, Turner et Branigan ne se sentirent plus de joie : non seulement le FBI pourrait mettre la main sur un de ces engins, mais la capture d'un clandestin ne manquerait pas de s'ensuivre et le Bureau serait payé de ses peines. C'était faire preuve d'un optimisme que tout le monde, au FBI, ne partageait pas...

D'autres bonnes nouvelles parvinrent en janvier 1972 : Ekaterina Fourtseva venait à Washington en visite officielle afin de célébrer la relance de la détente, chère à Nixon et à Kissinger. L'espoir de revoir Igor Kozlov fut cependant déçu, car Mme le Ministre se fit accompagner par sa fille au lieu du mari de cette dernière. Pour le FBI, cette désillusion fut toutefois compensée peu après par l'annonce que Shadrin était convoqué à Vienne pour une nouvelle « conférence au sommet ». Ewa et lui en profitèrent pour prendre des vacances en Europe. Après une escale à Madrid et un bref séjour à Munich, où ils assistèrent à quelques épreuves des jeux Olympiques, les Shadrin arrivèrent dans la capitale de l'Autriche.

Le FBI avait prévenu la CIA du voyage de Shadrin sans pourtant lui demander sa coopération. L'expérience de Montréal l'année précédente avait convaincu le FBI que Shadrin s'en sortirait fort bien seul, sans mêler la CIA à une affaire qui ne la concernait pas. S'ils l'avaient voulu, estimait le FBI, les Soviétiques auraient enlevé ou éliminé Shadrin au Canada.

Tandis que Ewa courait les magasins, Shadrin s'absenta une journée et une nuit de l'hôtel Bristol pour se rendre dans une villa à une trentaine de kilomètres à l'ouest de Vienne. La prise de contact eut lieu sans anicroche devant la Votivkirche. Les observateurs du FBI et de la CIA le virent monter dans une voiture où l'attendait Vladimir Alexandrovich Kryouchkov, sous-directeur du Premier directorat du KGB. Il reçut des félicitations pour son bon travail, des instructions pour son nouveau code ainsi que le montage de l'émetteur. Il était d'excellente humeur en regagnant l'hôtel, se souvient Ewa. Nick et elle couronnèrent ensuite leurs vacances par un séjour en Grèce.

En réalité, Shadrin n'était pas resté aux environs de Vienne. Il avait été emmené à Moscou par avion afin d'y être promu lieutenant-colonel du KGB et décoré par Leonid Brejnev en personne, comme l'attestent les photographies de la cérémonie que Shadrin remit consciencieusement au FBI après son retour aux Etats-Unis. Selon de nombreux agents du FBI et de la CIA, le KGB usait fréquemment de cette formalité afin de soutenir le moral de ses agents, à qui ces quelques heures de gloire faisaient oublier leurs épreuves subies dans l'ombre.

Une fois monté par Shadrin, l'émetteur déçut les techniciens du FBI. Il s'agissait d'un modèle déjà ancien, beaucoup plus encombrant que prévu et ne comportant aucune nouveauté technique. Wooten dit à Shadrin de le cacher dans son grenier, en espérant que le clandestin finirait par se manifester.

A l'instar de tant d'agents soviétiques, Shadrin passa dorénavant des heures dans le cabinet de travail de sa maison de McLean devant son poste à ondes courtes, en attendant le message codé fixant le prochain rendez-vous. Dissimulé parmi les nombreux ouvrages de sa bibliothèque, un livre creux abritait le code, un horaire des passages du satellite de communication à la verticale de son domicile, une liste des fréquences qu'il devait capter. Les messages destinés aux agents d'Amérique du Nord étaient relayés depuis Moscou par un émetteur situé à Cuba, couvrant l'ensemble des Etats-Unis et du Canada.

Un de ces messages prévint Shadrin d'un contact imminent avec le clandestin tant attendu. Le contact eut lieu quelques semaines plus tard. Ewa se souvient clairement que le téléphone sonna à plusieurs reprises et qu'on raccrochait aussitôt qu'elle répondait. Mi-inquiète, mi-intriguée, elle en avisa Nick en lui demandant de répondre la prochaine fois. Il décrocha, prononça quelques mots qu'Ewa n'entendit pas, et parut très troublé. Il déclara qu'il devait sortir, mais essaya auparavant d'appeler Wooten, qui n'était pas chez lui, puis Funkhouser, sans plus de succès. Shadrin rapporta par la suite à Wooten qu'il avait eu du mal à comprendre sa correspondante et ne se souvenait plus de ce qu'il devait apporter au rendez-vous qu'elle lui fixait, auquel il ne se rendit d'ailleurs jamais.

Cette correspondante était la femme de Ludek Zemenek, un Tchèque immigré aux Etats-Unis sous l'identité de Rudolph Hermann, prisonnier de guerre allemand décédé en captivité dont le KGB avait dérobé les papiers. Zemenek/Hermann était résident général des clandestins pour l'ensemble des Etats-Unis. Sa femme et son fils travaillaient aussi

174

pour le KGB. Ils furent tous trois arrêtés ultérieurement par le FBI.

En dépit de ce contact manqué et de l'émetteur sans valeur, la CIA continua d'alimenter Shadrin en secrets militaires destinés au KGB, et le FBI poursuivit une opération qui ne lui avait encore rien rapporté. Car personne ne voulait prendre le risque de perdre le précieux *Kitty Hawk*...

Parmi ces secrets, il en est un que Funkhouser ne lui avait pas fourni mais que Shadrin a peut-être communiqué aux Soviétiques. Au début des années 70, en coopération avec la marine, la CIA avait monté une opération ultrasecrète destinée à récupérer un sous-marin soviétique coulé au large de Hawaii en 1968. La marine avait repéré l'emplacement de l'épave, mais elle manquait de moyens et fit appel à la CIA. Comme dans le cas de l'avion-espion U-2, la CIA obtint la collaboration de l'industrie privée, en l'occurrence la Hughes Tool Company et sa filiale Summa Corporation, afin de concevoir un navire spécial, officiellement affrété par la Glomar Marine Corporation. Ce bâtiment, le *Glomar Explorer*, étant trop inhabituel pour passer inaperçu, on le présenta comme un prototype de navire minier, conçu pour le dragage des nodules et l'exploitation des fonds marins aux grandes profondeurs.

Au printemps 1974, le *Glomar Explorer* procéda à la première tentative de renflouement du submersible avec, tout le monde l'espérait, ses missiles nucléaires, ses codes et ses systèmes opérationnels encore intacts. L'opération ne réussit que partiellement : par 1 800 mètres de fond, la pince géante qui soulevait le sous-marin se rompit et la coque se brisa en retombant. On ne parvint à en récupérer qu'un tiers, ainsi que deux torpilles à tête nucléaire.

Ce semi-échec posait au gouvernement américain un grave problème dans ses relations avec l'URSS. A la demande officieuse d'assistance présentée, au moment du naufrage, par le gouvernement soviétique pour le repérage de l'épave, les

Etats-Unis avaient répondu qu'ils ne disposaient d'aucun élément. Kissinger était alors en train de négocier un projet de traité international pour l'exploitation des fonds marins. Si les Soviétiques avaient vent du renflouement, ils élèveraient à coup sûr de violentes protestations et exigeraient à tout le moins un service funèbre solennel pour leurs marins.

Le segment de coque récupéré contenait en effet les corps de six marins. Prise de court, la marine américaine ne disposait que de Nick Shadrin comme source d'information sur le rituel funéraire observé dans la marine soviétique. L'on ignore si Shadrin a conduit les obsèques ou s'il a simplement été consulté, et la CIA refuse de projeter le film de la cérémonie. On sait toutefois par le général Sam Wilson, alors attaché militaire à Moscou, que « les Soviétiques ont été très touchés que nous ayons donné à ces marins des funérailles dignes d'eux ».

Nick Shadrin était en tout cas parfaitement au courant de l'opération, qu'il ne se privait pas de critiquer comme un gaspillage car, disait-il, « depuis le naufrage, les Soviétiques ont eu le temps de mettre en chantier au moins deux nouvelles générations de sous-marins ». Cela sous-entend-il que Shadrin, comme John Paisley, ait été en mesure d'avertir les Soviétiques de l'opération du *Glomar Explorer* ? On sait que le fait de l'avoir publiquement dévoilée avait, selon William Colby, entraîné l'annulation de la deuxième partie de l'opération destinée à récupérer les missiles nucléaires, plus précieux que le submersible proprement dit.

Au début des années 70, Nick Shadrin avait connu une recrudescence d'activité. Il avait notamment été appelé à Pearl Harbor afin d'observer et de commenter les premières manœuvres navales soviétiques dans le Pacifique. Mais Kozlov paraissait ne plus jamais devoir sortir d'Union soviétique et *Kitty Hawk* sombrait peu à peu dans l'oubli. Shadrin vit son rôle d'agent double s'amenuiser en proportion et il retomba bientôt dans l'ennuyeuse routine du service de traduction. En 1974, il était en proie à la dépression. Ses rapports avec Ewa, à qui il reprochait de refuser depuis des années d'avoir des enfants, se détérioraient de jour en jour. Nerveux, victime de fréquentes insomnies, il usait largement de tranquillisants et de somnifères. Il ne supportait plus la vie quotidienne américaine, qu'il critiquait de manière acerbe au moindre prétexte. A ces contrariétés s'ajoutèrent des ennuis de santé, culminant en septembre 1974 par une intervention chirurgicale qui l'abattit davantage. Il parvenait cependant à dissimuler ses problèmes et à faire illusion. En société, il restait brillant et débordant de charme. La CIA le citait en exemple d'émigré ayant su s'adapter. Malgré tout, ses amis les plus proches le sentaient insatisfait de sa vie en Amérique et profondément nostalgique de sa Russie natale. Il déclarait volontiers que les Américains jouissaient d'une liberté abusive et que le système soviétique fonctionnerait nettement mieux avec des dirigeants capables.

En décembre 1974, des bouleversements survenus à la CIA allaient ranimer l'intérêt de *Kitty Hawk*. La révocation de James Angleton par William Colby entraîna la démission de ses principaux collaborateurs du contre-espionnage. Colby nomma à sa place George Kalaris et, pour la première fois depuis des années, la CIA se lança ouvertement dans le recrutement d'agents soviétiques. La situation évoluait aussi au FBI. Courtland Jones prit sa retraite avec son fidèle Elbert Turner. Jim Wooten devenait maintenant seul responsable de *Kitty Hawk* au FBI. Pour la première fois depuis longtemps, les relations s'améliorèrent entre le FBI et la CIA. George Kalaris semblait disposé à relancer *Kitty Hawk* sur de nouvelles bases et Wooten ne se le fit pas dire deux fois.

En février 1975, Nick Shadrin annonça à Ewa qu'il l'emmenait aux sports d'hiver à Saint-Moritz. Croyant qu'il avait perdu le contact avec les Soviétiques, Wooten lui avait demandé de le reprendre, grâce au moyen indiqué par le KGB, en écrivant à une certaine adresse à Vienne. La lettre devait être postée en Autriche et c'était là le véritable but du voyage. Ewa se rappelle pourtant que Nick, avant leur départ, avait écrit à un certain Herr Rudiger Lehman à Berlin-Est, ce qui sous-entendrait que le contact n'avait jamais été coupé.

A son arrivée en Suisse, Shadrin était d'une humeur épouvantable. Tout lui déplut à leur hôtel de Saint-Moritz, le Schweizerhof. Il fit un scandale quand le maître d'hôtel leur donna une mauvaise table au restaurant, au point qu'Ewa préféra se tenir à l'écart de ses éclats de colère. Pendant qu'elle skiait seule, Shadrin s'absenta une journée entière et franchit la frontière autrichienne. A son retour, se souvient-elle, il avait retrouvé sa bonne humeur.

Entre-temps, Leonard McCoy avait été nommé adjoint de George Kalaris au contre-espionnage de la CIA. Encore jeune analyste, il avait eu le coup d'audace de forcer la main de James Angleton pour faire venir Artamonov aux Etats-Unis ; par une ironie du sort, il se retrouvait quinze ans plus tard coresponsable de l'opération dont « son » transfuge était la vedette. Si Jim Wooten se félicitait du regain d'intérêt que la CIA manifestait pour l'opération, la réputation d'amateurs que s'attiraient Kalaris et McCoy lui faisait craindre que, dans leur enthousiasme irréfléchi, ils tentent de prendre contact avec Kozlov à Moscou, ce qui risquerait de tout compromettre.

Son intuition n'avait pas trompé Wooten : le contact avec Kozlov avait été établi au début de 1975 dans le métro de Moscou. Par un message écrit, glissé dans la poche d'un agent de la CIA, Kozlov laissait entendre qu'il recommencerait prochainement à voyager à l'étranger. Mais l'intérêt suscité par cette vague promesse était injustifié, car Ekaterina Fourtseva, la puissante belle-mère d'Igor Kozlov, avait succombé à une crise cardiaque près d'un an auparavant, au plus fort d'un scandale. Résolue à conserver par tous les moyens ses privilèges et, surtout, sa datcha, elle s'en était fait construire une en détournant de la main-d'œuvre et des fonds publics. Quand la chose s'était sue, ses nombreux ennemis s'étaient empressés de consommer sa disgrâce, de sorte qu'Igor Kozlov avait à la fois perdu sa protectrice, son influence au KGB et sa source de renseignements confidentiels. Autrement dit, *Kitty Hawk* ne valait plus rien...

Au printemps de 1975, Kalaris, McCoy, Wooten, Branigan et une certaine Cynthia Hausmann, à qui Branigan trouva une allure de « vieille fille desséchée », se réunirent dans le bureau de Neil Sullivan, successeur de Courtland Jones au FBI. Les Soviétiques avaient donné à Shadrin le choix de Berlin, Helsinki ou Vienne pour lieu de leur prochaine rencontre. La CIA choisit Vienne, qu'elle estimait plus sûr. Kalaris annonça alors, comme un coup de théâtre, qu'il avait des raisons d'espérer la présence d'Igor Kozlov en personne au rendez-vous. Branigan avait trop souvent entendu ce refrain. Il parvint cependant à se dominer et, ne voulant pas compromettre les fragiles bonnes relations entre le FBI et l'Agence, se borna à demander à ses collègues comment ils comptaient s'y prendre si Kozlov venait vraiment. McCoy lui répondit que Shadrin organiserait le rendez-vous avec Kozlov et en informerait son officier traitant, Cynthia Hausmann, qui aviserait.

Les préparatifs se poursuivirent plusieurs mois. Au début de l'automne, les Shadrin se rendirent en Espagne, d'où Nick téléphona à Vienne pour confirmer le rendez-vous. En novembre, le groupe se réunit afin de mettre au point les derniers détails de la rencontre, définitivement prévue pour le 18 décembre à Vienne. Nick dit à Ewa que, une fois ses affaires conclues en Autriche, ils iraient skier en Suisse pendant les fêtes de Noël.

A mesure que l'échéance approchait, les bonnes relations entre le FBI et la CIA tournaient à l'aigre. Stupéfait d'apprendre par Wooten que Cynthia Hausmann était grillée, pour avoir été formellement identifiée comme un agent des services secrets américains dans le best-seller d'un « renégat » de la CIA, Philip Agee, Neil Sullivan s'était exclamé : « Et c'est elle qu'ils veulent envoyer là-bas ? Ils ne savent plus ce qu'ils font ! » Wooten eut beau rassurer Sullivan, lui dire qu'il travaillait « en liaison étroite avec la CIA et que tout allait bien », Sullivan ne se laissa pas convaincre : « Je considérais l'affaire mal engagée depuis le début, se souvient-il. On ne savait même plus qui la contrôlait réellement. En principe, c'était Jim Wooten. On se rend compte, après coup, que tout le monde y fourrait son nez à tort et à travers. »

Quinze jours avant leur départ pour l'Autriche, Nick entraîna Ewa dans le jardin, par crainte des micros cachés dans la maison par le FBI ou la CIA, et lui dit que si le voyage de Vienne réussissait selon ses espérances, sa vie professionnelle en serait transformée : il pourrait enfin « pleinement développer son potentiel ». Plus tard, ce soir-là, Jim Wooten vint les voir en compagnie d'une grande femme sèche. Il la présenta à Ewa sous le nom d'Ann Martin et lui apprit qu'elle était censée les rejoindre pendant leur séjour à Vienne. Ann Martin était, en fait, Cynthia Hausmann.

Peu après que Branigan et la CIA eurent mis au point les détails de la rencontre de Vienne, Wooten téléphona à Eugene Peterson, adjoint de Branigan, pour lui apprendre que la CIA retirait Bruce Solie de l'opération. Au lieu de conserver l'homme qui, le premier, avait établi le contact avec Kozlov en 1966, Kalaris décidait à la dernière minute d'envoyer à sa place le « vieil ami » de Kozlov, Gus Hathaway. Pour Peterson et Wooten, Hathaway constituait un grave problème de sécurité : « Les Soviétiques étaient évidemment au courant de ses contacts avec Kozlov au Pakistan. Hathaway avait lutté des années contre le KGB. C'était beaucoup trop dangereux

180

de l'envoyer rencontrer Kozlov à Vienne, pour lui mais aussi pour Shadrin. »

Branigan apprit la nouvelle au sortir d'une réunion où il venait de confirmer avec Kalaris et McCoy les derniers points du projet. Il piqua une de ses fameuses colères et dit à Peterson d'appeler McCoy sur-le-champ pour refuser l'affectation de Hathaway. Mais la CIA avait ses raisons dont, au mépris de leurs accords de coopération, elle n'avait pas jugé bon d'informer le FBI : depuis deux ans, Hathaway et un autre agent avaient eu plusieurs contacts avec Kozlov. McCoy et Kalaris estimaient, par ailleurs, que Hathaway était un agent opérationnel infiniment plus expérimenté que Solie, qui avait passé la majeure partie de sa carrière aux Etats-Unis. L'altercation au sujet de Solie et de Hathaway fit oublier aux uns et aux autres le problème de Cynthia Hausmann, publiquement grillée dans le livre d'Agee. On n'aurait pu imaginer meilleur moyen de mettre en danger la vie de Shadrin comme celle de Kozlov.

La dispute suivante porta sur l'organisation de la surveillance. Cynthia Hausmann annonça que le poste de Vienne avait prévu une surveillance fixe. Craignant une contre-surveillance, Branigan exigea de la CIA de la décommander. Or, personne n'avait pris la peine de lui expliquer que les fenêtres du consulat des Etats-Unis dominaient le parvis de la Votivkirche, église située non loin de l'université, devant laquelle devait avoir lieu la rencontre entre Shadrin et le KGB. Ce local constituait donc l'endroit idéal pour mettre en place en toute sécurité une surveillance photographique.

Le message du KGB suggérait aussi à Shadrin, comme point de rendez-vous, la légendaire Forêt viennoise célébrée par Johann Strauss. Nick avait longuement étudié dans cette éventualité un plan de la ville — après sa disparition, un de ses collègues retrouva, dans un tiroir de son bureau, un plan de Vienne dont cette partie avait été découpée. L'impossibilité de prévoir une surveillance en pareil endroit inquiétait encore plus le FBI : « On n'envoie quand même pas un agent double au milieu des bois rencontrer on ne sait qui, pour s'en laver les mains ensuite ! » avait dit Sullivan à Wooten.

Peu avant son départ, Sullivan trouva Shadrin étonnamment confiant et sûr de lui : « Il aurait dû crever de peur de partir à l'aventure, virtuellement sans protection. J'aurais compris qu'il refuse d'y aller. Pourtant, il paraissait enchanté. » Cet optimisme ne dura pas car, quelques jours plus tard, il parut plus déprimé que jamais à ses amis Dwyer : « Je ne l'avais jamais vu aussi abattu depuis les premiers jours de son arrivée en Amérique, se souvient Tom Dwyer. Je ne sais pas ce qu'il craignait, mais il devait s'attendre à quelque chose. »

Les Shadrin consacrèrent les derniers jours précédant leur départ aux vœux de Noël et aux adieux à leurs amis. Au bureau, le comportement de Nick changea du tout au tout. Il passa des journées entières derrière sa porte close à dicter au magnétophone. Il ne parut pas à la traditionnelle réunion de Noël de l'ensemble du personnel, mais invita un petit groupe peu après et fit spécialement livrer pour l'occasion plusieurs bouteilles de la meilleure vodka russe. Il stupéfia une collègue avec qui il se querellait depuis des mois en lui souhaitant la bonne année et en l'embrassant affectueusement. Il distribua également à des amis et voisins certains objets auxquels il tenait beaucoup, tels que son fusil de chasse. « Quand il n'est pas revenu, se rappelle le bénéficiaire de ce dernier don, j'ai compris que cela avait été une manière de nous dire adieu. »

13
Le retour au pays

Sous ses dehors policés et les pittoresques splendeurs de son passé impérial, Vienne est une des capitales mondiales de l'espionnage. L'Est et l'Ouest y font assaut de ruses — qui tournent trop souvent à l'avantage du bloc soviétique. En ce mois de décembre 1975, allait s'y jouer une nouvelle partie de cache-cache dont l'issue, pour certains des acteurs, restait à tout le moins incertaine.

Juste avant une tempête de neige qui allait sévir sur une bonne partie de l'Europe, Bruce Solie arriva à Vienne le mardi 15 décembre. Il avait suivi l'opération *Kitty Hawk* dix ans durant et doutait encore de sa valeur réelle. Il savait que sa présence n'était due qu'à l'insistance du FBI. Depuis un an, les nouveaux chefs du contre-espionnage de la CIA, Kalaris et McCoy, le poussaient sur la touche et, sans l'amitié de Jim Wooten, il n'aurait même pas été informé du voyage de Shadrin. Son intuition l'avertissait de quelque chose d'anormal dans le montage présent, mais Solie n'était pas homme à reculer devant une mission. Son rôle, cette fois, se bornait à être là si Igor Kozlov se décidait enfin à apparaître. Mal à l'aise, mécontent, il descendit de taxi sous les premiers flocons, devant l'hôtel Impérial où il allait loger, et se prépara à attendre.

Le jeudi 17 décembre à 14 heures, les Shadrin se posèrent à Vienne au bout de vingt heures d'un voyage épuisant, marqué par une interminable attente de leur correspondance à Heathrow du fait de la tempête de neige. Au même moment, dans un autre avion prêt à décoller d'une piste voisine, un petit homme chauve et trapu quittait Vienne pour New York. Cet homme, qui n'avait jamais vu Nicholas Shadrin mais n'ignorait rien de Nikolaï Fedorovich Artamonov, s'appelait George Weisz et il était chef du poste de la CIA à Vienne.

Weisz n'était pas un lâche qui déserte à la veille d'une opération importante — il en avait maintes fois donné la preuve contraire au cours de sa brillante carrière. Mais il était prudent et possédait un flair quasi infaillible. L'opération Shadrin sentait le roussi, il ne voulait à aucun prix s'y trouver mêlé. A peine avait-il eu connaissance du « montage délirant », concocté par le FBI avec « les amateurs » de la CIA, Kalaris et McCoy, qu'il avait décidé de prendre le large : un échec sur le terrain se paie sur le terrain et non dans les bureaux par les véritables responsables. Weisz avait trop d'expérience pour accepter le rôle de bouc-émissaire.

Juif d'origine hongroise, George Weisz travaillait également pour les services israéliens, qu'il avait tenus au courant des activités de Shadrin. Selon des sources bien informées à la CIA, ce serait le Mossad, toujours parfaitement renseigné, qui lui aurait recommandé de s'absenter pendant cette opération.

Face aux dizaines d'agents, permanents ou temporaires, des services de l'Est, la CIA ne disposait pas même de quinze personnes à Vienne en 1975. Avant son départ, Weisz avait donc mis le poste en état d'alerte et suspendu les permissions jusqu'à Noël. Ses principaux collaborateurs étaient de bons professionnels : Robert Dumaine, chef de la section soviétique, avait longuement servi à Moscou avant d'être affecté à Vienne en 1973 et connaissait le KGB sur le bout du doigt ; Charles Malton était plus réputé pour la beauté de sa femme et de sa fille que pour ses qualités d'espion. Quant à Stanley Jeffers, responsable de la logistique, il était lui aussi depuis assez longtemps dans le métier pour savoir qu'une erreur peut coûter la vie — la sienne ou celle d'un innocent.

Le choix de la Votivkirche comme lieu de rendez-vous les rassurait, car il offrait l'avantage de pouvoir installer une surveillance photographique aux fenêtres du consulat, qui donnaient sur la place. Weisz, Dumaine et Malton décidèrent donc de jouer la sécurité et de ne pas prévoir de filature : le KGB mettrait au moins une vingtaine d'agents dans le secteur, il serait inutile, et surtout dangereux, de se faire remarquer.

Mais la grogne générale provoquée par la suspension des permissions se mua en colère et en inquiétude quand, le 16 décembre à 9 h 30, Cynthia Hausmann arriva à l'ambassade des Etats-Unis à Vienne. Weisz, qui l'avait connue à Munich à la fin des années 50, la reçut amicalement. Après avoir bavardé une vingtaine de minutes à bâtons rompus, il l'emmena dans un bureau voisin, spécialement insonorisé, où attendaient Dumaine et Malton. C'est alors que Cynthia lâcha sa bombe : le FBI refusait toute forme de surveillance, y compris photographique. Weisz protesta qu'il serait absurde de se priver de la position privilégiée des fenêtres du consulat, mais Hausmann insista : le FBI ne voulait pas courir de risque. Personne n'était d'humeur à la contredire ni n'avait le pouvoir de passer outre. Hausmann se bornait à transmettre les ordres du FBI, seul responsable de l'opération. La CIA ne pouvait que s'incliner.

On imagine, dans ces conditions, avec quel soulagement George Weisz monta le lendemain à bord du jet qui l'éloignait du théâtre d'une catastrophe prévisible.

Nick Shadrin retrouva Vienne avec plaisir. Ewa n'était pas moins heureuse d'y revenir, tant la ville lui avait plu lors de leur précédent séjour en 1972. Après la traversée des faubourgs, aussi laids et impersonnels que ceux de toutes les métropoles européennes, la vieille ville sous la neige leur fit à tous deux l'effet d'un enchantement. Leur taxi passa devant l'hôtel Impérial — où Nick ne pouvait se douter qu'un agent de la CIA attendait avec impatience le résultat de ses rencontres — pour gagner le Bristol, où leur chambre était réservée. Situé à cinquante pas de l'Opéra, le Bristol est réputé pour la qualité de son service. Mais le FBI ignorait, en y logeant les Shadrin, que le KGB dispose dans le personnel d'au moins quatre informateurs qui tiennent le résident au courant des faits et gestes des clients. Quiconque viendrait voir Shadrin serait immédiatement repéré et identifié.

Nick paraissait avoir retrouvé son optimisme et sa joie de vivre. Avec un sourire au portier, il pénétra dans l'hôtel d'un pas conquérant, en hôte de marque habitué aux égards. Quand ils se furent inscrits à la réception, un groom prit leurs bagages et les conduisit au troisième étage à la chambre 361, pièce d'angle donnant sur l'Opéra. Après s'être rafraîchis et délassés, ils descendirent se restaurer. Nick s'impatientait à l'approche de son rendez-vous de 17 heures. Il avait dit à Ewa qu'il devait voir un Soviétique, déjà rencontré lors de son précédent séjour à Vienne, qui collaborait depuis longtemps avec les services américains. Il la prévint en partant qu'il ne rentrerait sans doute pas dîner et qu'elle ne l'attende pas pour se mettre à table. Ewa ne s'en inquiéta pas, il était coutumier du fait. De quoi s'inquiéterait-elle, d'ailleurs, si son mari, transfuge soviétique, rencontrait mystérieusement un autre Soviétique? Cela faisait partie de ses obligations professionnelles, puisqu'il travaillait pour le Département de la Défense, et il agissait sans doute ainsi selon les instructions de ses supérieurs. Alors, tandis qu'il montait en taxi, Ewa alla se promener à pied en admirant les vitrines décorées pour les fêtes.

Le taxi déposa Shadrin à la Votivkirche, grande église de style gothique qu'il connaissait bien pour y être venu à plusieurs reprises. Il traversa le parvis, gravit les marches. Adossé au portail, il observa le spectacle de la rue. La neige avait cessé, il faisait moins froid. En face, devant le jardin public, des marchands ambulants vendaient des sapins de

Noël fraîchement coupés. Les bâtiments de l'université se dressaient sur la droite ; à gauche, des immeubles de bureaux et d'appartements s'étendaient à perte de vue au-delà du parc. Il ne vit pas de lumière aux fenêtres du consulat des Etats-Unis.

Huit minutes s'étaient écoulées quand une berline de couleur sombre stoppa à sa hauteur. Le passager assis à l'avant entrouvrit sa portière afin d'allumer le plafonnier. Ayant reconnu son ancien officier traitant de Washington, Oleg Kozlov, Shadrin monta à l'arrière de la voiture qui démarra aussitôt. Mikhail Ivanovich Kouritchev, qu'il connaissait également, était au volant. Les deux hommes l'appelèrent par son nom d'Artamonov, lui donnèrent son nouveau grade de colonel du KGB. Ils le félicitèrent chaleureusement de sa promotion et lui communiquèrent les meilleures nouvelles de sa femme Elena et de son fils, maintenant âgé de vingt-quatre ans, ainsi que Shadrin allait le rapporter ce soir-là à Cynthia Hausmann.

C'est à partir de là que la version des événements donnée par Shadrin à Cynthia Hausmann diffère considérablement de ce que d'autres sources ont permis d'établir. Le récit qui va suivre est fondé sur un rapport confidentiel de la police de Vienne au ministère de l'Intérieur autrichien, ainsi que sur des éléments rassemblés depuis douze ans non seulement auprès de services de renseignement occidentaux, tels que le Mossad, mais de sources soviétiques considérées comme dignes de foi par les autorités autrichiennes. Les divergences entre ce récit et ceux précédemment publiés aux Etats-Unis et en URSS sont telles qu'elles se passent de commentaires.

Tout en roulant, ses compagnons confirmèrent à Shadrin ce qu'ils lui avaient déjà laissé entendre, à savoir que sa longue mission touchait à son terme et que le moment était venu de rentrer chez lui, sans regrets ni remords : Ewa était financièrement indépendante et gagnait depuis longtemps beaucoup plus d'argent que lui grâce à son cabinet dentaire.

Kouritchev l'informa ensuite que, pour des raisons de politique intérieure, on avait dû mettre fin à la fructueuse opération montée autour d'Igor Kozlov. Il s'excusa de ne pas rester dîner, non par peur d'être reconnu comme l'avaient cru le FBI et la CIA, mais parce qu'il devait s'occuper des préparatifs du voyage d'Artamonov en URSS et expédier au plus vite à Moscou les documents secrets que Shadrin, comme d'habitude, avait apportés avec lui à Vienne. Kouritchev arrêta la voiture le long d'un trottoir et s'éloigna, Kozlov prit le volant et dit à Shadrin qu'il l'emmenait dans un restaurant de poisson au bord du Danube, où l'on servait la meilleure carpe de Vienne.

Rentrée de sa promenade peu avant 18 h 30, Ewa venait de regagner sa chambre quand le téléphone sonna. Elle reconnut la voix de la femme que Wooten lui avait présentée dix jours auparavant sous le nom d'Ann Martin, qui lui dit qu'elle se trouvait non loin de là et qu'elle aimerait venir attendre dans leur chambre le retour de son mari. Ewa accepta malgré le peu de sympathie que lui inspirait cette personne. La pseudo Ann Martin frappa à la porte une demi-heure plus tard. Les deux femmes allaient demeurer enfermées plus de trois heures ensemble.

Cynthia Hausmann, qui séjournait à Vienne dans une « planque » de la CIA, avait téléphoné à Ewa de l'Impérial où elle était allée rencontrer Bruce Solie. Celui-ci n'aimait déjà guère les nouvelles têtes de l'Agence mais Hausmann, une ancienne pourtant, lui était particulièrement antipathique. Elle lui avait sèchement fait comprendre que son rôle se bornait à venir parler à Kozlov s'il se manifestait, sans plus.

188

Une fois Hausmann partie retrouver Ewa, Solie resta de nouveau seul dans sa chambre à attendre l'hypothétique arrivée de *Kitty Hawk.*

Selon de nombreux spécialistes du renseignement, les agissements de Cynthia Hausmann pendant ces quelques jours enfreignaient les règles les plus élémentaires de la profession. Le seul fait d'avoir téléphoné à Ewa Shadrin non pas d'un poste sûr mais d'un hôtel dont le personnel, comme celui du Bristol, arrondissait ses fins de mois en vendant des renseignements, constituait une faute grave. Sa véritable identité n'étant un mystère pour personne, son appel à Ewa suivi de son arrivée au Bristol suffisait à établir le lien entre elle et Shadrin. Si ce dernier avait été l'héroïque agent double que le FBI et la CIA voyaient en lui, l'incroyable bévue de Cynthia Hausmann lui faisait courir le plus grave danger et compromettait toute l'opération. De même, sa visite à Bruce Solie à l'Impérial aurait suffi à griller ce dernier irrémédiablement, tout en incriminant Igor Kozlov.

Ayant réussi à tirer d'Ann Martin des renseignements capitaux, comme le fait qu'elle était célibataire et vivait seule avec son chat dans le quartier de Georgetown, Ewa s'efforça d'en savoir davantage. Non sans répugnance, sa compagne lui apprit qu'elle avait suivi des études en Allemagne — sans lui dire qu'elle était en même temps agent de renseignement — et avait traité avec succès une des affaires les plus délicates qui s'y soient jamais déroulées. La flatteuse réputation dont elle jouissait depuis à la CIA rend d'autant plus inexplicable son comportement aberrant dans toute l'opération de Vienne.

Après avoir roulé une demi-heure à travers les faubourgs, Oleg Kozlov et Nick Shadrin atteignirent un restaurant isolé au bord de l'eau. Kozlov expliqua à Shadrin que l'endroit était célèbre pour ses carpes et que Nikita Khrouchtchev s'y était régalé. Les deux hommes s'installèrent au fond de la salle de

189

restaurant presque vide, commandèrent leur repas, se firent servir de la vodka. Puis, la première tournée avalée, Kozlov félicita une nouvelle fois Shadrin pour sa promotion au grade de colonel et les brillants résultats de sa mission aux Etats-Unis. Shadrin demanda comment il allait rentrer. Avec un sourire énigmatique, l'autre répondit qu'on avait fait venir à Vienne en son honneur une escorte spéciale. Nick voulut en savoir plus. Kozlov lui dit alors qu'il s'agissait de son fils.

Le KGB craignait sans doute qu'Artamonov, parti depuis longtemps, ne changeât d'avis à la dernière minute, soit par amour pour Ewa, soit parce qu'il appréhendait son retour dans un pays et une famille dont il se sentirait détaché. La présence de son fils à Vienne devait, à leurs yeux, emporter la décision. En fait, les premières années loin de sa femme et de son fils avaient été les plus dures pour Artamonov, qui n'avait commencé à recevoir de leurs nouvelles qu'au moment de la première apparition d'Igor Kozlov en 1966. Depuis, il s'était rendu compte que sa famille, loin d'être traitée comme celles des autres transfuges, bénéficiait au contraire de conditions de logement et de train de vie toujours meilleures. La famille d'Ewa, en Pologne, avait d'ailleurs connu la même amélioration à partir du moment où il avait officiellement accepté de travailler pour le KGB. Ses retrouvailles avec le jeune homme, aussi beau et grand que lui au même âge, ne manqueraient pas de lui donner envie de rattraper leurs longues années de séparation.

Kozlov lui dit qu'il aurait droit à des vacances après son retour et qu'il devait réfléchir à ce qu'il voudrait faire à l'avenir. Il ne serait bien entendu plus question de missions à l'étranger, de peur que les Américains ne cherchent à se venger. Tout au long de la soirée, ponctuée de nombreuses libations, Oleg Kozlov cuisina habilement Artamonov afin de vérifier si son métier d'agent double n'avait pas déteint sur lui au point de le transformer en un traître à la patrie. Il lui fit préciser, par ailleurs, le point de ses derniers contacts avec les experts en armement et les possibilités de recrutement parmi eux. De son côté, Nick s'enquit de ce qu'il était advenu d'Igor Kozlov. Oleg lui apprit que le scandale de la datcha avait été étouffé depuis la mort de sa belle-mère et que le rang d'Igor au KGB suffisait à détourner de sa famille les risques de représailles. Son beau-père et Andropov étaient d'ailleurs de vieux amis — et même de vieux complices : ils avaient tous deux sur les mains le sang de la répression en Hongrie et en Tchécoslovaquie.

Les deux hommes burent encore à l'heureuse conclusion d'une des opérations les plus réussies de l'histoire du KGB. Kozlov dit à Shadrin que le KGB déclarerait tout ignorer de sa disparition de Vienne et laisserait sous-entendre que la CIA l'avait liquidé quand il avait exprimé le désir de rentrer chez lui. En URSS, il devrait mener une vie discrète, les premières années du moins, mais son expérience des Etats-Unis serait inestimable pour la formation de nouveaux agents. Les deux hommes fixèrent leur prochain rendez-vous le samedi à 19 heures devant la Votivkirche. Kozlov recommanda à Shadrin de louer une voiture et de conduire dans les rues de Vienne afin de se familiariser avec la ville. Enfin, il lui donna une enveloppe contenant mille dollars en billets de banque : il pourrait avoir besoin de se cacher si les Américains le démasquaient d'ici là et cherchaient à le supprimer. Shadrin répondit en riant qu'il ne prévoyait aucun risque de ce côté-là. Oleg Kozlov le ramena alors en ville et le déposa à une station de taxis.

A 22 heures, Ewa allait céder à l'exaspération que lui causait l'importune présence de Cynthia Hausmann dans sa chambre quand Nick reparut. De fort bonne humeur, il déclara que la rencontre s'était parfaitement déroulée. Ewa ne se souvient que de ses commentaires enthousiastes sur un restaurant de poisson aux environs de la ville. Sans un mot d'excuse ou d'explication à Ewa, Hausmann sortit un bloc et un stylo de son sac et fit signe à Nick de la suivre dans la salle de bains, où ils restèrent enfermés plus d'un quart d'heure. Ewa n'entendit de leur conversation qu'un murmure confus.

Shadrin estimait Jim Wooten, mais il considérait comme un affront de se faire « débriefer » par une femme, faute de goût qui prouvait abondamment à ses yeux la sottise et la maladresse des services américains. Aussi ne révéla-t-il pas grand-chose à Hausmann, sauf qu'il était promu colonel et que sa demande de grâce pour « absence de son corps sans autorisation préalable » lui avait été accordée. Il l'informa enfin qu'il devait avoir un nouveau contact le samedi soir et qu'Igor Kozlov serait vraisemblablement présent à cette rencontre.

De retour dans la chambre, Hausmann lui dit qu'elle voulait le revoir après ce prochain contact. Elle lui montra sur un plan de Vienne comment se rendre à l'appartement où elle résidait et lui en donna le numéro de téléphone. Les Shadrin ayant prévu de quitter Vienne le dimanche soir pour une station de sports d'hiver, rendez-vous fut pris pour le dimanche après-midi. Quand Cynthia Hausmann se fut retirée, Nick dit à Ewa qu'il avait omis de lui communiquer d'importants renseignements qu'il réservait pour Jim Wooten, à leur retour à Washington. Ewa pensa que sa bonne humeur venait de la certitude de pouvoir enfin obtenir du FBI l'autorisation de quitter son médiocre emploi au service de traduction. Elle ne remarqua rien d'anormal.

Le vendredi 18 décembre, vers 11 heures, Nick Shadrin fit réserver par le concierge du Bristol deux places pour une opérette de Johann Strauss ce soir-là, ainsi qu'un seul billet pour Ewa à une représentation du *Baron Tzigane* le samedi soir. Les Shadrin consacrèrent ensuite leur après-midi à faire des achats dans les magasins et dînèrent de bonne heure avant de se rendre au théâtre. Nick ne prêta guère attention à la musique et paraissait nerveux. De retour à leur hôtel, ils s'arrêtèrent au bar où Nick commanda un cognac et Ewa un café. Il lui montra alors une enveloppe qui contenait, lui dit-il, mille dollars que les services américains voulaient donner au Russe ; mais celui-ci refusait de les prendre et il devait essayer de les lui faire accepter au cours de leur rencontre du lendemain. Là-dessus, il commanda un deuxième cognac. La conversation roula sur la musique qu'ils venaient d'entendre et leurs projets de vacances aux sports d'hiver, mais Ewa se rendait compte que Nick n'était pas dans son assiette. Il prit d'ailleurs un somnifère avant de se coucher.

Le samedi matin, Nick se réveilla tard et sortit avec Ewa acheter une chemise et une cravate, fidèle à la coutume russe qui veut que l'on achète un objet neuf pour marquer la nouvelle année. Une voiture de location les attendait à leur retour à l'hôtel. Nick dit à Ewa qu'il voulait l'emmener déjeuner au restaurant dont Khrouchtchev avait été client et où il avait mangé une si bonne carpe l'avant-veille, mais il en avait oublié le nom et n'était pas sûr d'en retrouver le chemin. Cette réflexion étonna Ewa, car il n'existait au bord du Danube pas plus de deux ou trois restaurants de ce genre, dont le concierge leur aurait facilement indiqué les adresses. Après avoir roulé au hasard dans les rues, ils revinrent au Bristol vers 15 heures. Le restaurant de l'hôtel étant fermé, ils durent se contenter de filets de hareng et de vodka servis au bar.

Nick paraissait en proie à une nervosité croissante à mesure qu'approchait l'heure de son rendez-vous. Il se doucha, se changea, mit un blazer Cardin et un polo gris, glissa dans sa poche l'enveloppe aux mille dollars et donna à Ewa le numéro de téléphone de Cynthia Hausmann, qu'elle devrait appeler s'il tardait à revenir. Puis, voyant Ewa inquiète, il lui dit que, si son rendez-vous se terminait assez tôt, il l'attendrait à la sortie de l'Opéra et ils iraient dîner ensemble. Il partit à 18 h 20. Ewa Shadrin n'allait jamais revoir son mari.

Le portier du Bristol, qui héla un taxi et lui ouvrit la portière, se rappelle l'avoir vu se tapoter les poches comme s'il avait oublié quelque chose — il avait effectivement oublié ses lunettes et ses pilules contre l'hypertension. Après une courte attente devant la Votivkirche, Nick vit un taxi s'arrêter et le passager lui faire signe. C'était Oleg Kozlov, qui demanda au chauffeur de les emmener à la gare de l'Ouest. Dans la cour de la gare, il donna à Shadrin les clefs d'une voiture et lui dit de se rendre à une adresse de la proche banlieue où il allait passer la nuit. Le lendemain dimanche, dans l'après-midi, il devrait se rendre en voiture au restaurant Winter, au bord du Danube, où il recevrait les instructions concernant son voyage de retour. Pour des raisons de sécurité, il n'aurait plus de contacts avec le KGB jusqu'à ce moment-là.

A 18 h 45, Ewa partit pour la représentation du *Baron Tzigane* qui se termina à 21 h 35. L'absence de Nick à la sortie de l'Opéra ne l'étonna pas : en 1972, il s'était ainsi éclipsé une nuit entière et ce rendez-vous-ci se terminerait sans doute tard. Ewa monta dans sa chambre, se détendit en lisant le programme mais, bien qu'elle eût assez faim, elle ne redescendit pas dîner car elle espérait encore que Nick serait de retour à temps. Vers 23 heures, elle fit une croix sur le dîner et se prépara à se coucher. Mais à minuit passé sa solitude prolongée, les bizarreries dans le comportement de Nick au cours de ces derniers jours et le malaise que lui avait inspiré la visite de Cynthia Hausmann eurent raison de son calme. Nick était-il vraiment capable de se sortir indemne de n'importe quelle situation ? Elle se réconforta de son mieux en se répétant que ce n'était pas la première fois qu'il se rendait à de tels rendez-vous. Elle se remémora la maîtrise dont le beau commandant Artamonov avait fait preuve dans la Baltique déchaînée par la tempête. Oui, son Nick avait déjà vaincu bien des dangers, il surmonterait encore celui-ci...

Il fallut à Shadrin près d'une heure pour trouver la « planque » du KGB, située dans une banlieue résidentielle cossue. Selon les instructions de Kozlov, il ouvrit la porte automatique du garage de l'immeuble et y rangea la voiture. Il était 21 h 30 quand il atteignit l'appartement du second étage et introduisit la clef dans la serrure. Il traversa un petit vestibule sommairement meublé en direction d'une porte ouverte, celle de la cuisine. Ce n'est qu'en franchissant cette porte qu'il vit un beau jeune homme élégamment vêtu se lever et lui tendre les bras en l'appelant son père.

Cynthia Hausmann ne pensa guère ce soir-là au rendez-vous de Shadrin avec le KGB. Elle retrouva son camarade Stanley Jeffers, avec qui elle avait été en poste à Munich, et Jeffers l'emmena dîner chez lui en famille. Les convives arrosèrent généreusement leurs retrouvailles. A la fin d'une joyeuse soirée, où ils évoquèrent de vieux souvenirs et dirent du mal de George Weisz qu'ils détestaient l'un et l'autre, Hausmann prit congé vers minuit et Jeffers la raccompagna en voiture jusqu'à son appartement. Jeffers affirme que le trajet ne prit pas plus d'un quart d'heure et qu'il déposa Hausmann devant son immeuble entre minuit 15 et minuit 20.

A 1 h 35, à bout de nerfs, Ewa se décida à appeler Cynthia Hausmann. Elle demanda une ligne extérieure au standard de l'hôtel, composa le numéro que Nick lui avait donné et laissa sonner une douzaine de fois avant de raccrocher, découragée. Elle recommença à 1 h 55. Cette fois, Hausmann décrocha et demanda sans préambule : « Avez-vous déjà essayé d'appeler ce numéro ? » Ewa répondit que oui. Hausmann lui dit alors qu'elle était sortie dîner chez des amis et venait de rentrer. Ewa l'informa que Nick n'était pas encore de retour et qu'elle s'en inquiétait. Hausmann lui dit avec désinvolture qu'il n'était pas si tard que cela. Elle finit d'affoler Ewa en lui conseillant, par précaution, de verrouiller sa porte et de n'ouvrir à personne d'autre que Nick.

195

Nul ne sait où était ni ce que faisait Cynthia Hausmann pendant ce trou de plus d'une heure et demie dans son emploi du temps. Elle a prétendu qu'Ewa Shadrin, dans son trouble, s'était trompée d'heure, alors que Jeffers se souvient précisément de celle à laquelle il avait raccompagné sa collègue. Le mystère reste donc entier.

Vers 5 heures du matin, Hausmann prévint Charles Malton de l'absence prolongée de Shadrin. Malton lui dit qu'il fallait immédiatement en aviser le quartier général de la CIA à Langley. Hausmann répondit qu'elle préférait attendre, car Shadrin avait très bien pu s'enivrer avec les Russes et être resté quelque part cuver sa vodka.

A 5 h 30, en larmes, Ewa rappela Hausmann pour lui dire que Nick n'avait toujours pas reparu. Très sûre d'elle-même, se souvient Ewa, Hausmann lui répondit qu'il n'y avait pas lieu de s'inquiéter et qu'elle allait câbler à Washington. Avant de raccrocher, elle réitéra son conseil de garder porte close et de n'ouvrir à personne.

Il était 7 heures du matin quand Ewa, après avoir tendu l'oreille toute la nuit dans l'espoir de reconnaître le pas de Nick dans le couloir, entendit enfin frapper à la porte. Elle s'attendait à voir son mari et sa déception n'en fut que plus cruelle en reconnaissant Cynthia Hausmann. Celle-ci lui déclara qu'elle s'attendait à voir Nick revenir « d'un instant à l'autre » mais que, par acquit de conscience, elle avait demandé à l'ambassade de vérifier auprès de la police et des hôpitaux s'il n'avait pas été victime d'un accident.

Croyant bien faire, Ewa suggéra alors de contacter le Russe dont Nick lui avait parlé et que sa visiteuse devait connaître, s'il travaillait depuis plus de vingt ans pour les services américains. Hausmann répondit qu'il était impossible de joindre l'homme avec qui Nick avait rendez-vous. Pour la première fois, dans la froide lumière du jour naissant, Ewa Shadrin comprit que Nick ne lui avait peut-être pas dit toute la vérité.

Au cours des heures suivantes, impuissante, désespérée et

196

désormais convaincue qu'elle ne reverrait jamais son mari, Ewa regarda Cynthia Hausmann faire les cent pas et téléphoner. A 10 heures ce dimanche matin — avec plus de douze heures de retard — Malton décida enfin de câbler à Washington la nouvelle de la disparition de Shadrin. Pendant ce temps, l'un des meilleurs agents de sécurité de la CIA, Bruce Solie, restait condamné à l'inaction dans sa chambre d'hôtel en attendant l'hypothétique apparition d'Igor Kozlov, sans même avoir été informé que Shadrin n'avait pas reparu depuis la veille !

Ici prend place un incident étrange que nous indiquons sous toutes réserves. Une femme de chambre de l'hôtel Bristol a témoigné, mais pour se rétracter ultérieurement, qu'elle faisait le ménage dans le couloir du troisième étage quand elle vit la porte de l'ascenseur s'ouvrir. Le « client du 361 » lui aurait demandé s'il y avait « encore quelqu'un dans la chambre » et se serait aussitôt retiré quand elle lui eut répondu que la chambre était en effet occupée et qu'elle n'y avait pas fait le ménage. La police de Vienne a envisagé un moment que Shadrin aurait pris le risque de revenir à l'hôtel afin d'y récupérer ses lunettes et, surtout, ses pilules contre l'hypertension. Rien n'étaie par ailleurs cette hypothèse et personne d'autre que la femme de chambre en question n'a remarqué Shadrin ce dimanche matin-là au Bristol.

En tout état de cause, on sait que Shadrin arriva en fin de matinée, comme convenu, dans le parking du restaurant Winter, gara sa voiture sous un arbre et attendit. Quand Oleg Kozlov et Kouritchev l'eurent rejoint, Shadrin ferma ses portières à clef et monta à l'arrière de leur véhicule. Il leur rendit les clefs de la voiture et de l'appartement, les remercia de lui avoir ménagé ces quelques heures de solitude avec son fils. Kouritchev lui remit alors un passeport et d'autres papiers d'identité, établis à son véritable nom de Nikolaï Fedorovich Artamonov, et lui apprit qu'il allait descendre le Danube en péniche jusqu'en Hongrie, d'où il serait rapatrié en Union soviétique. Les trois hommes arrivèrent à l'embarcadère un quart d'heure plus tard. Shadrin monta à bord et la péniche appareilla peu après.

Enfermée avec Cynthia Hausmann, Ewa éprouvait pour elle une haine croissante. Finalement, à l'heure du dîner, Hausmann lui déclara qu'elle ne pouvait pas rester plus longtemps : si Nick avait été enlevé par le KGB, il aurait pu révéler son adresse et elle y serait en danger. Elle précisa qu'elle se rendait chez ses amis Jeffers, avec qui elle avait dîné la veille au soir, et téléphona avant de partir à Bruce Solie pour l'informer de la disparition de Nick Shadrin. Solie réagit avec colère, n'appréciant pas d'avoir été ainsi « pris pour un imbécile ».

La torture morale d'Ewa se poursuivit le lendemain lundi. Hausmann ne vint la voir qu'en fin d'après-midi, sans aucune nouvelle fraîche. A bout de nerfs, Ewa ne put se dominer davantage et éclata en sanglots. Hausmann ne trouva rien de mieux à lui dire, en guise de consolation, que : « Ne vous frappez pas tant, vous vous y ferez. » Ewa en fut choquée au point de s'arrêter de pleurer.

La plupart des spécialistes interviewés par les auteurs considèrent que le choix de Cynthia Hausmann, pour travailler avec un homme doté du tempérament de Shadrin, était totalement inadapté. Il aurait fallu, surtout dans une ambiance aussi instable que celle de Vienne, lui affecter un officier traitant chaleureux, capable de lui inspirer confiance et de le contrôler efficacement. L'affectation de Hausmann à cette regrettable affaire lui causa à elle-même un tort considérable et compromit durablement le reste de sa carrière.

Le mardi matin, Hausmann conseilla à Ewa par téléphone de se réserver une place sur le prochain vol Pan-Am à destination de Washington, avec correspondance à Francfort. Ewa raccrocha, plus désemparée que jamais. Francfort évoquait le souvenir de leur arrivée à l'Ouest, la belle grande villa où on les avait logés. Fallait-il vraiment lui imposer ce pèlerinage? Cette femme n'avait donc pas de cœur?

Sa sortie jusqu'à l'agence de la compagnie aérienne fit cependant du bien à Ewa. Mais en rentrant à l'hôtel, elle y trouva Hausmann qui l'attendait. Après l'avoir questionnée au sujet de Nick, « pour les dossiers de l'ambassade », elle lui demanda le passeport de son mari. Ewa le lui donna avec bien des regrets, en pensant au mal qu'il avait eu pour obtenir sa nationalité américaine. Il ne restait désormais à Ewa, pour tout souvenir de Nick Shadrin, que sa chemise et sa cravate neuves, quelques vêtements, ses lunettes et son flacon de pilules.

Avant de laisser Ewa faire ses valises, Hausmann l'informa qu'un envoyé spécial l'accompagnerait pendant son voyage de retour. Elle revint la chercher à 12 h 30 avec Stanley Jeffers, et la voiture fit halte à l'Impérial pour prendre au passage son compagnon de voyage, qui n'était autre que Bruce Solie. Hausmann recommanda à Ewa de faire comme si elle ne le connaissait pas jusqu'à leur arrivée à Francfort.

Solie donna à Ewa l'impression d'être le type même du fonctionnaire incompétent et froid que Nick méprisait. Elle ne savait évidemment pas qui il était en réalité, qu'il avait été laissé plus de vingt-quatre heures dans l'ignorance de la disparition de Shadrin, ni même qu'il partageait son peu d'estime pour Cynthia Hausmann. Ils feignirent de s'ignorer dans l'avion, passèrent la nuit dans un hôtel près de l'aéroport de Francfort après avoir dîné ensemble presque sans se dire un mot. Le lendemain matin, ils prirent un vol pour Londres où ils changèrent encore une fois d'avion pour Washington, leur destination finale.

Il faisait gris et triste ce 24 décembre quand ils débarquèrent à l'aéroport international Dulles. Dans la foule joyeuse venue passer les fêtes en famille ou entre amis, nul ne prêta attention au couple silencieux qui franchit rapidement les contrôles et s'engouffra dans une voiture anonyme qui les attendait à la sortie. Devant Ewa Shadrin s'ouvraient désormais une interminable perspective de mensonges, de ruineux et inutiles frais de justice, la choquante découverte que son mari était un agent double et le cauchemar permanent de ne jamais devoir connaître la vérité sur son sort.

14

La conjuration des amiraux

L'hypothèse que nous présentons, fondée en grande partie sur des communications interceptées par plusieurs services occidentaux de renseignement, constitue l'explication la plus plausible des causes et des circonstances de l'envoi de Nikolaï Fedorovich Artamonov en Amérique. Cette version des faits n'est certes pas aussi romanesque que la légende des amoureux de la mer Baltique, fuyant l'oppression pour vivre leur amour au grand air de la Liberté. Car l'histoire de Nicholas Shadrin débute bien avant la rencontre de Nikolaï et d'Ewa, sans même que le bel officier ait eu connaissance du sort auquel on le destinait ou y ait activement participé.

En 1956, les services occidentaux ne partageaient pas volontiers leurs renseignements avec la CIA, dont les premiers balbutiements dénotaient un cruel manque d'expérience. Cette année-là, lesdits services interceptèrent une série de curieux messages radio dans lesquels des amiraux de la flotte soviétique, s'exprimant en langage codé, semblaient vouloir garder le secret de leurs communications. Les analystes crurent d'abord avoir surpris les préparatifs d'une sorte de coup d'Etat militaire puis, ayant analysé et retourné ces communications dans tous les sens sans rien y déceler de menaçant pour l'Ouest, ils se tournèrent vers des sujets d'un intérêt plus immédiat. Les transcriptions des messages furent réunies dans un dossier intitulé, faute de mieux, « Conjuration des amiraux ».

Une nouvelle et récente analyse de ces documents

démontre que le scénario de la « désertion » du commandant Artamonov aurait germé dans la tête d'un groupe d'amiraux, résolus à faire de l'URSS une des plus grandes puissances navales du monde. Leur audacieux projet s'appuyait sur l'envoi aux Etats-Unis d'un marin hautement qualifié qui, dans le double rôle d'agent d'influence et d'agent de renseignement, leur permettrait d'atteindre leurs objectifs.

Tout avait commencé lors d'une réunion tenue au quartier général de la flotte de la Baltique, près de Leningrad, en novembre 1956, peu après le tristement célèbre échec de l'opération franco-anglo-israélienne de Suez. Sous la présidence de l'amiral Kouznetsov étaient présents le contre-amiral Yachine, le vice-amiral Yakovlev et l'amiral Grichanov. L'amiral Gorchkov, leur chef, malade à ce moment-là, n'avait pu assister à la réunion. Leur conciliabule s'apparentait à un véritable complot selon les normes soviétiques, car les amiraux ne cherchaient rien moins que promouvoir leur marine aux dépens des instances dirigeantes voire, s'il le fallait, contre leur volonté.

L'affaire de Suez, qui écartait les Occidentaux de la région, ouvrait à la marine soviétique d'immenses perspectives au Moyen-Orient et jusqu'en Extrême-Orient. Mais il fallait auparavant que la marine soviétique se renforce et dispose, à cet effet, de moyens autrement étoffés que ceux qui la cantonnaient jusqu'alors à la garde des ports et aux patrouilles côtières dans les mers froides. La réussite du projet exigeait que les amiraux gagnent à leur cause une majorité influente dans les coulisses du Kremlin et des états-majors de l'Armée rouge, car la simple logique de leur raisonnement n'aurait pas suffi à convaincre le Politburo de leur accorder les énormes crédits nécessaires. Et, surtout, il fallait agir vite pour profiter de la conjoncture.

Il convient de rappeler que la marine soviétique, comme la marine tsariste, est plus riche de traditions que de résultats. Ses officiers avaient longtemps observé une neutralité poli-

202

tique ayant permis à la plupart d'entre eux d'échapper aux sanglantes purges staliniennes. Elle n'existait qu'à l'état embryonnaire jusqu'à la Seconde Guerre mondiale dont sa réputation, contrairement à celle des forces terrestres et même aériennes, ne sortit pas grandie. Cet état de choses devint intolérable à nombre d'amiraux, impatients d'étendre l'influence de l'Empire au-delà de ses frontières terrestres.

La situation de l'Union soviétique en 1956 présentait certaines similitudes avec celle de 1988. Nikita Khrouchtchev réclamait des réformes et vilipendait les erreurs du passé, comme Mikhaïl Gorbatchev le fera trente ans plus tard. Mais la dénonciation des crimes staliniens ne signifiait pas que le régime se libéralisait pour autant, comme en témoignèrent la répression des émeutes de Poznan par les forces polonaises encadrées par le KGB et l'écrasement du soulèvement de Budapest par les blindés de l'Armée rouge. Khrouchtchev se révélait ainsi le digne successeur de Staline mais, contrairement à son prédécesseur, il dépendait pour se maintenir au pouvoir du soutien de l'Armée rouge et du KGB, qu'il devait ménager.

Parallèlement à ces manifestations de force brutale, l'échec occidental de l'expédition de Suez ouvrait la porte à la présence soviétique dans la région — présence que les amiraux voulaient navale avant tout. Ils se confièrent à leur nouveau chef d'état-major, l'amiral Gorchkov, qui les écouta avec d'autant plus d'intérêt qu'il considérait lui-même le rôle de la marine en temps de paix comme « un élément essentiel de la politique menée par les grandes puissances ». L'amiral était donc d'accord avec ses subordonnés pour doter l'Union soviétique d'une flotte capable de rivaliser avec celle des Etats-Unis et pour tenter de « vendre » l'idée au pouvoir civil, dispensateur des crédits.

Forts du soutien de l'amiral Gorchkov, les « conjurés » de Leningrad lancèrent deux opérations simultanées: la mise au point d'une stratégie destinée à leur assurer le concours du

Kremlin, et le recrutement d'un officier de marine à envoyer à l'Ouest. Cet agent devrait se montrer capable à la fois de les renseigner sur la stratégie défensive de l'Amérique face à la croissance éventuelle de la marine soviétique, et de transmettre le maximum d'éléments sur les navires et les systèmes d'armement de l'adversaire. Les amiraux savaient que leur industrie ne disposait pas des moyens de réaliser les dernières avancées technologiques. Leur agent s'en procurerait donc l'essentiel tout en s'informant des projets américains, afin d'aider la marine soviétique à déterminer sa propre évolution.

Au début de 1958, les services occidentaux apprirent que l'on recherchait en Union soviétique un officier de marine ou un agent du GRU à qui confier une mission spéciale. Aucun service ne parvint, en revanche, à recueillir d'éléments plus précis sur la nature de cette mission et il ne fut bientôt plus question du mystérieux agent. Les experts avaient trop souvent entendu des rumeurs sans fondement sur les projets d'expansion de la marine soviétique pour ne pas voir, dans ce renseignement isolé, une nouvelle tentative d'intoxication. De même que les précédents, ces rapports furent classés sans suite.

La sélection d'un agent envoyé en pays adverse est un processus complexe, où doivent être pris en compte les risques encourus, toujours considérables, et les épreuves psychologiques, souvent insoutenables. Rares sont les individus susceptibles de remplir ce rôle délicat et de gagner, de façon convaincante, la confiance de ceux-là mêmes qu'ils espionnent. Les Russes possèdent dans ce domaine une expérience séculaire, affinée et perfectionnée par Feliks Dzerjinski, « Protecteur de la Révolution » et fondateur de la Tchéka.

Les amiraux savaient que les pays occidentaux ouvrent volontiers les bras à tous ceux qui font profession de fuir le communisme. Mêlés aux authentiques transfuges, ils s'introduisent aisément dans les milieux d'émigrés souvent employés

204

dans des activités sensibles, la traduction par exemple, et se rapprochent ainsi de leurs véritables objectifs. Plus ces agents font état de spécialisations rares ou de hautes relations dans leur pays d'origine, plus vite ils sont acceptés et moins sévères sont les contrôles auxquels ils se trouvent soumis. Les amiraux pariaient sur le laxisme occidental pour introduire leur homme dans la place ; ils devaient en même temps mener leur opération à l'insu du KGB, car celui-ci aurait aussitôt discerné sa véritable nature, celle d'un coup de force politique. Il était donc impératif de recruter cet agent dans leurs propres rangs afin d'assurer le secret.

Plus et mieux qu'un espion, cet oiseau rare devrait être un « vendeur ». Armé de données irréfutables confirmant les dimensions dérisoires de la marine soviétique, il aurait pour mission de convaincre que sa croissance ultérieure ne menacerait pas l'Amérique, et gagner ainsi du temps tout en amassant le plus de renseignements possible sur des sujets critiques, tels que le lancement de missiles balistiques à partir de sous-marins, exploit technique qui rendait les Soviétiques perplexes. Il devrait surtout se mêler aux décideurs de la marine américaine et les influencer comme il convenait.

Confiants dans la crédulité de leurs adversaires, les amiraux ne doutaient pas du succès de leur opération, succès qui reposait cependant sur la personnalité de l'homme chargé de l'exécuter. Selon les renseignements glanés par les services de renseignement alliés, cinq candidats furent examinés par le « comité de sélection » des amiraux.

Les postulants devaient faire preuve d'un rare ensemble de qualités et, d'abord, être d'authentiques marins. S'il est toujours possible d'embellir un curriculum vitae, l'expérience ne s'improvise pas et il fallait que le candidat choisi sache au moins commander un navire. Il devait justifier d'un grade suffisant pour intéresser l'adversaire, mais pas assez élevé pour que celui-ci flaire la supercherie. Sa cause de désertion devait paraître crédible, voire respectable.

L'élimination de deux des sélectionnés laissait en lice trois postulants, réunissant l'ensemble des qualifications requises : Nikolaï Artamonov, Lev Vtoryguine et Youri Yakovlev. Artamonov l'emporta grâce à certains traits de caractère dont ses concurrents étaient dépourvus : il était capable de manipuler les autres au mépris de leurs sentiments, de trahir la confiance qu'on plaçait en lui sans remords ni compassion pour ses victimes ; il pouvait mentir de sang-froid ; enfin, il n'avait psychologiquement besoin de personne et pouvait se suffire à lui-même, qualité indispensable chez un agent exposé aux rudes épreuves d'une longue solitude en milieu hostile. Combien de temps un agent peut-il résister dans de telles conditions ? Bénéficiant de la discrète assistance technique du GRU, les amiraux décidèrent de limiter la mission d'Artamonov à une durée de trois à cinq ans.

Comme il n'était pas question de lui faire suivre les cours du centre d'instruction du KGB, ni ceux de l'académie du GRU, les amiraux conçurent pour lui un programme spécial. Sa formation d'officier de marine lui fit saisir dans ses moindres détails leur ambitieux projet de « marine de haute mer » et se pénétrer de leurs rêves. Les renseignements qu'il assimila ainsi allaient décupler sa valeur aux yeux des services américains et lui permettre de résister à tous les interrogatoires. Car s'il voulait obtenir des informations, il fallait en donner en contrepartie, et les amiraux lui fournirent en abondance tout ce dont il avait besoin. Ceux qui ont connu Artamonov aux Etats-Unis, surtout pendant les cinq ans où il a exercé ses fonctions de conseiller à l'ONI, étaient frappés par sa quasi-prescience de tout ce qui concernait la marine soviétique, dont nul ne soupçonnait encore la croissance. A mesure que ses prédictions se réalisaient, sa réputation de « sorcier » s'affermissait dans l'esprit des responsables de la marine américaine qui lui vouaient une admiration due, en réalité, à la perfection de son entraînement préparatoire — et de sa documentation.

Artamonov se révéla non moins doué pour l'étude des

caractères et des personnalités. Dans les dossiers du KGB et du GRU, obtenus grâce à des complicités, il apprit avant son départ tout ce qu'il fallait savoir sur ceux qu'il allait côtoyer et qu'il devait influencer. Il s'instruisit également sur les « jeunes loups », destinés à prendre les commandes de la marine soviétique à la suite de ses mentors : il devait les connaître intimement puisqu'il était censé en faire partie. Dans ce domaine encore, la précision de ses « prédictions » fit merveille sur l'esprit des Américains.

Sa formation théorique achevée, il fallait le soumettre à une épreuve pratique. Ses motivations, sa confiance en lui, ses pouvoirs de persuasion n'étaient pas en cause ; il convenait simplement de vérifier s'il était assez bon acteur pour remplir son rôle et s'il saurait résister aux pressions dans un milieu totalement étranger. Les amiraux l'envoyèrent à une session de la Commission internationale de l'énergie atomique à Vienne, sous l'identité d'un ingénieur civil de dix ans plus âgé que lui. Ce test avait surtout pour objet de vérifier s'il serait capable de leurrer le KGB, présent en force à Vienne. Artamonov y arriva le 18 mars 1958 et, pendant son séjour, réussit brillamment à tromper tout le monde, y compris le KGB. On peut déplorer l'incapacité de la CIA à retrouver son faux passeport de l'époque, pourtant établi sous son nom, qui ne fut découvert dans les archives autrichiennes que... dix-huit ans plus tard.

Son départ pour la Pologne et la Suède eut lieu ensuite dans les circonstances que l'on sait. Mais une fois aux Etats-Unis, comment gardait-il le contact avec ses supérieurs, par quel moyen recevait-il ses ordres — avec les renseignements actualisés qui rendaient son expertise inestimable aux yeux de l'amiral Taylor et de l'ONI ? La réponse se trouve dans l'identité d'un attaché naval en service à l'ambassade d'URSS à Washington pendant que Shadrin exerçait ses fonctions à l'ONI. Car il s'agissait du commandant Lev Vtoryguine, l'un des trois « finalistes » des amiraux, dont le patron n'était autre que l'amiral Yachine, l'un des « conjurés » de Leningrad.

La topographie des accès à l'ancien Observatoire où travaillait Nick Shadrin, et la liberté de mouvement dont il jouissait, expliquent la facilité avec laquelle les amiraux ont pu, des années durant, communiquer avec leur agent vedette. La grille d'entrée par laquelle passait Shadrin, comme l'ensemble du personnel, est située dans Observatory Road, courte voie que l'on atteint par Winsconsin Avenue. Shadrin garait sa voiture soit dans Winsconsin Avenue, soit dans Observatory Road. Or, à deux rues de ce carrefour, s'ouvre Tunlaw Street où se trouvent les logements du personnel marié de l'ambassade d'URSS, ainsi qu'une école pour leurs enfants.

Mais les bureaux de l'attaché naval sont installés à plusieurs kilomètres et Vtoryguine habitait à quatre rues de là. Comment donc s'y prenait-il? Le plus simplement du monde: Evguenia, sa femme, accompagnait tous les matins leur fille Elena à l'école de Tunlaw Street et, en passant par Winsconsin Avenue, déposait ou relevait discrètement un pli dans la voiture de Shadrin, ou une cachette à proximité. Vtoryguine quitta Washington en août 1965, peu avant la fin du contrat de Shadrin à l'ONI, pour prendre d'importantes fonctions à la section navale du GRU. Il ne s'agit pas là d'une simple coïncidence.

Shadrin resta ainsi sous le contrôle direct des amiraux jusque vers 1965-1966, époque à laquelle il aurait normalement dû être rapatrié. Mais Ekaterina Fourtseva eut alors connaissance de sa mission et l'utilisa au profit de son gendre, Igor Kozlov. C'est ainsi que Shadrin se retrouva involontairement au service du KGB — et resta bloqué neuf ans de plus aux Etats-Unis.

La « Conjuration des amiraux » n'est certes qu'une hypothèse, pour laquelle il n'existe pas de preuves formelles. Elle est cependant corroborée par d'abondants indices. Nous n'en citerons que quelques-uns, parmi les plus probants.

Après la disparition de Nick Shadrin, Richard Copaken, l'avocat d'Ewa Shadrin, s'est longuement et vainement efforcé de découvrir la vérité. Il était entré en rapport avec Wolfgang Vogel, le célèbre avocat est-allemand spécialiste des rachats et des échanges de personnes entre les deux blocs, dans l'espoir d'obtenir par son intermédiaire l'échange d'un espion soviétique contre la restitution de Shadrin, que l'on croyait kidnappé par le KGB. Copaken s'était alors rendu compte que Henry Kissinger, par des indiscrétions de ses collaborateurs, avait fait capoter les négociations de peur de compromettre son offensive de détente, et il lui en avait longtemps voulu de placer des intérêts politiques au-dessus du sort d'un homme et, surtout, de sa femme, innocente victime de la guerre des services secrets.

Au printemps 1988, l'ambassade d'Allemagne de l'Est donna une réception à Washington dans les salons du National Press Club. Francis J. Meehan, ambassadeur des Etats-Unis en RDA et ancien chargé d'affaires à Vienne au moment de la disparition de Shadrin en 1975, y rencontra Copaken. Celui-ci lui demanda s'il était toujours en contact avec Vogel. Meehan lui répondit l'avoir revu récemment, à la suite de l'échange des espions tchèques Hana et Karl Koecher contre le dissident soviétique Anatoly Chtcharanski, intervenu le 11 février 1986. Copaken lui demanda alors si, par hasard, Vogel lui avait parlé de Nick Shadrin et fut stupéfait de l'entendre répondre : « Vous savez ce que Wolfgang en a toujours pensé ? Qu'il a tout simplement été rapatrié. »

Jim Wooten, l'officier traitant de Nick Shadrin au FBI à qui l'on reprochait de s'être trop lié avec son « sujet », avait voulu relater sa version des faits. Quand il soumit son manuscrit pour approbation, ses supérieurs lui ordonnèrent de le détruire.

Selon John Novak, ancien chef du service de traduction du Département de la Défense où travaillait Nick Shadrin, ce dernier aurait été vu et reconnu à Moscou en 1980. Ce fait est confirmé par d'autres sources, qui déclarent que cette rencontre a été suivie de plusieurs autres.

Le 17 mai 1988 se déroulèrent à Moscou les funérailles solennelles de l'amiral Gorchkov, ancien chef d'état-major de la marine soviétique, membre du Comité central du PCUS et député au Soviet suprême de l'URSS. L'inhumation eut lieu au cimetière de Novodievitchi, réservé aux plus hauts dignitaires du régime. La tombe de l'amiral est toute proche de celle de Nikita Khrouchtchev. Ekaterina Fourtseva et l'ambassadeur Frol Kozlov, son mari, reposent eux aussi non loin de là.

Les personnalités officielles assistèrent en foule aux obsèques de ce Héros de l'Union soviétique, à la mémoire duquel on prononça d'émouvants discours. A quelques pas de la tombe, la famille du défunt contenait sa douleur avec dignité. Le petit groupe ne comprenait que quatre personnes.

Soutenue par sa fille, Mme Gorchkova sanglotait sous son voile. A côté d'elle, en grand uniforme, se tenait son gendre, Nikolaï Fedorovich Artamonov. Et, à côté de ce dernier, son fils, véritable sosie du jeune officier de marine qui, près de trente ans plus tôt, avait quitté le port de Gdynia pour se lancer dans une étrange aventure aux Etats-Unis.

SIGLER

15

A la recherche de *Graphic Image*

Comme des millions d'immigrants, Ralph Sigler avait fait son trou aux Etats-Unis — une carrière terne mais honorable, une famille heureuse, une vie sans histoire. Rien ne semblait le destiner à se muer en héros. Et pourtant, en 1966, il se trouva catapulté dans l'univers violent de la guerre secrète parce que quelqu'un, à Washington, avait décidé que ce petit homme tranquille servirait d'appât aux Soviétiques. Il ne devait pas sa sélection à un talent particulier ni à des connaissances techniques exceptionnelles ; le FBI et les services de renseignement de l'armée n'avaient jeté sur lui leur dévolu que parce qu'il possédait à la fois une mère derrière le Rideau de fer, une épouse allemande et la réputation d'être un dur. En guise de grand prix, le concours dont il sortait vainqueur à son insu lui offrait la chance de devenir... agent double.

Munis d'une liste de candidats réduite à trente-cinq noms, Jack Radigan, du FBI, et John Schaffstall, des services de l'armée, se rendirent à El Paso procéder aux éliminatoires en compagnie du responsable local, Carlos Zapata. Le dossier de Ralph Sigler avait déjà retenu leur attention. Ils n'avaient pas besoin d'un James Bond, ils cherchaient simplement un homme qui ait le courage, ou le culot, d'aller sonner à la porte de l'ambassade d'URSS à Mexico et de se montrer, comme le ver au bout de l'hameçon, pour voir si le KGB ou le GRU y mordrait.

Sigler leur paraissait posséder le profil de l'emploi. Bon sous-officier, cabochard mais bien noté, petit — un mètre soixante-huit, soixante-six kilos — mais musclé, il avait les cheveux châtains, les yeux noisette, des lunettes, une tête de tigre tatouée sur l'avant-bras gauche. Il s'exprimait couramment en tchèque et en allemand, comprenait le russe et les langues slaves. Vif d'esprit, sûr de lui, combatif, il était doté d'une excellente mémoire, qualités précieuses dans l'existence qu'on lui destinait. N'hésitant pas à contredire quiconque avait tort à ses yeux et se défiant des valeurs nouvelles, il saurait se faire respecter des Russes en leur parlant leur langage. Le « comité de sélection » savait aussi que sa solde mensuelle se montait à huit cent soixante dollars, qu'il habitait une petite maison dans la banlieue d'El Paso non loin de Fort Bliss, que sa femme Ilse travaillait dans un magasin de prêt-à-porter et qu'ils avaient une fille appelée Karin. Enfin, parce qu'il tenait mal l'alcool, Ralph ne buvait que de la bière.

Les recruteurs s'intéressaient surtout à ses origines et au fait que sa mère vivait toujours en Europe de l'Est. Né Rudolph Ciglar le 24 mai 1928 à Hertnik, en Tchécoslovaquie, Ralph Sigler avait six ans quand son père et ses oncles partirent chercher fortune en Amérique. Deux ans plus tard, ayant appris que sa femme le trompait, son père était revenu chercher Ralph et sa sœur Anne en abandonnant la mère aux bras de ses amants. La petite famille débarqua dans le port de New York le 1er septembre 1936, pleine d'espérances que les sombres réalités de la Dépression et les calamiteuses nouvelles du pays natal allaient vite anéantir.

Ralph connut alors la pauvreté. Alex Ciglar, son père, était mineur en Pennsylvanie ou, faute d'embauche à la mine, travaillait dans les abattoirs. A force de privations, il était parvenu à acheter une maisonnette, revendue pour acquérir une petite ferme où il élevait des porcs, afin d'arrondir ses maigres ressources. Laborieux, dur à la peine, il inculqua ses valeurs à son fils et le traita en esclave. Anne avait droit à plus de douceur. Pensionnaire dans une école catholique, elle poursuivit ses études jusqu'à l'université.

A dix-sept ans, fuyant la lourde autorité paternelle et un avenir bouché, Ralph s'engagea dans l'armée et fut affecté à

Berlin en 1946. En octobre de cette année-là, il alla en Tchécoslovaquie revoir son pays natal et retrouver sa mère, qui vivait avec un soldat russe et le reçut en intrus. Accablé de constater que son père avait raison, il repartit le lendemain sans esprit de retour. Démobilisé avec le grade de caporal le 26 août 1949, Sigler revint en Pennsylvanie où l'appelait son père, qui avait besoin d'aide à la suite d'un accident de voiture. Huit mois plus tard, en mai 1950, il signait un nouvel engagement dans l'armée et reprenait le chemin de l'Europe.

En 1951, il était en garnison à Stuttgart où il rencontra celle qui allait devenir sa femme. Issue elle aussi d'une famille pauvre, Ilse Oehler était vendeuse dans un magasin de mode. Une de ses camarades, qui travaillait dans un cabaret fréquenté par les GI, la persuada un soir de l'y accompagner. Ralph remarqua la jolie blonde aux yeux bleus, l'invita à danser. Stupéfaite d'entendre cet étranger si bien parler allemand, elle accepta de le revoir et, bientôt, ils devinrent inséparables. Quand il fut muté à Coblence, elle quitta Stuttgart pour l'y rejoindre et ils vécurent ensemble en attendant l'autorisation de se marier. Ilse garde de cette période de leur vie les souvenirs les plus heureux.

Les démarches se révélant plus longues que prévu, ils ne purent se marier qu'en février 1955. Promu sergent, Ralph regagna les Etats-Unis deux mois plus tard. Ilse n'avait le droit de le suivre qu'au bout d'un délai de trois mois. Quand elle débarqua enfin à New York, Ralph avait quitté l'armée et travaillait dans l'entreprise de son beau-frère, marchand de charbon. Ilse s'entendit bien avec son beau-père, mais la vie en pays minier ne tarda pas à lui peser. Indépendante, jolie, coquette, elle supportait mal les regards envieux des femmes de mineurs sur l'élégante garde-robe de l'« étrangère ». De son côté, Ralph se rendait compte qu'il n'y avait pas plus d'avenir pour lui dans le commerce du charbon que, naguère, dans l'élevage des porcs. Il décida donc de se tourner de nouveau vers l'armée, qui offrait alors d'alléchantes primes de rengagement.

Après dix-huit mois au Fort Gordon à Augusta, Georgie, Ralph fut affecté, au début de 1957, à Panama. Les Sigler allaient y passer trois ans qui leur laisseront le meilleur souvenir. Leur fille Karin y naquit le 4 juillet 1958. Ilse travaillait au PX de la base et ils avaient les moyens de payer une domestique pour surveiller l'enfant et se charger des travaux ménagers.

En mars 1960, Ralph renouvela son engagement et parvint à être affecté en Allemagne. Il se retrouva à Berlin au moment de la crise du Mur et fut ensuite muté à la base aérienne de Bittberg, où on l'employa à des travaux secrets sur les systèmes électroniques des missiles. Pendant ce temps, sa sœur Anne insistait auprès d'Ilse pour qu'elle prît contact avec sa mère en Tchécoslovaquie. Ilse finit par céder et lui envoya une carte postale, en dépit des protestations de Ralph qui ne voulait plus rien avoir à faire avec elle. La tentative de rapprochement n'alla d'ailleurs pas plus loin.

Rappelé aux Etats-Unis en 1965, Ralph fut affecté à l'entretien des systèmes électroniques de la base de Fort Bliss à El Paso. Ilse reprit un emploi de vendeuse et la famille loua une maison en proche banlieue. Les Sigler ignoraient que le FBI se penchait déjà sur leurs antécédents : Ralph était le candidat le mieux placé pour devenir le premier agent double de l'armée, destiné à infiltrer les opérations, de plus en plus actives, que menait le KGB à partir de sa base de Mexico.

Depuis 1964, en effet, le FBI s'inquiétait de constater un accroissement considérable des effectifs de l'ambassade d'URSS à Mexico. Que voulaient donc faire les Soviétiques d'autant de monde, à la porte des Etats-Unis ? Le meilleur moyen de s'en assurer consistait à leur offrir un appât et voir s'ils y mordraient. Si la manœuvre réussissait, le FBI serait renseigné sur les intentions du KGB et du GRU, leurs capacités opérationnelles, la manière dont ils contrôleraient l'agent ainsi recruté, soit par un agent « officiel » en poste aux Etats-Unis, soit par un clandestin. Cet agent double présenterait en outre l'avantage d'être difficilement détectable : il était de notoriété publique que les Soviétiques, dans presque toutes leurs ambassades, recevaient des offres de service de militaires américains. Ils auraient donc du mal à déterminer si celui-ci était un véritable traître ou un agent d'infiltration.

Mais quel appât leur lancer ? « Un universitaire ou un neurochirurgien ne les aurait évidemment pas intéressés. Il fallait un militaire, un technicien de préférence », explique Eugene Peterson, ancien chef du contre-espionnage au FBI. On rechercha le candidat idéal dans le personnel de la base ultrasecrète de White Sands au Nouveau-Mexique, de Fort Bliss au Texas, du laboratoire de la Commission de l'Energie atomique à Sandia, et de plusieurs bases aériennes. Finalement, seule l'armée accepta de coopérer avec le FBI et Fort Bliss, le plus proche de la frontière mexicaine, fut choisi d'un commun accord.

Une fois sélectionné, Sigler fut soumis — toujours à son insu — à des contrôles et à des vérifications qui n'allaient plus cesser dix ans durant. Sa famille et ses amis ayant été examinés à leur tour, Carlos Zapata, représentant à Fort Bliss des services de renseignement de l'armée, entra en contact avec lui. Ralph réagit aussitôt avec intérêt : à trente-huit ans, dont vingt de service, il n'était que sergent, réparateur de matériel électronique — rien de très exaltant. On lui offrait une mission de confiance, prestigieuse, patriotique, et il en accepta le principe. Zapata lui fit alors rencontrer John Schaffstall, de la direction des services de renseignement de l'armée à Baltimore, et les agents du FBI. Ils regagnèrent Washington à l'issue de cette conférence afin de faire avaliser le projet par leurs supérieurs respectifs.

Les services de l'armée étaient d'ores et déjà tout acquis à l'idée d'envoyer un agent double espionner le KGB. Mais, dans les années 60, J. Edgar Hoover se souciait davantage de la subversion intérieure — pacifistes, contestataires étudiants, agitateurs noirs — que de la menace communiste. Le FBI ne disposait pas à Washington d'assez d'hommes et de crédits pour affecter à l'opération Sigler un agent ayant l'expérience du contre-espionnage. On en désigna donc un du bureau d'El Paso, Francis « Joe » Prasek.

Contrairement à la quasi-totalité de ses collègues, pour qui un trou de province au climat torride comme El Paso représentait l'enfer, Joe Prasek s'y plaisait. Bel homme, grand et mince, les cheveux noirs bouclés, les yeux gris-bleu et le sourire chaleureux, il s'habillait avec élégance, aimait les chevaux et les voitures de sport. D'origine tchèque, comme Sigler, il éprouva aussitôt pour lui de la sympathie. Les deux hommes s'exprimaient dans leur langue maternelle et s'étaient découvert, dès le début, des atomes crochus. D'ailleurs, pour Ralph Sigler comme pour la plupart des Américains, les agents du FBI étaient des héros. Travailler avec les « Incorruptibles » lui conférerait un prestige qu'il n'aurait jamais pu atteindre dans l'armée et ferait de lui un membre de l'élite.

Puisque le FBI confiait l'opération à un de ses hommes sur place, l'armée ne pouvait pas être en reste et devait y affecter quelqu'un à plein temps. Les services de Baltimore chargèrent tout naturellement leur représentant local, Carlos Zapata, de cette mission. Trapu, les cheveux poivre et sel, il devait à son ascendance mexicaine de se sentir, lui aussi, à l'aise dans le climat éprouvant d'El Paso. Ses fonctions à Fort Bliss consistaient essentiellement à informer le commandant de la base des renseignements, susceptibles de l'intéresser, que transmettaient les services centraux. Elles lui laissaient d'importants loisirs. La responsabilité de contrôler un agent double n'était donc pas pour lui déplaire.

Le 9 décembre 1966, Washington donna le feu vert et John Schaffstall revint à El Paso. Entouré de Carlos Zapata et de

Joe Prasek, il informa Sigler qu'il avait été choisi pour servir le pays dans le rôle d'agent double et lui fit subir son premier examen au détecteur de mensonges, que Sigler passa sans difficulté. Le règlement exigeait qu'il y soit soumis une fois par an ; ceux des premières années se déroulèrent à l'entière satisfaction des examinateurs. L'armée officialisa l'opération en attribuant à Ralph Sigler le nom de code de *Graphic Image*.

Sur le plan pratique, Zapata était son officier traitant, Prasek et Schaffstall les responsables de l'opération, respectivement pour le FBI et l'armée. Quant à Zapata, il était essentiellement chargé du suivi quotidien, de répondre aux questions de Sigler, de s'occuper de ses déplacements. John Schaffstall allait par la suite contrôler une dizaine d'agents, mais Ralph Sigler resterait jusqu'à la fin son préféré et son meilleur. Il serait aussi le dernier.

Ralph éprouva d'emblée de l'amitié pour ces trois hommes, en qui il plaçait toute sa confiance. Zapata et Schaffstall obtinrent sa promotion au grade d'adjudant dès le début de l'opération. Ils lui demandèrent ensuite de les présenter à sa femme et vinrent chez lui un soir de décembre 1966. Ilse ne comprit pas très bien de quoi il s'agissait mais, sur les recommandations de Ralph, s'abstint de poser des questions. Les visiteurs lui expliquèrent que son mari allait servir l'armée dans le rôle de courrier, qu'il serait amené de temps à autre à voyager pour transporter des documents secrets, puis ils lui demandèrent de signer des formulaires qu'ils ne lui laissèrent pas le temps de lire. Ilse signa docilement mais, une fois les deux hommes partis, elle s'inquiéta de ces mystérieuses missions. Ralph la rembarra vertement : « Je travaille pour mon pays ! Ne pose pas de questions et ne te mêle pas de cela ! Et surtout, pas un mot à tes amies. »

Ce ne fut qu'à leur prochaine rencontre, dans une chambre d'hôtel à El Paso, que Schaffstall dévoila à Sigler ce que l'armée attendait de lui : prendre contact avec les Soviétiques à Mexico. Enthousiasmé, Ralph se déclara assuré du succès.

L'armée et le FBI connaissaient son caractère volontiers téméraire et sûr de lui, mais les responsables savaient aussi qu'il ne tarderait pas à se poser des questions. Schaffstall prit les devants en les énumérant une à une, et d'abord : comment effectuer le premier contact ? Tout simplement, lui dit Schaffstall, en allant sonner à la porte de l'ambassade. Comment devait-il se comporter ? Il haïssait les Soviétiques. Ne devineraient-ils pas ses sentiments réels, malgré ses efforts pour les dissimuler ? Tandis que Schaffstall avançait dans sa démonstration, Sigler multipliait les questions, qui restaient toutes centrées sur les difficultés éventuelles de l'opération. A aucun moment, il n'exprima la moindre crainte sur sa propre sécurité.

L'anxiété de Schaffstall croissait avec l'approche de la première mission : « Nous étions plus nerveux que lui », se souvient-il. Il s'inquiétait moins, à ce moment-là, de la sécurité de Ralph que de la manière dont il jouerait son rôle. Au pire, si les choses devaient tourner mal, Schaffstall savait qu'il parviendrait à le faire sortir vivant de l'ambassade d'URSS. Il ignorait, en revanche, si Sigler était véritablement l'homme de fer dont il donnait l'impression, ou s'il céderait aux énormes pressions psychologiques auxquelles il allait être soumis et dont il n'avait aucune expérience. Or, pour le savoir, il n'y avait qu'un seul moyen : envoyer Ralph Sigler dans les griffes de l'ours.

16

L'opération

Installé en face de l'ambassade d'URSS à Mexico, le poste de la CIA en photographiait les visiteurs. Les Soviétiques, qui le savaient, se méfiaient de tous ceux qui venaient trop ouvertement proposer leurs services. Mais ils devaient aussi respecter leurs quotas de nouveaux contacts ; or, quand Ralph Sigler se présenta un beau matin, le résident du KGB était en train de se demander avec inquiétude comment expliquer à Moscou pourquoi ses chiffres accusaient du retard.

Enchantés d'une recrue si providentielle, malgré leur inquiétude de son apparition voyante, les Soviétiques le firent aussitôt sortir par la porte de derrière afin, dirent-ils, de ne pas le compromettre, et l'emmenèrent dans un autre local, caché sous une couverture à l'arrière d'une voiture. Sigler joua à la perfection son rôle d'aigri : il étouffait dans l'armée et rêvait de la quitter, mais il avait besoin d'argent afin d'assurer son indépendance ; il était trop intelligent pour de tels rustres ; il n'était encore que sergent alors qu'il aurait dû depuis longtemps passer officier ; l'armée méconnaissait ses talents ; elle le payait trop mal pour lui permettre de développer ses facultés et de réaliser ses ambitions.

Convaincus que les Américains, capitalistes jusqu'à la moelle, faisaient n'importe quoi pour de l'argent, les Soviétiques se défiaient de ceux qui prétendaient n'agir que pour des raisons politiques ou idéologiques. Les faits leur donnaient d'ailleurs raison : c'est ainsi qu'en avril 1975 un trafiquant de drogue californien, Andrew Doulton Lee, et Christopher Boyce, fils d'un ancien agent du FBI et qui travaillait chez un sous-traitant de la CIA, vinrent tirer la sonnette de

221

l'ambassade d'URSS à Mexico et vendirent au résident du KGB le premier lot de plans ultrasecrets de satellites espions volés par Boyce. On est en droit de se demander ce que faisait la CIA des milliers de photos prises devant cette ambassade...

Les Soviétiques accueillirent Sigler à bras ouverts et lui indiquèrent les sujets qui les intéressaient, pour lesquels ils paieraient généreusement de la documentation. Ils ne demandèrent rien de précis au début et se bornèrent à dire : « Nous voudrions des renseignements sur vos systèmes de guidage », ou encore : « Nous prendrons tout ce que vous trouverez sur l'électronique, sur les missiles », etc. En fait, ils acceptaient n'importe quoi : « Ils disaient à Ralph "C'est bon" ou "Trouvez mieux", mais sans jamais spécifier ce qu'ils jugeaient bon ou dépourvu d'intérêt », se souvient John Schaffstall.

L'armée se chargea d'alimenter Sigler en documents secrets mais, de même que dans l'opération *Kitty Hawk* qui débutait à peu près en même temps, nul ne voulut risquer d'en compromettre le succès par des renseignements manifestement faux ou trafiqués. L'approbation des documents suivait une procédure beaucoup plus stricte que dans le cas de *Kitty Hawk*. Ils étaient examinés par une commission ad hoc qui en référait à une instance supérieure, composée de représentants de tous les services de renseignement, quand les secrets en cause étaient trop sensibles. L'armée devait alors prouver que leur divulgation ne nuirait pas à la défense nationale ou que les Soviétiques les avaient déjà obtenus par d'autres sources. Lorsque la commission d'appel hésitait à donner son feu vert, Noel E. Jones, chef de John Schaffstal à la direction des services de l'armée, devait intervenir pour emporter la décision.

L'objectif essentiel de l'opération étant d'obtenir des informations sur les réseaux soviétiques basés au Mexique, on y mêlait de la désinformation dans la mesure du possible. C'est ainsi que Sigler communiqua les plans de blindages céramiques dont l'armée avait envisagé d'équiper ses chars. Quelques années plus tard, la CIA apprit que les Soviétiques avaient procédé sans succès aux essais de ces blindages, dont ils ne maîtriseront la technologie qu'en 1987 au prix de dépenses considérables. De même, ils s'efforcèrent vainement de réaliser un lance-roquettes à système de pointage automatique, que l'armée américaine avait abandonné parce qu'il ne fonctionnait pas et dont elle donna les plans à Sigler. Afin qu'il puisse prouver sa bonne foi à ses « clients », on lui fournit par la suite des documents démontrant que la première conception de ce matériel avait été défectueuse.

Il percevait en moyenne trois mille dollars par livraison, montant relativement modeste compensé par la régularité et la fréquence de ses visites, puisqu'il reçut plus de quatre cent mille dollars au total. Les Soviétiques estimaient que, pour un sous-officier gagnant moins de mille dollars par mois, il s'agissait d'un véritable pactole. Mais Ralph ne travaillait que par goût du risque et pour le plaisir de relever des défis. L'exaltation d'une mission réussie agissait sur lui comme une drogue et il éprouvait un plaisir sans cesse renouvelé à faire le récit de ses exploits à ses officiers traitants, Schaffstal, Prasek et Zapata, devenus ses meilleurs amis.

Sigler inventait cent prétextes pour justifier ses besoins d'argent : les études de sa fille lui coûtaient cher, sa femme dépensait trop pour s'acheter des robes, la maison avait besoin de réparations. Quand il lui arrivait de fournir des documents justifiant un paiement plus important, il devait prétendre que sa fille voulait changer de voiture, ou que sa femme avait fait des dettes.

Avant chaque expédition, il rencontrait ses officiers traitants, généralement dans une chambre d'hôtel. Ils lui remettaient son billet d'avion, les documents qu'ils commentaient si nécessaire, précisaient leurs instructions éventuelles. Au retour, Prasek, Zapata et Schaffstall prenaient soin de ne pas le revoir avant un ou deux jours, de peur qu'il n'eût été suivi ou observé. De même, les *debriefings* avaient toujours lieu à

El Paso, afin que les Soviétiques ne remarquent rien d'inhabituel dans son comportement ou ses déplacements. Au début de chaque séance, Sigler remettait sa liasse de billets à Prasek, qui relevait les numéros afin que le FBI tente de remonter la filière bancaire par laquelle les Soviétiques se les étaient procurés. Les échanges de questions et de réponses duraient le plus souvent deux ou trois heures.

D'abord, Sigler fournissait des documents originaux ou des copies. Par la suite, les Soviétiques lui montrèrent comment réaliser des microfilms et lui apprirent les techniques classiques de l'espionnage. Il emportait parfois un seul document, parfois un jeu complet, selon ce que la commission parvenait à examiner entre chacun de ses voyages. L'armée profitait de ce processus pour le soumettre à un contrôle permanent, destiné à s'assurer qu'il n'avait pas été retourné par les Soviétiques. C'est ainsi qu'on lui remettait de temps à autre des documents non vérifiés, pour voir s'il s'en dessaisirait quand même.

L'armée ne voulait pas risquer de griller Ralph en le faisant surveiller pendant ses rencontres ; elle se bornait à poster des observateurs à des points fixes, sur le trajet de ses déplacements dans les rues de Mexico. De même, l'armée craignait d'employer la CIA, dont elle soupçonnait plusieurs agents au Mexique de travailler pour le KGB. De leur côté, les Soviétiques surveillaient rarement Sigler. Ils se contentaient d'appliquer les mesures de sécurité habituelles dans ce genre d'opération et lui donnaient des instructions très simples : « Ils lui disaient, par exemple : "Marchez dans telle rue jusqu'à ce qu'on vous aborde", se souvient Schaffstall. Ou encore, faites une croix sur un poteau téléphonique. S'il y en a déjà une, cela veut dire : ne venez pas. »

En consultant les notes personnelles de Ralph, consignées sur des calepins, on se représente mieux les procédures de ses rencontres avec les Soviétiques. En voici un exemple :

Cathédrale, 16 septembre. Jardin public.
Marcher de long en large. Sinon,

224

20 heures ou 23 heures, bar Chionoco
ou 24 heures bar du Hilton.
10 septembre : chemisette rentrée dans le
pantalon, OK, rencontre prévue. Chemisette
sortie du pantalon : rencontre terminée.
Appareil photo sur l'épaule : nouvelle
rencontre à prévoir.

Les Soviétiques exigèrent une fois des renseignements plus détaillés, en se plaignant de la qualité de la dernière livraison. Sigler donna comme excuse qu'il n'avait rien pu se procurer de mieux. Inquiet de ce que la commission n'eût rien approuvé pour son prochain voyage et craignant de mécontenter ses « clients », il décida de leur remettre à l'insu de l'armée un manuel d'instructions dérobé à Fort Bliss. A son retour, il en parla à Schaffstall : « Je regrette sincèrement, mais je n'avais pas le choix. Il fallait que je leur donne quelque chose pour qu'ils continuent à me faire confiance. » L'armée ne prit aucune sanction contre celui qui était devenu son agent le plus précieux.

En juillet 1967, les Sigler se firent construire une maison, plus vaste et plus confortable, dans Kenworthy Avenue à El Paso. Carlos Zapata et John Schaffstall venaient régulièrement leur rendre visite. Ils assuraient à Ilse que les autorités prendraient soin d'elle et de Karin s'il survenait quoi que ce soit à Ralph. Ils lui disaient aussi que Ralph ne lui était pas infidèle au cours de ses voyages et que l'armée garantissait sa sécurité. Ils se répandaient en compliments sur la manière dont il accomplissait les missions de confiance dont il était chargé.

Selon les instructions des Soviétiques, Sigler acheta du matériel photographique et un poste de radio à ondes courtes, afin de capter les messages retransmis de Cuba, qu'il déchiffrait à l'aide d'un code fourni par les Soviétiques. Certains de ces messages ne comprenaient qu'un seul chiffre, correspondant à des instructions précises, par exemple :

1: Pas de rencontre.

2: Pas de livraison.

5: Stop, tout détruire, attendre six mois.

7: Exécution comme prévu.

9: Danger. Aller en Autriche.

0: Pas de message.

Sigler connaissait si mal l'alphabet morse que l'armée dut lui faire suivre des cours de perfectionnement. Le FBI, qui craignait par ailleurs qu'il ne manquât des messages ou ne sût pas les interpréter, les écoutait systématiquement et comparait ses enregistrements avec les transcriptions de Sigler — autre moyen de vérifier s'il ne cachait rien.

Pendant la semaine, Sigler remplissait normalement ses fonctions à Fort Bliss, sans que ni ses collègues ni sa famille se doutent de ses activités secrètes en dehors des heures de service. Le commandant de la base était seul à savoir qu'il travaillait en liaison avec les services de renseignement.

Sigler croyait traiter avec des militaires du GRU alors que, en réalité, le KGB avait très tôt pris le relais. On lui avait dit, comme à Nick Shadrin, que, s'il perdait le contact pour une raison ou une autre, il devait écrire à une certaine adresse à Vienne. Ilse Sigler possède encore le nom de ce correspondant, écrit de la main de Ralph.

Afin de ne pas éveiller les soupçons des Soviétiques s'il n'était pas soumis aux rotations normales des tours de service, Sigler fut muté en Allemagne en 1968. L'armée était trop satisfaite de l'opération *Graphic Image* au Mexique pour ne pas vouloir la poursuivre en Europe. Enchantée de revoir son pays natal, Ilse s'occupa des préparatifs de départ et chargea une agence immobilière de louer la maison pendant leur absence. John Schaffstall transmit temporairement ses pouvoirs à des collègues des services centraux de Baltimore.

Affecté à l'état-major de Nuremberg, Ralph Sigler était logé avec sa famille dans un appartement en ville. Ilse s'étonnait de sa liberté de mouvement. Elle le fut plus encore quand vint le moment de sa première mission : de sa fenêtre, ce soir-là, elle le vit monter dans une Mercedes avec des inconnus en civil. A son retour, elle lui demanda où il était allé et, quand il eut répondu qu'il revenait de Suisse, elle insista : ce genre de voyages éclairs faisait-il partie de ses fonctions de « courrier » ? Pour la première fois, Ralph lui laissa entendre qu'il était agent secret. En fait l'armée souhaitait améliorer sa couverture en se servant de toute la famille. Si Ralph pouvait se rendre seul à Mexico sans éveiller les soupçons, mieux valait pour les apparences qu'il soit accompagné de sa femme et de sa fille lors de ses rencontres avec les Soviétiques pendant les week-ends. Sans avoir été mis dans la confidence, le frère d'Ilse, qui habitait toujours Stuttgart, participait même parfois à ces « excursions touristiques ».

Peu de temps après, Sigler fut muté à Stuttgart d'où il pouvait plus facilement se déplacer en Allemagne, en Suisse et en Autriche. Il s'y rendit fréquemment avec sa famille tout au long de l'année 1969. Ilse était d'autant plus heureuse de retrouver sa ville natale que les Sigler étaient logés dans une belle maison à flanc de coteau, à la lisière d'un bois. Sa joie lui fit momentanément oublier ses appréhensions.

En juillet 1970, Sigler reçut l'ordre de partir pour le Viêtnam. Il expliqua à Ilse, pour calmer son inquiétude, que ce n'était qu'un prétexte pour le faire rentrer aux Etats-Unis où les ordres seraient modifiés. La famille séjourna quelques jours à Washington avant de regagner El Paso et de se réinstaller dans la maison de Kenworthy Avenue. Schaffstall, Zapata et Prasek reprirent alors le contrôle de l'opération.

Celle-ci parut d'abord retrouver son cours normal : jusqu'à la fin de 1970 et durant toute l'année 1971, Sigler se rendit une fois par mois à Mexico, d'où il rentrait le dimanche soir. La situation ne changea qu'à partir de 1972. Un dimanche du mois de mai, Sigler revint du Mexique si visiblement troublé qu'Ilse lui demanda ce qui lui était arrivé. Ralph répondit qu'on l'avait forcé à faire quelque chose qui lui déplaisait :

parler aux Soviétiques de sa mère, en promettant d'apporter davantage de renseignements s'ils s'engageaient à prendre soin d'elle en Tchécoslovaquie. Cette comédie, imaginée par le FBI qui y voyait un moyen de renforcer sa crédibilité, l'indignait au point qu'il commençait à perdre la foi aveugle qu'il avait eue jusqu'alors dans les services américains.

De leur côté, les Soviétiques tinrent parole. Ils se mirent en contact avec la mère de Ralph Sigler à qui ils firent porter régulièrement de l'argent par une femme, agent du KGB qui prenait pour la circonstance un nom américain, et ils transmirent à Ralph les remerciements de sa mère. Dans une lettre adressée à Anne, la sœur de Ralph, elle disait par exemple :

Mme Maria Healey [l'agent du KGB] *m'a apporté 3 600 couronnes et 100 dollars. Sois tranquille, mon cher fils, je ne t'écrirai plus. Je te demande seulement de me faire parvenir une photographie de ta fille ou un petit mot de toi par Mme Healey quand elle reviendra me voir. Ta mère affectionnée.*

L'armée ne voyait pas d'inconvénient à ce qu'on utilise de la sorte la mère de Sigler, qui n'avait jamais manifesté d'affection pour elle ni ne l'avait revue depuis trente-six ans. Il ne connaissait même pas son adresse. Mais, comme l'explique John Schaffstall, « ce n'est pas nous [l'armée] qui en avons eu l'idée, car elle n'avait à notre avis aucune utilité pratique ». Le FBI estimait, au contraire, qu'il fallait faire croire au KGB que les agents doubles étaient vulnérables parce qu'ils avaient des membres de leur famille derrière le Rideau de fer. C'est ainsi que Nick Shadrin avait été contraint de manifester de l'inquiétude pour le sort de sa femme et de son fils. Cette technique, largement appliquée à l'époque par le FBI, comportait néanmoins des risques imprévisibles.

Pour sa part, Ilse savait à quel point Ralph répugnait à cette exploitation de sa mère. Sentant leur ménage menacé par ce

228

malaise psychologique, elle s'efforçait de réconforter Ralph en lui disant : « Pourquoi ne laisses-tu pas tomber ? Tu as plus de vingt ans d'ancienneté, tu peux prendre ta retraite quand tu veux. Non, répondait-il, je ne peux pas. Le FBI ne me laissera jamais partir. Je suis coincé, je ne peux rien faire. » Il parla alors à Ilse pour la première fois de Joe Prasek, agent spécial du FBI, et Ilse se douta que c'était en réalité le FBI qui contrôlait l'opération et non l'armée.

C'est à cette époque que John Schaffstall remarqua un changement sensible dans le comportement de Joe Prasek, qui semblait se désintéresser de ses fonctions dans l'opération. Il s'en plaignit à ses supérieurs, sans résultat apparent. Eugene Peterson, du FBI, fait état de rumeurs selon lesquelles les responsables sur le terrain, Schaffstall, Zapata et Prasek, ne coopéraient plus en bonne intelligence. Sans doute faut-il chercher la cause du mécontentement de Prasek dans le fait que son supérieur direct au bureau du FBI d'El Paso, Graham Van Note, ne lui laissait plus aucune initiative.

Quoi qu'il en soit, la rivalité entre l'armée et le FBI pour le contrôle de l'opération s'aggravait rapidement. Eugene Peterson soutient que le FBI l'exerçait sans conteste possible depuis le début. John Schaffstall ne partage pas du tout cet avis : « J'étais le seul véritable responsable », déclare-t-il. C'était exact tant qu'il était présent à El Paso ; mais dès qu'il avait le dos tourné, Prasek prenait le relais et donnait des ordres à Zapata, qui dépendait pourtant de l'armée. Cette constante détérioration des rapports entre le FBI et l'armée allait avoir à terme les plus graves conséquences pour Sigler.

La bataille entre ces deux puissantes bureaucraties prenait peu à peu des proportions inquiétantes. « En fait, se souvient Schaffstall, le FBI ne voulait plus que nous [l'armée] nous mêlions de l'affaire. Il acceptait que nous nous occupions de Ralph sur le plan pratique, parce qu'il nous appartenait, et que nous fournissions les documents à donner aux Russes, mais il cherchait à mettre la main sur tout le reste. Il s'intéressait exclusivement aux renseignements que Ralph rapportait de ses rencontres avec les Russes, afin de savoir comment ils opéraient. » Schaffstall lutta longtemps, et non sans mal, pour sauvegarder sa position et les intérêts de l'armée.

La prochaine mutation normale de Sigler survint dans ce contexte et l'armée décida aussitôt de le « mettre au vert ». « Mais où l'envoyer pour le contrôler nous-mêmes sans qu'il rencontre les gens du KGB ? » se demandait Schaffstall. L'armée décida de l'affecter à une base de missiles en Corée, dans un lieu isolé où l'on était sûr que le KGB n'avait pas d'antenne. Le FBI ne put que s'incliner : faire sauter à Sigler un tour de service régulier aurait éveillé trop de soupçons.

Sigler resta en Corée de juillet 1972 à septembre 1973. Schaffstall alla une fois lui rendre visite. Sigler lui dit qu'il se sentait inutile et avait hâte de reprendre l'opération. Il s'ennuyait à tel point qu'il s'enivra, un jour, avec le seul ami qu'il se fût fait là-bas, le capitaine Bruce McCain, à qui il avoua par forfanterie qu'il était agent secret et qu'il se faisait fort de le faire entrer dans la profession. Selon Donnel Drake, spécialiste de l'Extrême-Orient aux services de renseignement de l'armée, Sigler avait même essayé d'appâter les Soviétiques afin de se rendre compte par lui-même de la manière dont ils opéreraient en Corée, mais ses contacts ne vinrent pas au rendez-vous qu'il leur avait fixé.

Une semaine après le retour de Sigler aux Etats-Unis, Schaffstall et Zapata allèrent le voir chez lui. Après l'avoir couvert des louanges habituelles, ils lui apprirent que le FBI avait changé le nom de l'opération de *Graphic Image* en *Landward Ho*. Ralph devait renouer son contact avec le KGB en écrivant à l'adresse de Vienne. Il n'en fallait pas davantage pour le remplir de joie et lui redonner sa place dans le jeu dangereux de l'espionnage.

17

Landward Ho

La reprise de contact entre Sigler et les Soviétiques eut lieu à Mexico, dans le parc de Chapultepec, et l'opération retrouva son cours normal. Mais les événements commencèrent à prendre une tournure inhabituelle un an plus tard, en 1974, lorsque Ralph apprit à Ilse qu'elle pouvait prévoir des vacances en famille à Stuttgart, car il devait se rendre à Vienne dans le courant de l'été pour une mission très importante.

Ce voyage fut marqué pour Ilse par d'inquiétantes bizarreries. Ainsi, elle surprit un jour Ralph en train de démonter les renforts métalliques de sa valise, puis de les remettre en place. Le jour du départ, ils n'empruntèrent que des petites rues en évitant le chemin direct de l'aéroport. L'aérogare lui sembla soumise à des mesures de sécurité inaccoutumées. A l'escale de Washington, en attendant la correspondance du vol Lufthansa, elle s'aperçut que Ralph portait une montre ordinaire au lieu de la Rolex en or qu'elle lui avait offerte pour son anniversaire, quand ils étaient en garnison à Panama. Mortifiée, elle lui en demanda la raison ; il répondit, d'un air embarrassé, qu'il en avait fait l'échange avec son ami Zapata. Or, après le décollage, Ilse reconnut la Rolex au poignet d'un passager assis quelques rangs devant eux. Stupéfaite, elle s'exclama : « Ce type a ta montre ! », pour s'entendre répliquer avec colère par Ralph de se « mêler de ses affaires ».

Durant les sept heures du vol, Ilse remarqua qu'une femme « d'allure polonaise » ne les quittait pas des yeux, sans même se lever pour se dégourdir les jambes ou aller aux toilettes. A l'arrivée à Francfort, la femme avait disparu ; mais Ilse la reconnut, bien qu'elle eût changé de vêtements, dans l'avion qui les emmenait à Stuttgart. Ilse en parla alors à Ralph qui, pour toute explication, lui répondit : « Oui, on nous surveille des deux côtés. »

Après avoir rendu visite au frère d'Ilse à Stuttgart, les Sigler louèrent une voiture et partirent pour Nuremberg. Ralph devait y rencontrer un capitaine avec qui mettre au point les détails de sa mission à Vienne. Ils passèrent la nuit chez cet officier, marié à une Allemande, qui habitait les environs de la ville, et Ilse se souvient que les deux hommes s'étaient absentés pour une longue promenade dans la campagne.

Le lendemain matin, les Sigler regagnèrent Nuremberg où, faute de place dans les logements réservés aux militaires mariés et à leurs familles, ils descendirent à l'hôtel. Ralph dit à Ilse et Karin de rester deux ou trois jours à Nuremberg et qu'il les rejoindrait à Stuttgart. « En cas de problème, ou si je ne revenais pas comme convenu, appelle le capitaine », ajouta-t-il en lui donnant le numéro de téléphone. Puis, ayant annoncé que son absence durerait entre deux et cinq jours et qu'il appellerait dès son retour, il partit pour Stuttgart d'où il prit le train de nuit pour Zurich et, de là, gagna Vienne.

Selon Louis Martel, officier de renseignement de l'armée, le début fut laborieux : « Ralph s'était trompé de lieu de rendez-vous avec le KGB. Il les a attendus une heure sous la pluie devant le Tivoli alors qu'ils l'attendaient devant la Votivkirche. » Cette fois, contrairement au cas de Nick Shadrin, la CIA avait prévu une surveillance photographique aux fenêtres du consulat. La voiture du KGB conduisit Sigler à une usine désaffectée des faubourgs de Vienne, où il apprit qu'on allait l'emmener plus loin. Son contact, homme corpulent âgé d'une cinquantaine d'années, lui dit qu'il était chef de la section Etats-Unis au KGB et qu'il connaissait personnellement James Schlesinger, ancien directeur général de la CIA. Il le confia ensuite à une escorte de deux hommes, qui l'emmenèrent en voiture à une « villa délabrée » située en territoire tchèque, juste au-delà de la frontière.

232

Selon les notes prises par Ralph Sigler et le témoignage de Louis Martel, qui l'interrogea à son retour, Sigler y passa deux jours, les 18 et 19 juillet, à s'exercer de 8 heures du matin à 15 heures à l'alphabet morse, au codage et à la photographie. L'accompagnateur et son chauffeur — plus jeune mais vraisemblablement plus élevé en grade — se photographièrent à tour de rôle avec leur « agent vedette », à qui ils prodiguaient leurs félicitations pour son excellent travail.

Ils firent ensuite entrer dans la pièce une femme âgée en qui, à sa profonde stupeur, Sigler reconnut sa mère. Après l'avoir embrassé, elle lui offrit un napperon de dentelle en guise de souvenir. Plus tard dans l'après-midi, il partit à bord d'un petit jet pour Moscou, où Leonid Brejnev en personne le nomma colonel du KGB et lui remit une décoration. Un photographe du KGB enregistra la cérémonie pour la postérité. Avant de le raccompagner à Vienne, on lui fournit également un nouveau code pour décrypter les messages radio. Sigler avait atteint le summum des honneurs auxquels peut aspirer un agent double : quelques mois auparavant, à Washington, il avait été décoré par William Colby, directeur général de la CIA. Le cérémonial avait été entouré du même secret.

Pendant ce temps, seule à Nuremberg avec sa fille Karin, Ilse cédait à l'angoisse. Elle savait désormais que son mari n'était pas un simple courrier, comme il l'avait longtemps prétendu, mais bel et bien un espion — pis, qu'il travaillait à la fois pour les Soviétiques et les Américains. Autour d'elle, les incidents inquiétants se multipliaient. Ainsi, alors qu'elle changeait de l'argent à la réception de l'hôtel, elle remarqua dans le hall un Noir qui la surveillait. Quand elle sortit en ville faire des courses avec Karin, elle reconnut le même homme qui les suivait en voiture et elle s'efforça de le « semer » en changeant de tramway et en entrant dans plusieurs magasins.

Au petit déjeuner, un inconnu s'assit à leur table pendant toute la durée de leur séjour ; s'il se montra courtois et n'aborda dans la conversation que des sujets insignifiants, sa présence n'était pas moins inexplicable. Dans le train que les deux femmes prirent enfin pour se rendre à Stuttgart, elles eurent l'impression d'être épiées par un couple inconnu. Elles étaient donc manifestement soumises à une surveillance depuis leur départ des Etats-Unis. Mais par qui ?

Ilse ne se détendit qu'en arrivant à Stuttgart. Une fois installée à l'hôtel, elle appela son père et son frère et, ce soir-là, les retrouvailles de la famille se déroulèrent dans la bonne humeur. Mais le lendemain, quand Ralph les rejoignit, Ilse s'aperçut aussitôt qu'il était troublé, énervé. Au lieu de passer quinze jours en Allemagne tous ensemble comme prévu, il annonça qu'il rentrait sur-le-champ à El Paso avec Karin — ravie de ce changement de programme qui lui permettait de revoir son fiancé — mais qu'Ilse resterait à Stuttgart jusqu'à la fin normale de leur séjour. Ilse comprit qu'il s'était passé quelque chose de grave durant son voyage à Vienne.

Le père et la fille arrivèrent à El Paso le 23 juillet 1974. Le *debriefing* de Sigler par Schaffstall, Prasek et Zapata eut lieu le surlendemain. Mais Ilse, loin de profiter de son séjour auprès de sa famille comme elle l'avait espéré, butait à chaque pas, ou presque, sur d'inquiétants personnages qui la suivaient, l'épiaient. A bout de nerfs, elle reprit le chemin des Etats-Unis et arriva à El Paso le 29 juillet, tremblante de peur et de colère. Pour la première fois depuis leur mariage, ulcérée, elle ne put se contrôler et fit une scène à son mari en exigeant de savoir la vérité. Ralph lui répéta sa repartie, désormais classique : « Ne pose pas de questions et mêle-toi de ce qui te regarde ! »

John Schaffstall affirme que les services de l'armée n'avaient pas ordonné de surveillance des Sigler. Les filatures remarquées par Ilse auraient donc été le fait du FBI, de la CIA ou du KGB, voire des trois à la fois. Mais Schaffstall déclare, d'autre part, que « Ilse avait beaucoup d'imagination. Ralph la prétendait même plus ou moins paranoïaque... »

A la suite de ce voyage, aucun des officiers traitants de Sigler ne vint plus lui rendre visite chez lui comme par le passé. Zapata se contenta dorénavant de téléphoner pour fixer un rendez-vous quand il avait besoin de le voir.

Un jour, en faisant le ménage, Ilse voulut astiquer une mallette posée par terre dans le placard de la chambre d'amis. En l'ouvrit involontairement en manipulant la serrure et, par curiosité, regarda à l'intérieur. Elle trouva une enveloppe contenant des photographies. Sur l'une d'elles, William Colby, directeur général de la CIA, remettait à Ralph une médaille. Une autre aurait pu être prise pendant une remise de récompenses aux « vendeurs de l'année » d'une compagnie d'assurances: des messieurs en complet sombre, la mine compassée, flanquaient un personnage à la posture avantageuse d'un PDG. Parmi eux, un petit homme sec portant des lunettes, en qui Ilse reconnut son mari, se tenait à la droite d'un des hommes les plus puissants de la Terre: Leonid Brejnev. Sur d'autres clichés, on voyait Ralph serrant la main de George Bush, Ralph avec Youri Andropov. Horrifiée, Ilse remit les photos dans l'enveloppe et celle-ci dans la mallette, qu'elle cacha dans le haut du placard.

Ce soir-là, quand elle fit part à Ralph de sa découverte et exigea de savoir jusqu'où il poussait son double jeu, il lui répondit: « Ne parle à personne de ces photos. *Jamais*, si tu ne veux pas risquer ta vie. Comprends-tu? » Excédée, Ilse répliqua que, si ces documents étaient aussi dangereux, il ne devrait pas les laisser traîner dans un endroit accessible à tous, notamment aux camarades de Karin. Pour la énième fois, Ralph lui répéta de se mêler de ce qui la regardait.

Ilse pense que son mari avait montré les photos au FBI. Le

Bureau savait d'ailleurs que l'URSS, appliquant la technique classique de la « carotte », décernait généreusement promotions et décorations aux agents doubles, soit pour récompenser leurs mérites réels, soit dans l'espoir de les retourner définitivement. L'armée, en revanche, ignorait l'existence de ces photos jusqu'à ce qu'Ilse les lui remette en 1976. Elle n'a jamais pu les récupérer par la suite.

En novembre 1975, Ralph fut temporairement muté à la base d'essais de missiles de White Sands, près d'El Paso. Dès avant Noël, Ilse se rendit compte que son mari était de nouveau profondément troublé. Il passait par des périodes de dépression et ne se fiait plus à quiconque, pas même ses voisins, à l'exception de Carlos Zapata. Selon le colonel Grimes, chef de section aux services centraux de renseignement de l'armée, il s'agit là d'un phénomène psychologique normal : « Il ne faut pas perdre de vue que Ralph pratiquait le métier depuis longtemps — trop longtemps, sans doute. Un agent en arrive presque toujours à se méfier de son entourage. Son officier traitant est peut-être la seule personne à qui il fasse encore confiance. En outre, Ralph n'avait aucun véritable ami. »

De fait, selon John Schaffstall, s'il conservait une certaine amitié à Joe Prasek, Sigler n'avait plus confiance dans la manière dont le FBI contrôlait l'opération. Les sourdes luttes d'influence entre le FBI et l'armée se poursuivaient au grand dam des participants. Sur ordre supérieur ou de sa propre initiative, Prasek s'efforçait par tous les moyens de circonvenir Zapata et de l'amener à coopérer avec le FBI, au mépris des intérêts de l'armée. A Washington, la direction du FBI savait que la situation était anormale sur le terrain ; elle n'intervint cependant jamais pour corriger cet état de choses ou s'en informer sérieusement.

Que se passait-il en réalité ? Le FBI donnait-il en secret à

Sigler des ordres contraires à la discipline militaire qu'il était tenu de respecter? Nombre d'indices portent à le croire. Ainsi, dans son calepin de 1976, Sigler avait noté la location d'une voiture pendant un de ses voyages au Mexique. Or, il s'agissait, selon Schaffstall, d'une pratique formellement interdite par les règlements de l'armée, qui ne laissait jamais ses agents se déplacer seuls et sans protection. Ainsi encore, après un *debriefing* normal le 13 janvier auquel Prasek, Zapata et Schaffstall avaient pris part, Sigler rencontra de nouveau Prasek et Zapata le 17 janvier, mais sans Schaffstall, sous prétexte de « signer des reçus ».« C'est incompréhensible, dit Schaffstall. Cette rencontre n'avait aucune justification. S'il avait vraiment signé des reçus, il aurait dû aller à Fort Bliss dans le bureau de Zapata. » Selon le témoignage de Noel Jones et Louis Martel, officiers de renseignement aux services centraux de l'armée, le FBI usurpait trop souvent et trop volontiers le droit de contrôler les agents de l'armée.

Un jour de janvier 1976, Sigler demanda à Ilse et à Karin de signer chacune une feuille blanche d'un nom qui leur était inconnu, en expliquant à Ilse qu'il s'agissait d'une simple formalité. Quelques jours plus tard, après avoir reçu un coup de téléphone, il s'absenta une heure et, à son retour, montra à Ilse trois cartes d'identité canadiennes. Il lui remit la sienne et celle de Karin, établies aux noms d'Elizabeth Engler et Karin Engler, d'Ottawa, et garda pour lui celle qui portait le nom de Louis Rindler, de Toronto. Quand Ilse voulut savoir ce que signifiait cette « ridicule mascarade », Ralph répondit que les choses menaçaient de mal tourner et qu'ils devraient peut-être quitter précipitamment le pays tous les trois. Ilse le supplia alors d'abandonner ce jeu dangereux. « De toute façon, je suis à la retraite en juillet, répliqua-t-il. Je continuerai jusque-là. » En juillet 1976, Ralph aurait en effet trente ans d'ancienneté dans l'armée et prévoyait de se retirer. Schaffstall, pour sa part, affirme que si Ralph avait effectivement l'intention de prendre sa retraite, il comptait poursuivre son activité d'agent double.

Selon Schaffstall encore, les fausses cartes d'identité canadiennes avaient été fournies à Sigler par les Soviétiques à Mexico, car il leur parlait souvent de son inquiétude sur son sort et celui de sa famille « s'il se faisait prendre » et il leur demandait avec insistance un moyen de quitter rapidement le pays. Sigler avait communiqué les fausses cartes à Prasek, afin que le FBI vérifie auprès de la Police montée canadienne les numéros et les noms qui y figuraient. Les Soviétiques fournissaient des fausses pièces d'identité à d'autres agents de Schaffstall, mais c'était la première fois qu'ils utilisaient des documents canadiens.

A l'un de ses derniers voyages à Mexico, les Soviétiques versèrent à Ralph un paiement de quatre mille sept cents dollars. Il les remit comme d'habitude à l'armée, qui voulut lui accorder un bonus. Au lieu de faire construire une cheminée dans son living, comme on le lui proposait, il répondit que sa voiture était à bout de souffle et qu'il préférait en acheter une nouvelle. Quelques jours plus tard, Zapata lui apprit par téléphone que le bonus était accordé. Le samedi 20 mars 1976, Ralph Sigler prit livraison d'une superbe Pontiac *Trans Am* rouge. Il la destinait en réalité à sa fille Karin, qu'il aimait beaucoup. Jolie blonde de dix-sept ans, elle s'apprêtait à recevoir son diplôme de *High School* et à entreprendre des études supérieures.

Le 24 septembre 1975, au cours d'un *debriefing* de routine, Schaffstall avait informé Sigler qu'il devait être soumis à un examen au polygraphe, ou détecteur de mensonges. Son dernier examen lui avait été administré peu avant son affectation en Corée et remontait au mois d'août 1971. Sigler avait accepté de bonne grâce mais, pour diverses raisons, l'examen fut retardé jusqu'en mars 1976. Le règlement imposant, pour des raisons de sécurité, que ce genre d'examen se déroule dans des locaux privés, en dehors du lieu de résidence ou de travail de l'examiné, Schaffstall demanda à Sigler où il aimerait le subir. Ralph lui suggéra San Francisco, ville qu'il ne connaissait pas et souhaitait visiter. Schaffstall accepta d'autant plus volontiers que Ralph avait besoin de vacances et qu'il désirait se trouver seul avec lui, afin de parler tranquillement de ses projets après avoir quitté le service actif. Les Soviétiques lui portaient toujours le même intérêt et l'armée voulait en profiter pour poursuivre l'opération le plus longtemps possible. L'armée faisait déjà le nécessaire pour « caser » Sigler dans une entreprise travaillant pour la défense mais, selon Noel Jones qui supervisait l'opération depuis le quartier général, elle avait l'intention d'en confier entièrement le contrôle au FBI, car il aurait été illégal pour des militaires de diriger un agent devenu officiellement civil, sur qui ils n'avaient donc plus autorité.

Schaffstall ignorait, cependant, que Sigler n'avait pas choisi San Francisco pour le plaisir de se changer les idées, de savourer des crabes et d'admirer le paysage. Les Soviétiques lui avaient donné rendez-vous là-bas et il avait accepté « sans doute sur ordre de Prasek », dit Schaffstall. Noel Jones et Louis Martel, qui sera ultérieurement chef du contre-espionnage de l'armée dans le secteur de San Francisco, confirment de leur côté que l'armée n'avait pas été prévenue d'une rencontre entre Sigler et le KGB, mais que le FBI était « certainement au courant ». Jones ajoute que Sigler *croyait* peut-être rencontrer des agents du KGB, alors qu'il pouvait s'agir d'agents du FBI se faisant passer pour des Soviétiques, afin de tester Sigler avant qu'il ne passe sous le contrôle définitif du Bureau. Cette hypothèse est confortée par le fait que Sigler avait écouté le 4 mars, sur son poste à ondes courtes, les fréquences sur lesquelles les Soviétiques transmettaient habituellement leurs instructions, « sans rien avoir entendu ». Notons, par ailleurs, que John Schaffstall et le colonel Grimes déclarent que, durant toute l'opération, l'armée était tenue de remettre au FBI une copie de ses rapports, alors que le FBI ne lui fournissait en contrepartie aucune information — parce que, selon Eugene Peterson, chef du contre-espionnage au FBI, « il ne s'agissait pas en réalité d'une opération conjointe ».

Le 16 mars 1976, Sigler déposa une demande de permission du 23 au 27 mars, bien que sa rencontre avec Schaffstall ne fût prévue que pour le 25. Ses notes personnelles révèlent qu'il partit pour San Francisco en avion le 23 mars, se fit conduire en taxi au Travelers Lodge du Fisherman's Wharf puis se rendit au Vagabond Hotel, au coin de Van Ness Avenue et Filbert Street, où l'armée lui avait réservé une chambre à sa demande. Schaffstall s'étonna d'apprendre qu'il avait choisi cet hôtel situé dans un quartier plutôt mal famé. On retrouvera plus tard au domicile de Sigler un jeu de plans complets du Vagabond, et l'armée ignore encore à ce jour ce que Sigler y a fait pendant la durée de son séjour.

Ralph Sigler retrouva John Schaffstall pour le petit déjeuner, le mardi 25 mars à 8 heures du matin, au Ramada Inn de Bay Street. Calme et détendu, Sigler ne paraissait pas appréhender l'examen qu'il allait subir. Leur repas terminé, les deux hommes montèrent à la chambre 377 où la séance devait prendre place. Schaffstall présenta Sigler à Odell Lester King, son examinateur. Il regrettait que les services de l'armée n'en aient pas choisi un plus habile et psychologiquement mieux adapté au caractère de Sigler: « Un mauvais examinateur peut complètement fausser les résultats — avec le polygraphe, c'est facile. Je n'ai jamais aimé cette machine. » D'autres officiers de renseignement, comme Louis Martel, partagent cette opinion.

Schaffstall laissa ensuite Sigler seul avec King. Ce dernier lui expliqua, pour le principe, qu'il n'était nullement considéré comme un suspect et qu'il se soumettait de son plein gré à

240

l'examen. Il esquissa ensuite, dans leurs grandes lignes, les questions qu'il allait lui poser et lui demanda s'il avait des objections à formuler concernant certaines d'entre elles. Après que Sigler lui eut répondu que tout lui paraissait correct, il fixa les électrodes sur diverses parties de son corps, s'assit derrière lui et commença son interrogatoire par les « questions tests » habituelles:

Sommes-nous le 25 mars 1976?
Etes-vous membre de l'armée des Etats-Unis?
Etes-vous titulaire d'un permis de conduire?
Nous trouvons-nous actuellement en Californie?
Avez-vous jamais subtilisé des marchandises au PX?
Et à la cantine?
etc.

Jusqu'à la fin de la séance à 11 h 30, Sigler réagit de manière tout à fait normale. Il rejoignit Schaffstall pour le déjeuner et les deux hommes allèrent se promener au Fisherman's Wharf en parlant de ses projets, de sa nouvelle voiture. Dans l'après-midi, tout semblait devoir se poursuivre normalement quand, sur une question générale assez insignifiante telle que: « *Auriez-vous dit aux Soviétiques quelque chose dont vous ne nous avez pas parlé?* » les aiguilles du polygraphe s'affolèrent. King le signala à Sigler, qui admit aussitôt se sentir « coupable de quelque chose sans savoir exactement de quoi ». A 15 heures, appelé en renfort, Schaffstall fut stupéfié de la réaction de Sigler, qui réitéra son propre sentiment de surprise devant ce phénomène et affirma n'avoir jamais rien dit aux Soviétiques à l'insu de ses officiers traitants. Il n'avouait cependant pas l'existence de son rendez-vous avec les Soviétiques à San Francisco.

King se retira afin de laisser Schaffstall et Sigler s'entretenir sans témoin du problème. Au bout d'une heure de discussion sans résultat, Schaffstall demanda à Sigler d'y réfléchir jusqu'au lendemain et de le rejoindre à l'heure du petit déjeuner. A peine Sigler parti, il décrocha le téléphone et appela Noel

Jones, son chef aux services centraux de Fort Meade, qui fit part à son tour du problème au colonel Grimes. La nouvelle fit l'effet d'un coup de tonnerre dans tout le service : leur meilleur agent échouait à un simple examen au polygraphe ! Que dissimulait-il ? Et depuis quand ? Ce pouvait être catastrophique pour tout le monde et des têtes risquaient fort de tomber...

Le lendemain, Sigler rendit sa chambre au Vagabond et alla retrouver Schaffstal à 8 h 30 au Ramada Inn pour le petit déjeuner. Il paraissait de bonne humeur mais ne comprenait toujours pas la cause de sa réaction émotionnelle de la veille. Il ressentait, dit-il à Schaffstall, comme « un coup dans la poitrine » chaque fois qu'une question commençait par « Avez-vous ?... » Au cours de la séance, il avoua à King avoir révélé à son père, ainsi qu'à quelques collègues avec qui il servait en Europe, qu'il était agent secret, sans toutefois avoir jamais révélé ses activités à des personnes non autorisées, encore moins aux Soviétiques. Sa fille elle-même l'ignorait.

Vers midi, il déclina l'offre de Schaffstall de déjeuner avec lui, car il devait aller chercher ses bagages laissés au Vagabond : il avait rendu la chambre en croyant que l'examen se terminerait le soir et qu'il pourrait rentrer à El Paso. Schaffstall le conduisit en voiture, le ramena avec ses affaires au Ramada Inn et lui dit qu'il pourrait rester coucher dans la chambre 377 servant à l'examen.

King remarqua aussitôt, parmi les bagages de Sigler, trois boîtes de bière et lui fit observer que la consommation d'alcool avant et, surtout, pendant un examen au polygraphe faussait les résultats. Sigler lui répondit avoir acheté un *pack* de six boîtes la veille ; puis, d'un geste de défi, il décapsula une des trois boîtes restantes, en avala le contenu et en attaqua aussitôt une autre. Quand il en fut informé, Schaffstall ne s'étonna pas de ce comportement : « C'est digne de Ralph. Il suffisait que King lui en fasse l'observation pour qu'il en rajoute ! » Malgré cette raison évidente de surseoir à la poursuite de l'examen, King le reprit et, de même que la veille, Sigler réagit mal aux questions portant sur des révélations éventuelles à des tiers non autorisés ou des dissimulations de renseignements à ses officiers traitants.

A 16 h 30, la séance terminée, Schaffstall prit le relais et s'efforça de faire parler Sigler. Pendant plus de deux heures et demie « nous avons marché dans tout San Francisco. Je n'ai pas arrêté de lui parler, de lui demander s'il ne se rappelait rien qui puisse avoir provoqué ses réactions », se souvient Schaffstall. Mais Sigler lui donnait la même réponse : il se sentait coupable sans savoir de quoi. Il confia également à Schaffstall qu'il avait besoin de l'opération, qu'il tenait à son estime, à l'amitié de Prasek et de Zapata, qu'il était prêt à se soumettre à l'hypnose ou à prendre des drogues s'il le fallait pour régler le problème. Schaffstal le rassura : l'armée ne le ferait pas passer en conseil de guerre s'il avait commis des erreurs. Puis, lui ayant conseillé de se détendre, il conclut en disant que l'examen reprendrait le lendemain.

De retour à l'hôtel, Schaffstall rejoignit Noel Jones qui venait d'arriver. Après qu'ils se furent concertés, Jones décida de parler lui-même à Sigler et demanda à Schaffstall de le conduire à sa chambre. Contrairement à Schaffstall, Jones se montra ferme. Il rappela à Sigler la confiance que l'armée avait placée en lui, la manière loyale dont il avait toujours été traité. Sans écouter ses protestations de bonne foi, il lui dit enfin que l'opération était « suspendue » jusqu'à nouvel ordre, et au moins jusqu'à ce que son problème fût résolu.

Visiblement secoué, Sigler réfléchit en silence. Il ouvrit la bouche à deux ou trois reprises, comme s'il s'apprêtait à faire quelque révélation capitale, pour se raviser chaque fois et finalement déclarer : « Je ne peux rien vous dire pour le moment. » Il conclut en répétant que tout allait bien et qu'il n'avait jamais compromis le succès de l'opération. Jones le pressa, en conclusion, de réfléchir très sérieusement aux causes de l'échec de son examen et de révéler tout ce qu'il dissimulait encore à Schaffstall et à Odell King.

Lorsque, le lendemain matin, King eut remballé ses appareils et déclaré à Sigler qu'ils se « reverraient sans doute bientôt », Schaffstall demanda à Sigler s'il acceptait d'aller à Washington afin de régler le problème une fois pour toutes. Sigler répondit qu'il avait lui même à cœur de trouver une solution car il voulait à tout prix poursuivre cette opération dans laquelle il voyait une raison de vivre. Soucieux, mais réconforté de le voir en de si bonnes dispositions, Schaffstall le rassura de nouveau : il ne s'agissait sans doute de rien de grave, l'armée ne le soupçonnait pas ni ne songeait à l'accuser de trahison. Il lui conseilla de prendre quelques jours de repos, car il ne serait pas convoqué avant une semaine. S'il se souvenait de quelque chose d'ici là, il n'aurait qu'à en parler à Zapata ou à Prasek.

Quand Sigler monta en taxi devant l'hôtel pour se rendre à l'aéroport, Schaffstall le regarda partir avec inquiétude. A l'évidence, Sigler cachait quelque chose. Et ce quelque chose, l'armée était déterminée à le découvrir.

18

La dernière mission

Le lundi matin, tandis que Schaffstall et Louis Martel discutaient à Fort Meade, avec Noel Jones et Odell King des réactions de Sigler au polygraphe, ce dernier remplissait à Fort Bliss les formulaires de demande de visite médicale préludant à sa mise à la retraite.

A la fin du mois de mars, Sigler avait énuméré les causes éventuelles de ses problèmes :

Argent
Pièces d'or
Manuel
Secrets révélés? (ne peux me rappeler détails)
Sentiment de culpabilité, attente messages radio
Honte ne pas tenir l'alcool
Peur — de quoi?

Chaque point de cette liste se référait à un incident ou à une imprudence avoué par Sigler ou dont l'armée était déjà informée. *Argent* signifiait les subsides versés par le KGB à sa mère. *Pièces d'or* faisait allusion à des pièces d'or offertes en prime par les Soviétiques mais dont il n'avait pas parlé à Schaffstall « de peur qu'on ne les lui prît ». Le *Manuel* était celui dérobé à Fort Bliss quand il n'avait disposé d'aucun document à remettre aux Soviétiques. Mais ses officiers traitants se souciaient bien davantage de sa tendance à trop parler quand il avait bu, comme cela lui était arrivé en Corée avec le capitaine Bruce McCain. Louis Martel avait d'ailleurs fait comprendre à ce dernier qu'il ferait mieux de ne « répéter à personne ce que Ralph lui avait dit ». Terrorisé, McCain avait juré de rester muet. Aussi, l'armée craignait surtout que

Ralph, sciemment enivré par les Soviétiques, ne leur eût divulgué des détails de l'opération. Selon Martel, « il n'avait pas accès à de véritables secrets en dehors de ceux que nous lui communiquions, mais il pouvait nous causer un tort considérable en révélant involontairement son rôle et la façon dont il opérait. Il était notre agent vedette depuis trop longtemps, il savait beaucoup trop de choses ».

Les mots *sentiment de culpabilité* et *messages radio* auraient dû sonner l'alarme. Or, selon Martel, personne n'y prêta attention sur le moment, car on savait que Sigler recevait ses instructions des Soviétiques par ondes courtes. Une enquête sérieuse aurait cependant permis de découvrir à temps certaines de ses activités, dont l'armée ignorait encore tout.

Le 30 mars 1976, Carlos Zapata intervint auprès du lieutenant-colonel Davenport, responsable de la sécurité de Fort Bliss, puis du colonel Webster, commandant de la base de White Sands, afin d'obtenir le retour de Ralph Sigler à Fort Bliss. Le 1er avril, Sigler demanda une permission du 4 au 10 avril, pour « rendre visite à son père en Pennsylvanie ». Le même jour, il passa sa visite médicale à l'infirmerie de Fort Bliss. Le rapport certifia qu'il était en bonne santé. Sigler en subtilisa une copie et, de retour chez lui, la dissimula dans le coffre de sa Pontiac neuve, sous la moquette qu'il recolla soigneusement. Cela semble indiquer qu'il souhaitait se procurer une preuve indiscutable de son bon état de santé physique et mental, en prévision d'un problème grave.

Avant son départ, Sigler informa le colonel Webster et ses collègues de White Sands qu'il reviendrait le 7 avril terminer un travail en cours. Il avait dit à Ilse qu'il allait à Washington pour une « importante réunion » avec le KGB, sans mentionner l'examen que l'armée devait lui faire subir.

Le dimanche 4 avril à 13 heures, Ilse accompagna Ralph à l'aéroport. En quittant la maison, elle remarqua une camionnette, portant une immatriculation militaire, qui déboucha d'une rue transversale et les suivit presque jusqu'à l'aéroport, relayée ensuite par une autre camionnette dont elle reconnut le conducteur, un sous-officier venu la veille s'entretenir avec Ralph. Devant l'aérogare, deux hommes faisaient le guet dans une voiture verte. Ilse reconnut plus tard cette voiture, qui appartenait à Joe Prasek. Ralph répéta à Ilse en la quittant qu'il rentrerait « mercredi ou jeudi ». La date de retour sur son billet d'avion était en effet celle du 7 avril.

A Baltimore, Sigler se rendit en taxi au motel Howard Johnson, non loin de l'aéroport, où il s'inscrivit à 22 h 30. Il appela ensuite John Schaffstall à son domicile en Virginie pour lui signaler son arrivée et lui apprendre qu'il occupait la chambre 620. Ils convinrent de se rencontrer le lendemain à l'heure du petit déjeuner au restaurant de l'hôtel.

L'armée ne voulait pas amener Sigler à Fort Meade, dont on craignait qu'il ne fût infiltré par le KGB ou le GRU. Si Sigler y était vu, *Graphic Image — Landward Ho* serait grillé. Or, l'armée le considérait toujours comme un agent en activité, possédant une « couverture » intacte. Une fois les problèmes de son examen au polygraphe discrètement résolus, l'opération pourrait se poursuivre jusqu'à sa mise à la retraite officielle.

Le 5 avril 1976 à 8 h 30, Schaffstall et Sigler se retrouvèrent comme convenu. Confiant et de bonne humeur, Sigler dit qu'il était sûr de réussir l'examen et ne prévoyait plus de problèmes. Schaffstall l'emmena alors dans la chambre 404, où les attendait Odell King. La séance du matin se déroula sans incident. Mais quand les questions reprirent après le déjeuner, Sigler eut une fois de plus des réactions émotives dès que l'examinateur abordait ses relations avec les Soviétiques. Tendu, nerveux, il ne put en fournir aucune explication.

A 16 heures, King laissa la place à Schaffstall. Sigler et lui réexaminèrent en détail chacune de ses rencontres avec les Soviétiques ; malgré les incitations et les propos rassurants de

Schaffstall, Sigler affirmait ne pas comprendre d'où venait le problème. S'il admettait avoir parlé à la légère au capitaine McCain en Corée, il répétait n'avoir jamais dit aux Soviétiques qu'il travaillait pour les services de renseignement ni leur avoir révélé, même involontairement, le nom de ses contacts.

C'est alors qu'il lâcha sa première bombe en déclarant avoir « consulté ses notes » avant de venir. Effaré, Schaffstall parvint à conserver son sang-froid et demanda de quelles notes il s'agissait. Avec la désinvolture de la bonne conscience, Sigler répondit que, depuis le début, il tenait son journal sur des cahiers dissimulés chez lui, pratique contraire aux règles les plus élémentaires de la profession et, bien entendu, rigoureusement prohibée. Il ajouta que Prasek et lui se promettaient parfois d'écrire un livre ou un roman d'espionnage, mais que si Prasek parlait sérieusement, il considérait lui-même ce projet comme une plaisanterie et n'aurait jamais rien fait qui puisse nuire à l'opération.

Pendant ce temps, à Fort Meade, le rapport d'Odell King faisait souffler un vent de panique sur la section des Opérations spéciales. Leur meilleur agent avait-il été retourné par l'adversaire ? Que leur dissimulait-il avec tant d'opiniâtreté ? Noel Jones et le colonel Grimes estimèrent que Schaffstall avait noué des liens trop étroits avec Sigler et que celui-ci confesserait ses erreurs à un étranger plus facilement qu'à un ami. Il était inutile de le soumettre au polygraphe tant qu'il n'aurait pas déchargé sa conscience.

Lorsque Schaffstall quitta enfin Sigler ce soir-là, ses supérieurs hiérarchiques avaient décidé de le retirer de l'opération et de nommer Louis Martel officier traitant de Sigler à sa place. Familier de l'opération pour y avoir collaboré avec Schaffstall, Martel connaissait très peu Ralph Sigler, qu'il n'avait rencontré qu'une seule fois en 1974 à son retour de

248

Vienne. Excellent professionnel, sympathique à tous ceux qui l'approchaient, il ne pourrait néanmoins être suspect d'indulgence excessive envers son nouvel agent.

Le matin du 6 avril 1976, Jones et Martel se rendirent au Howard Johnson. Etonné de les voir alors qu'il attendait Schaffstall, Sigler en demanda la raison ; Jones lui expliqua que Martel le remplacerait « pour quelque temps » et Sigler accueillit ce changement d'officier traitant sans déplaisir apparent. Pendant près d'une heure, les trois hommes discutèrent sans résultat : aux amicales objurgations de Jones et de Martel, affirmant que l'armée ne l'accusait de rien ni n'avait l'intention de sanctionner ses erreurs éventuelles, Sigler ne pouvait que répondre qu'il ne comprenait pas ce qui lui arrivait et n'avait rien à se reprocher. A plusieurs reprises, il parut réfléchir comme s'il s'apprêtait à faire une révélation mais se ravisa chaque fois. Martel s'absenta alors à la demande de Jones, qui voulait rester seul avec Sigler.

Lorsque les deux officiers se rejoignirent à la fin de l'entretien, Jones était à la fois soulagé et furieux. Sigler avait lâché une nouvelle bombe en avouant avoir eu, à l'insu de l'armée, des contacts suivis avec le FBI et la CIA, à qui il rendait compte de ses rencontres avec les Soviétiques. C'était là, sans doute, la cause de ses vives réactions au polygraphe. Jones se souvient d'avoir quitté la chambre de Sigler « enragé. Ce n'était pas la première fois que le FBI nous faisait le coup ! » Sigler paraissant soulagé par sa confession, rendez- vous avait été pris pour un nouvel examen au polygraphe le lendemain ou le surlendemain.

Ce soir-là, entre 22 heures et 23 heures, Ralph Sigler téléphona à sa femme pour la prévenir qu'il ne rentrerait pas le mercredi comme convenu et la rappellerait plus tard pour la tenir au courant de sa date de retour.

Le lendemain matin, vers 10 h 30, Martel revint voir Sigler seul à seul dans l'espoir de le faire parler plus en détail. Il se souvient d'avoir été convaincu, à ce moment-là, que Sigler

« travaillait pour les Soviétiques en nous faisant marcher, et vice versa. Il est tentant pour un agent double de mener un double jeu pour son propre compte et de manger à tous les râteliers ». En apprenant que l'examen reprendrait le lendemain, Sigler fit un nouvel aveu : les Soviétiques insistaient pour obtenir des renseignements de meilleure qualité au point que, de sa propre initiative, il répondait à leurs questions quand il connaissait les réponses, mais à seule fin de préserver sa crédibilité vis-à-vis d'eux et de ne pas compromettre le succès de l'opération. Martel garda son calme, l'assura qu'il avait bien fait et que, maintenant qu'il n'avait plus rien à cacher, son examen se déroulerait sûrement sans problèmes.

Cet après-midi-là, Jones, Martel, Schaffstall, King et le colonel Grimes décidèrent de récupérer d'urgence les notes que Sigler conservait chez lui, dans le double dessein de les mettre en lieu sûr et de vérifier les déclarations de Sigler ou de lui rafraîchir la mémoire. Seul à connaître Mme Sigler, Schaffstall irait les chercher à El Paso. Malgré les recommandations de King lui-même, pour qui un nouvel examen serait inutile tant l'accumulation et la répétition des questions embrouillaient les réponses de Sigler et leur faisaient perdre toute signification valable, Jones et le colonel Grimes voulurent tenter une dernière expérience le lendemain.

Le 8 avril 1976 à 8 h 30, pendant que l'avion de Schaffstall décollait à destination d'El Paso, Odell King arriva au Howard Johnson. Sigler et lui se connaissaient maintenant assez bien pour avoir des rapports plutôt amicaux. King mit Sigler à l'aise : il ne cherchait qu'à vérifier ses déclarations volontaires à Jones et Martel sur sa collaboration avec le FBI et la CIA et sur les renseignements divulgués aux Soviétiques. Dès le début, pourtant, King constata que les réactions de Sigler étaient aberrantes et ne révélaient rien, dans un sens ou dans l'autre. Sigler lui expliqua qu'il n'avait pratiquement pas dormi de la nuit et qu'il était très fatigué — lassitude et manque de sommeil d'ailleurs évidents. King lui conseilla de

250

déjeuner et de se reposer en attendant son retour. Ils verraient alors si Sigler serait ou non en état de subir l'examen.

Lorsque King revint une heure plus tard, Sigler l'attendait avec impatience pour « reparler des questions déjà évoquées ». Mais c'était pour démentir ses précédentes déclarations, en prétextant ne pas pouvoir en garantir la véracité : il ne niait pas les avoir faites, il prétendait qu'il s'agissait plutôt de boutades et qu'il regrettait d'avoir involontairement induit Martel en erreur.

Stupéfait d'un tel revirement, King téléphona aussitôt à Martel et lui demanda de venir. Quand ce dernier arriva, King lui rapporta brièvement les propos de Sigler, en ajoutant qu'il n'avait dormi que deux heures la nuit précédente et serait de toute façon hors d'état d'être examiné. Furieux, Martel comprit que Sigler esquivait délibérément l'examen et il le mit en demeure de s'expliquer. Sigler fut incapable de lui donner une réponse satisfaisante. Il parut cependant soulagé quand Martel, de guerre lasse, lui proposa de descendre boire un verre au bar et de se changer les idées. Après avoir bavardé de voitures et autres sujets insignifiants, Martel pria Sigler d'appeler sa femme pour autoriser Schaffstall à chercher ses notes. Sigler avertit Ilse de la visite de Schaffstall et précisa que les documents étaient cachés dans la chaîne stéréo. Il demanda ensuite à Martel de recommander à Schaffstall de ne pas arriver avant 18 heures, afin d'éviter d'être vu par sa fille Karin qui partait pour ses cours du soir à cette heure-là. Martel l'assura qu'il ferait transmettre la commission par Noel Jones.

Schaffstall se présenta chez les Sigler à 18 h 30. Ilse le conduisit à la chambre d'amis servant à Ralph d'atelier et de cabinet de travail, elle l'aida à écarter la stéréo du mur et alla chercher un tournevis. Le fond de l'appareil démonté, Schaffstall découvrit bien plus que les quelques calepins auxquels il s'attendait. Le logement des haut-parleurs servait de cachette à une boîte métallique de forte taille fermée à clef (Ilse affirme en avoir remis les clefs à Schaffstall, celui-ci assure avoir dû forcer la serrure, faute de clefs), un classeur à anneaux, deux enveloppes de papier kraft, l'une contenant des feuillets couverts de notes manuscrites, l'autre des croquis. De son hôtel, Schaffstall téléphona à Prasek de venir faire avec lui l'inventaire de ces documents.

Dans la boîte de métal, les deux hommes trouvèrent des billets de chemin de fer, les plans de Mexico et de Zurich, des photographies de Vienne, dix passeports établis à dix noms différents, des microfilms vierges, un code de décryptage des messages radio, un carnet d'adresses vierge et des photos de Ralph sur une plage en compagnie de trois ou quatre inconnus en costume de bain. Des palmiers à l'arrière-plan indiquaient que la plage était située dans un pays tropical, ou peut-être au Mexique. Schaffstall resta perplexe : ces photographies avaient-elles une signification ou une valeur particulière ? Pourquoi Sigler les conservait-il dans la boîte métallique ? Qui étaient ses compagnons ? Prasek et Schaffstall s'étonnèrent par ailleurs de l'absence des fausses cartes d'identité cana-diennes, que Sigler aurait logiquement dû ranger avec ses faux passeports. Avant de se retirer, Prasek s'enquit des problèmes rencontrés par Sigler dans ses tests au polygraphe et accusa ironiquement les militaires de « ne pas savoir lire les gra-phiques ». Muni de son précieux chargement, Schaffstall re-prit le lendemain matin l'avion pour Washington.

Le 9 avril 1976 était une belle journée de printemps. Louis Martel demanda à Noel Jones l'autorisation d'emmener Sigler se promener et « boire tranquillement quelques bières ». Depuis le début, Sigler n'avait cessé de supplier Schaffstall, puis Martel, de l'aider à y voir clair : « Il y a quelque chose qui ne tourne pas rond, mais je ne sais toujours pas quoi. Aidez-moi, les gars, parlons, on le découvrira peut-être. » Martel espérait que l'alcool lui délierait la langue en neutralisant les blocages psychologiques qui empêchaient la vérité de se manifester. Avec le recul, Schaffstall estime que Martel avait fait fausse route : « Les Soviétiques ont vingt fois essayé de soûler Ralph sans réussir à le faire parler. Il n'est jamais tombé dans le piège. Ralph était de taille à soûler Martel plus sûrement que le contraire. »

Jones autorisa néanmoins la tentative : après avoir vainement tout essayé, ils n'avaient plus rien à perdre. Martel proposa donc à Sigler de sortir se changer les idées et boire quelques verres ensemble. Sigler accepta volontiers et les deux hommes commencèrent une tournée des bars. Au début, Martel maintint la conversation sur un terrain neutre, sans aborder le sujet qui les préoccupait. Ce fut Sigler qui réitéra bientôt de lui-même son appel à l'aide. « A quoi bon y revenir ? répliqua Martel. Nous avons déjà tout envisagé, à mon avis il n'y a plus rien à revoir. Mais parlons-en quand même, si vous y tenez. »

La transcription de leur conversation, classée « Secret défense », ne peut être reproduite. Nous savons toutefois que Martel formula sous une forme différente certaines questions déjà posées à Sigler et que ce dernier répondit : « Voilà, c'est exactement cela ! » Nous savons aussi que Sigler, ce jour-là, précisa à Martel quels renseignements il avait communiqués aux Soviétiques, notamment ses contacts dans les services de l'armée. Sigler aurait affirmé n'avoir indiqué que des noms, sans plus de détails. Mais Schaffstall, dans une interview ultérieure, déclare qu'il n'en croyait rien : « Mon instinct me répète qu'il en a dit beaucoup plus que cela sur notre compte. Il a dû se trouver coincé d'une manière ou d'une autre et je parierais qu'il leur a donné, entre autres choses, la liste de tous les officiers de renseignement qu'il connaissait, à la base ou ailleurs — peut-être même Zapata et moi. »

En voiture, à l'abri des oreilles indiscrètes, Sigler poursuivit ses confidences. Il admit avoir agi dans le dessein « d'améliorer l'opération » et de valoriser son propre rôle. Convaincu que cette confession constituait la clef des problèmes rencontrés par Sigler jusqu'alors, Martel lui dit qu'il n'y avait plus de raison d'éviter un dernier examen au polygraphe et, pour arroser ce succès, ils décidèrent de finir la tournée au bar « Le Tombouctou », près de l'aéroport. Sigler avait retrouvé toute sa bonne humeur. Il flirta avec les serveuses, lia conversation avec deux joyeux lurons, assis à la table voisine, qui attendaient leur avion pour Cleveland.

Pendant qu'ils plaisantaient, Martel alla téléphoner à Jones pour lui apprendre que le problème semblait résolu et que, après une dernière bière, il raccompagnerait Sigler à son motel et regagnerait Fort Meade. Les deux voisins de table partis pour l'aéroport, Martel et Sigler se levèrent à leur tour, l'un et l'autre assez sérieusement éméchés mais encore lucides. Sur le chemin du retour, regrettant de n'avoir rien noté de leur conversation dont il ne se rappelait que l'essentiel, Martel dit à Sigler qu'il reviendrait le voir le lendemain samedi, s'il n'y voyait pas d'inconvénient. Sigler accepta et les deux hommes se séparèrent d'excellente humeur.

Ce même soir, à El Paso, le colonel Webster téléphona à Ilse. Il lui demanda pourquoi Ralph n'avait pas repris son service comme prévu, si elle avait de ses nouvelles et savait quand il rentrerait. Ilse répondit que, à sa connaissance, son mari comptait revenir pendant le week-end. Le colonel la pria de dire à Ralph de l'appeler dès son retour,

Il faisait toujours beau le 10 avril 1976, quand Jones, Martel et Schaffstall examinèrent les documents trouvés chez Sigler. L'étendue et la précision de ces notes les étonnèrent. Elles constituaient un historique complet des activités de Sigler depuis le début de l'opération et contenaient des informations détaillées : noms de tous les agents américains et soviétiques avec lesquels il avait été en rapport, dates et lieux des contacts, liste des renseignements communiqués aux Soviétiques à ces occasions. Pressé d'aller à son rendez-vous avec Sigler, Martel ne fit que feuilleter les cahiers, où il ne découvrit rien que Ralph n'eût déjà admis. Estimant plus utile d'exploiter ses révélations de la veille, il comptait lui remettre un cahier vierge sur lequel Sigler consignerait en détail, comme il savait si bien le faire, tout ce dont il se souviendrait. Jones décida alors de l'accompagner et les deux hommes partirent pour le motel.

Avant leur arrivée, Sigler avait réglé sa note de la semaine en se servant de sa Master Card, ce qui était absolument contraire aux procédures en vigueur. « Nous avons toujours l'ordre impératif de payer en liquide, déclare Schaffstall. Je ne m'explique pas pourquoi Ralph a fait cela. Il avait assez d'argent sur lui. S'il en avait eu besoin, il lui aurait suffi de nous en demander, il le savait. »

Jones et Martel retrouvèrent Sigler vers 10 heures. Ils prirent ensemble un café avant de sortir marcher dans la rue. Martel lui demanda de noter par écrit leur conversation de la veille, ainsi que tout ce dont il pourrait se souvenir par ailleurs, et qu'il viendrait chercher le cahier lundi matin. Sigler accepta en disant que cela lui ferait « passer le temps pendant le week-end ». Puis, bien qu'il eût déjà payé avec sa carte de crédit, il demanda de l'argent pour régler sa note. Martel lui en donna et lui rappela que, s'il survenait quoi que ce soit pendant le week-end, il lui suffirait d'appeler chez lui John Schaffstall, qui transmettrait la commission.

A 11 heures, aussitôt après leur départ, Sigler se réinscrivit au Howard Johnson. Laisser un agent séjourner une semaine dans le même hôtel sous son vrai nom constitue, selon les spécialistes interviewés dans ce livre, un inexcusable manquement aux règles les plus élémentaires de la sécurité. L'étrange comportement de Sigler rappelle son départ du Vagabond à San Francisco où, dans des circonstances similaires, il avait réglé sa note mais laissé ses bagages parce qu'il envisageait de s'y réinstaller.

Le soir, Sigler téléphona à Ilse. Elle lui parla de l'appel du colonel Webster, lui conseilla de ne pas se mettre en situation irrégulière et voulut savoir s'il avait bien reçu les documents récupérés par Schaffstall. Ilse lui demanda ensuite s'il comptait téléphoner le lendemain dimanche, comme d'habitude quand il était en voyage, et reçut cette réponse inattendue : « Cela dépend de comment je me sentirai. »

Aucun représentant de l'armée ne vint voir Sigler le dimanche 11 avril. Dans l'après-midi, il dit à Schaffstall par téléphone qu'il avait besoin d'argent et qu'il fallait faire prolonger sa permission, car le colonel Webster s'inquiétait de son absence. Schaffstall répondit qu'il lui ferait parvenir de l'argent et chargerait Carlos Zapata de régler le problème avec le colonel. Pendant leur brève conversation, il parut normal et affirma que « tout allait bien ».

Le lundi 12 avril 1976, à Fort Meade, Louis Martel, Noel Jones et le colonel Grimes décidèrent enfin que Sigler était depuis trop longtemps au Howard Johnson, où sa présence quotidienne au bar et au restaurant risquait d'éveiller la curiosité, et qu'il convenait de le transférer au Holiday Inn un peu plus loin. Dans la matinée, en allant chercher le cahier, Martel dit à Sigler de se préparer à changer d'hôtel. Puis, après lui avoir remis de l'argent liquide, il alla attendre dans sa voiture que Sigler eût bouclé ses bagages. Or, une fois encore, Sigler paya la note avec sa Master Card, sans toucher à la somme que Martel venait de lui donner.

Après avoir accompagné Sigler au Holiday Inn, où celui-ci indiqua qu'il resterait jusqu'au 14 avril, Martel regagna Fort Meade. Il examina rapidement le cahier de Sigler avec Jones et les autres. Jones décida que Martel ferait mieux de retourner au Holiday Inn revoir point par point ses notes avec Sigler, soit qu'il se remémore d'autres détails, soit qu'il veuille fournir des explications de vive voix. Jones lui adjoignit un membre de l'équipe, Peter Conway. Chargé d'observer Sigler pendant que Martel le ferait parler, Conway pourrait remarquer des tics verbaux ou des jeux de physionomie révélateurs qui auraient échappé à Martel.

Les deux hommes n'apprirent rien de plus au cours de cette séance. Martel ne questionna même pas Sigler sur le contenu de la boîte métallique qui, pour lui, ne présentait pas d'intérêt car il n'apportait aucun élément nouveau. Avant de partir, il annonça à Sigler qu'il subirait un dernier examen au polygraphe le lendemain, mardi 13 avril, et qu'il comptait désormais sur sa réussite. Sigler approuva en disant : « C'est vrai, maintenant j'ai tout dit, il n'y a plus de problème. »

Martel recommanda une fois de plus à Sigler de ne pas boire d'alcool et de se ménager une bonne nuit de repos. Or, avant de quitter l'hôtel, Martel et Conway s'arrêtèrent au bar boire un verre. Stupéfaits, ils virent Sigler y entrer : il feignit de ne pas les voir et commanda une bière. Ils avalèrent leurs consommations, posèrent un billet sur la table et partirent précipitamment, sans même réprimander Sigler ou le dissuader de boire.

Ce soir-là, Ralph téléphona à Ilse et lui annonça qu'elle recevrait bientôt une lettre de lui. Il paraissait abattu et Ilse l'entendait mal. Quand elle le pria de parler plus fort, il répondit : « Oui, je vais parler fort ! J'ai des ennuis. Mais ce n'est pas notre faute, c'est la leur. Ils ne veulent plus continuer. Si je réussis mon examen, on me laisse partir demain. » Il demanda ensuite des nouvelles de son chien. Cette conversation bizarre inquiéta fortement Ilse.

Le mardi 13 avril au matin, le colonel Grimes réunit son équipe pour préparer les questions qu'Odell King allait poser à Sigler. Elles devaient être précises, afin de provoquer des réactions nettes, et couvrir les points sur lesquels Sigler avait admis se trouver fautif : contacts clandestins avec les Soviétiques, dissimulation de missions exécutées sous leurs ordres, divulgation sans autorisation préalable de renseignements et de noms d'agents américains que le KGB souhaitait recruter, etc.

Ce même jour, selon le cachet de la poste, Sigler envoya la lettre dont il avait parlé à Ilse la veille au soir.

Martel accompagna King au Holiday Inn. Pendant que celui-ci installait ses appareils, il bavarda avec Sigler : « Vous êtes-vous souvenu d'autre chose depuis hier ? Avez-vous bien dormi ? » Sigler l'assura que tout allait bien. « Vous n'avez rien bu hier soir ? » insista Martel. Sigler répondit non sans sourciller. Il paraissait sûr de lui et d'excellente humeur. Martel préféra s'abstenir de faire allusion à leur rencontre au bar, lui souhaita bonne chance et prit congé.

Le mardi 13 avril 1976 à 11 heures du matin, Louis Martel sortit du Holiday Inn, remonta en voiture et démarra en direction de Fort Meade. Il n'allait plus revoir Ralph Sigler vivant.

19

La fin d'un agent double

Le mardi 13 avril 1976, Ralph Sigler répondit trois heures durant aux questions d'Odell King. A toutes celles concernant son rôle dans l'opération, ses révélations ou ses aveux, le polygraphe enregistra des réactions dénotant un mensonge ou une dissimulation. Sigler ne manifesta pas de surprise lorsque King le lui apprit. Il étudia calmement les graphiques en déclarant n'avoir pas ressenti le malaise ou le sentiment de culpabilité éprouvé lors des précédents examens. King le poussa à s'expliquer. Sigler se borna à demander si on avait l'intention de lui administrer un « sérum de vérité », King répondit n'avoir pas entendu parler d'un tel projet.

King informa Martel par téléphone de ce nouvel échec et se prépara à regagner Fort Meade. Au moment de partir, Sigler le pria de lui rapporter un pack de six boîtes de bière, car il n'avait pas envie de descendre au bar. King dit qu'il n'avait pas le temps de lui rendre ce service, mais qu'il ferait la commission à Martel, qui s'en chargerait sûrement. Odell King referma la porte de la chambre à 14 h 45. Il n'allait jamais, lui non plus, revoir Ralph Sigler vivant.

Les notes suivantes figurent, à la date du 13 avril, dans l'agenda de Sigler:

Encore raté aujourd'hui. Pourquoi?
Peut-être parce que j'ai peur.
Appeler la maison, demander nouvelles hypertension.
Mon rapport médical dans la voiture.
Changer de voiture avec Karin, la vieille me suffira.

Mes papiers appartiennent à ma fille.
Elle doit savoir qui était son père.
Je veux être incinéré.

Revenu à Fort Meade, King discuta de la situation avec
Jones, Schaffstall et Martel. Faute de résoudre rapidement le
problème, tous ceux qui avaient recruté Sigler dix ans auparavant et restaient mêlés à l'opération verraient leur carrière
compromise. Ils décidèrent donc de faire venir Sigler à Fort
Meade le lendemain, 14 avril, et de le soumettre à un interrogatoire en règle afin de lui faire avouer de gré ou de force ce
qu'il leur dissimulait depuis si longtemps. « Nous n'avions pas
le choix, admet le colonel Grimes. Si nous voulions un
résultat, il fallait employer les grands moyens. » Le nom d'un
homme s'imposa alors pour conduire avec toutes les chances
de succès cet interrogatoire musclé : Donnel J. Drake. Taillé
en Hercule, le teint hâlé, le visage barré d'une épaisse moustache noire, Drake possède un physique impressionnant et
une voix qui, à elle seule, fait trembler l'adversaire le plus
coriace. Réputé dans tous les services de renseignement pour
« obtenir des résultats », il était en effet l'homme de la
situation. Si quelqu'un pouvait intimider Ralph Sigler, c'était
lui.

Drake avait rencontré Sigler en 1966, lorsqu'il suivait à
Washington ses stages de formation auprès du FBI et des
services de l'armée, et l'avait vu pour la dernière fois à son
retour de Vienne. (Drake avait observé, pendant le *debriefing*, que l'indifférence de Joe Prasek et son comportement de
matamore prêtaient sérieusement le flanc à la critique et
faisaient planer des doutes sur la sécurité de l'opération, que
le FBI se targuait pourtant de contrôler.) Drake était en
congé. Jones le fit revenir à Fort Meade le 13 avril et lui donna
rendez-vous à 18 h 30 au club des officiers, où il l'informa en
détail de la situation et de ce qu'on attendait de lui.

A la même heure — 18 h 30 à Washington, 16 h 30 à El Paso — Karin Sigler reçut à la maison un coup de téléphone de son père. Après avoir pris de ses nouvelles, il lui annonça son retour probable le 18. Puis, à la stupeur de Karin, il demanda ce qu'elle comptait faire de son avenir. Inquiète, elle voulut savoir s'il était malade. Il commençait à répondre : « Eh bien, je... » quand la communication fut coupée. Bouleversée, Karin appela aussitôt sa mère au magasin pour lui rapporter cette étrange conversation brusquement interrompue. Débordée à ce moment-là, Ilse ne put lui parler mais promit de la rappeler aussitôt qu'elle le pourrait.

Quelques minutes plus tard, la caissière prévint Ilse que son mari la demandait au téléphone et ajouta qu'il parlait « bizarrement ». Ilse prit l'appareil pour lui demander de rappeler « après six heures, quand j'aurai fini ». Ralph insista, lui dit d'aller décrocher le poste de l'arrière-boutique et de s'assurer que la caissière n'écoutait pas. Ilse remarqua alors qu'il avait une voix pâteuse, une respiration haletante et que des parasites inhabituels brouillaient la ligne. Inquiète, elle s'exécuta et lui demanda : « Qu'est-ce qui ne va pas ? » « Ecoute et laisse-moi parler ! Je veux que tu prennes un bon avocat, ton patron pourra peut-être t'en recommander un, et que tu engages des poursuites contre l'armée. Je suis en train de mourir. Je n'ai jamais menti. » La communication fut immédiatement coupée. Affolée, Ilse cria sans résultat dans l'appareil, expliqua en sanglotant à la caissière qu'il fallait la remplacer et rentra chez elle en toute hâte.

Dans son living immaculé dont elle était si fière, Ilse ne put se dominer : « Ils tuent ton père ! » s'écria-t-elle. Puis elle révéla à sa fille que Ralph était un agent des services secrets de l'armée. Karin refusa d'abord de la croire. Plus sa mère lui donna de détails, plus elle s'affola. Pourquoi ne lui avoir rien dit plus tôt ? Pourquoi son père la tenait-il ainsi à l'écart de sa vie? Ilse tentait vainement de la calmer, mais l'attente devenait intolérable : « Tu ne peux donc rien faire ? » répétait Karin en sanglotant. Ilse hésitait à prévenir Zapata, censé la contacter en cas de malheur et qu'elle n'avait théoriquement pas le droit d'appeler.

Au bout d'une heure, sans nouvelles de Zapata et cédant à l'insistance de Karin, Ilse se décida à lui téléphoner. Le numéro ne répondit pas. Vers 18 heures, à bout de nerfs, elle appela le colonel Webster à la base de White Sands, lui rapporta l'inquiétant coup de téléphone de son mari et dit qu'elle craignait pour sa vie. Le colonel lui déclara qu'il ignorait où se trouvait Sigler, l'apaisa de son mieux et lui promit de prendre contact avec Fort Bliss, où l'on serait sans doute en mesure de la renseigner mieux que lui.

A la demande du colonel, un officier d'administration de Fort Bliss, Bill Vaughn, téléphona à Ilse. Surexcitée, elle exigea un numéro où elle puisse joindre son mari, sinon elle menaçait d'appeler le commandant de la base, voire de s'adresser au Pentagone. Vaughn répondit que tout allait bien à sa connaissance, que la permission de Sigler était prolongée jusqu'au 18 avril et qu'il se trouvait probablement chez son père en Pennsylvanie — « couverture » habituelle de Sigler quand il se déplaçait en mission. Découragée, Ilse comprit que Vaughn ne savait rien et n'insista pas.

Karin suggéra de s'adresser au FBI : s'ils ne savaient rien eux non plus, ils pourraient au moins alerter Zapata ou intervenir auprès de l'armée. Pour toute réponse, l'agent de permanence informa Mme Sigler que le FBI n'était pas habilité à enregistrer de déclaration d'enlèvement ou de disparition d'une personne dépendant de l'autorité militaire, auprès de laquelle il convenait d'entreprendre les démarches nécessaires. Folle de colère et de douleur, Ilse demanda à Karin d'appeler le général Le Van, chef des services de renseignement de l'armée au Pentagone, car elle n'était plus elle-même en état de s'exprimer. Une femme répondit que le général était absent de son domicile et nota le nom et le numéro de téléphone de Mme Sigler. Ilse appela finalement la police militaire et fit une déclaration de disparition avec demande de recherche.

Le téléphone sonna peu après. Un homme, qui négligea de se présenter, demanda ce qui se passait. Supposant qu'il s'agissait du général qui retournait son appel, Ilse répondit que son mari lui avait dit par téléphone qu'il était en danger de mort et qu'elle le croyait victime d'un enlèvement. Elle conclut en suppliant de l'aider. Le correspondant lui dit qu'il ne pouvait rien faire dans l'immédiat mais qu'il essaierait d'intervenir le lendemain matin. Persuadée que Ralph était déjà mort, Ilse ne savait cependant pas que ses appels désespérés étaient finalement entendus à Fort Meade.

Pendant ce temps, en effet, Carlos Zapata avait été averti par Fort Bliss que Mme Sigler faisait scandale et semblait bouleversée d'on ne savait quoi. Il appela aussitôt Fort Meade où, faute de joindre Noel Jones parti de son bureau, il eut Louis Martel au bout du fil et lui fit part du peu qu'il savait. Martel promit de trouver Jones et de contacter Sigler, afin qu'il rassurât lui-même sa femme. Martel joignit Jones au club des officiers et lui apprit que Mme Sigler clamait sur les toits que son mari avait été kidnappé. Jones rappela immédiatement Zapata pour en savoir davantage ; il lui donna le numéro de l'hôtel et de la chambre de Sigler pour qu'il les communiquât à Ilse. Jones essaya ensuite de téléphoner à Sigler, dont le téléphone ne répondit pas.

Dix minutes après l'appel du général, Ilse reçut celui de Zapata, qui commença par lui prodiguer des bonnes paroles. Elle l'interrompit en hurlant: « Qu'avez-vous fait à mon mari ? » Zapata affirmait lui avoir parlé l'après-midi même et l'avoir trouvé en parfaite santé quand Karin intervint dans la conversation pour le couvrir d'insultes. Ilse parvint à la faire taire et reprit : « Moi aussi j'ai eu Ralph au téléphone cet après-midi. Il est en train de mourir ! Je veux savoir où il est ! » Zapata lui donna alors le nom de l'hôtel, le numéro de la chambre et réitéra ses apaisements : « Il n'y a pas lieu de vous inquiéter. S'il était arrivé quoi que ce soit à Ralph, je le saurais et je serais déjà venu vous en informer. »

Effaré par l'hystérie des deux femmes et la gravité des accusations qu'elles lançaient, Zapata rappela Jones puis téléphona à Prasek pour l'informer de la situation. Soucieux de la tournure que prenaient les événements, Jones contacta Martel et Drake à 22 h 20. Il leur demanda de se rendre au Holiday Inn, d'ordonner à Sigler d'appeler sa femme sans délai, de la rassurer sur son sort et de la calmer. Martel essaya au préalable de joindre Ralph par téléphone. Après avoir longuement laissé sonner, il pensa que Sigler s'était enivré et avait perdu conscience. Martel et Drake arrivèrent à l'hôtel à 22 h 45. Avant d'y pénétrer, ils explorèrent le parking à la recherche de voitures d'allure suspecte ou portant une plaque diplomatique, dénotant la présence éventuelle d'agents sovié-tiques dans le secteur, mais tout leur parut normal.

Au même moment, Ilse demandait au standard la chambre de Ralph Sigler. La standardiste ayant coupé la communica-tion au bout d'une dizaine de sonneries sans être revenue en ligne, Ilse rappela et pria la réception d'aller vérifier si Ralph était ou non dans sa chambre. Son accent allemand, aggravé par sa nervosité, provoqua alors un quiproquo : ayant compris Segal au lieu de Sigler, l'employée déclara qu'il n'y avait pas de client de ce nom à l'hôtel. Quand Ilse précisa le numéro de la chambre, elle se borna à la brancher sur le poste, sans plus de succès. De guerre lasse, Ilse finit par raccrocher. Elle regarda le journal télévisé de 22 heures dans l'espoir qu'il y serait question de Ralph ou d'un accident. Epuisée, elle alla finalement se coucher et passa sa nuit sans pouvoir fermer l'œil, à attendre des nouvelles de son mari.

Pendant ce temps, dans leur voiture, Martel et Drake se concertaient. Drake alla d'abord voir si Sigler se trouvait au bar et revint quelques minutes plus tard dire à Martel qu'il n'y était pas. Martel entra à son tour dans l'hôtel en laissant Drake faire le guet à l'extérieur. Drake allait attendre son retour plus d'une heure.

Par acquit de conscience, Martel commença par jeter un coup d'œil au bar, puis il décrocha dans le hall un téléphone intérieur et composa le numéro de la chambre de Sigler, qu'il laissa longuement sonner dans l'espoir que le bruit finirait par le réveiller, s'il était ivre mort comme il le supposait. Le numéro ne répondit toujours pas. Ralph n'était donc ni au bar, ni dans sa chambre. Inquiet, Martel se demanda si Sigler, écœuré, n'avait pas décidé de leur fausser compagnie.

Le meilleur moyen de s'en assurer consistant à entrer dans sa chambre pour vérifier si les bagages y étaient encore, Martel inventa un prétexte et dit à l'employé de service de nuit, William Chapman, que son ami de la chambre 326 souffrait d'une maladie de cœur, qu'il buvait trop et que sa femme, inquiète, lui avait demandé de voir si tout allait bien. Le réceptionniste prit son passe et un tournevis, pour le cas où la chaîne de sécurité aurait été mise, et accompagna Martel à la chambre. Les deux hommes frappèrent, appelèrent en vain. Chapman vit de la lumière par le trou de la serrure et essaya d'ouvrir la porte. Constatant que le verrou intérieur était enclenché, il alla chercher une clef spéciale qu'il rapporta quelques instants plus tard.

Quand Martel et Chapman pénétrèrent dans la chambre, ils trouvèrent Ralph Sigler étendu à plat ventre sur la moquette, les pieds vers la porte. « Vous aviez raison, il est évanoui », dit Chapman. Martel se pencha sur Sigler. Il vit des fils électriques dénudés enroulés autour de ses bras à hauteur des coudes, du sang qui lui coulait de la tête. « Il n'est pas évanoui, il est mort! s'écria-t-il. Faites venir une ambulance, un médecin, vite! »

Tandis que Chapman se ruait à la réception pour appeler la police, Martel s'aperçut que les fils étaient toujours sous tension et les arracha de la prise. Sans l'avoir palpé ni ausculté, il ne douta pas de la mort de Sigler. Il était 23 heures quand il décrocha le téléphone et appela Noel Jones : « *Graphic Image* est mort... Non, ce n'est pas une mauvaise plaisanterie. Dépêchez-vous de venir, amenez du monde. » Stupéfait, Jones dit qu'il partait immédiatement et ordonna à Martel de rester sur place. Il prévint le colonel Grimes, à qui il demanda de le rejoindre directement à l'hôtel.

En attendant, Martel examina la pièce. Tout était net et parfaitement rangé. Ni boîtes de bière ni bouteilles d'alcool vides, aucune trace de lutte ni de violence. Le portefeuille, la monnaie, les lunettes et la montre de Sigler étaient disposés en bon ordre sur la table. C'est alors que Martel remarqua une feuille de papier à en-tête du Holiday Inn, sur laquelle il lut ces quelques mots de l'écriture de Sigler :

Je ne sais pas de quoi je suis coupable.
Alors, pourquoi ces réactions ?
Parce que je mens ? Parce que je m'y perds ?
J'abandonne tout espoir. Si seulement je savais !
Inutile de continuer.
Je vais mourir.
Appelez chez moi 915.751.8171.
Prévenez John 677.5801/5800.

Martel fourra d'instinct la feuille dans sa poche : le dernier numéro de téléphone, facile à identifier, était celui du bureau de Schaffstall. Autant ne pas divulguer que Sigler appartenait aux services secrets avant d'en avoir référé à ses supérieurs. Des pas retentirent alors dans le couloir. Par la porte entrouverte, Martel vit un policier en uniforme qui passait en courant. Il se pencha dans le couloir, le héla. L'homme revint sur ses pas et entra avec un de ses collègues. Martel se

266

présenta comme « un ami du défunt ». Le premier policier tâta le pouls de Sigler et constata qu'il était mort, l'autre demanda à Martel de quitter la pièce.

Pendant que Martel attendait dans le couloir, un troisième policier arriva. Celui-ci, Roger Cassell, procéda aux constatations suivantes : le verrou de la porte de communication avec la chambre 324 adjacente était fermé ; l'interrupteur de l'entrée était en position allumée et la prise murale près de la table-bureau sous tension. Une valise grise au couvercle fermé était posée sur un lit. Le téléviseur, monté sur un socle pivotant, faisait face à la fenêtre. Une des deux chaises qui flanquaient normalement une table basse contre le mur avait été déplacée. Il y avait des vêtements accrochés dans la penderie, un nécessaire de rasage sur la tablette de la salle de bains, à côté d'un seau à glace en plastique à demi plein d'eau et d'un gobelet marqué Holiday Inn. La douche et la baignoire étaient sèches. La lampe sur la table de chevet entre les lits jumeaux était allumée, mais il y manquait environ deux mètres de fil et les bouts dénudés du tronçon restant étaient directement insérés dans la prise. Le fil coupé, séparé en deux brins, avait été dénudé à chaque extrémité, l'une enroulée autour des bras de Sigler, l'autre branché dans la prise de courant sous la table-bureau. Deux chaises étaient empilées l'une sur l'autre près de la porte de communication avec la chambre 324. Une ceinture entourait le dossier de la chaise du dessus. Sigler était vêtu d'un T-shirt blanc, d'un caleçon blanc, de chaussettes noires et d'un pantalon rayé marron et blanc.

Quelques minutes plus tard, Cassell rejoignit Martel, qui répéta n'être qu'un ami du défunt. C'est alors que survint un personnage muni d'une trousse médicale ; il s'identifia sous le nom de Charles Garrett et dit avoir appris l'accident en ayant capté les communications radio de la police. Il examina le corps et confirma le décès. Lorsque Cassell voulut retourner dans sa voiture le signaler par radio, Martel révéla ses véritables fonctions et lui demanda d'attendre l'arrivée imminente de ses supérieurs. « Les Russes écoutaient toutes les communications de la police, nous ne voulions pas qu'ils se doutent de ce qui se passait », se souvient Martel.

Pendant tout ce temps, Donnell Drake était resté dans la voiture à attendre le retour de Martel : « J'avais remarqué l'arrivée de la police, mais nous étions garés dans un angle d'où l'on ne voyait pas l'entrée et je ne savais rien. »

Noel Jones arriva à 23 h 30. Il s'identifia comme officier des services de renseignement de l'armée, ajouta que Sigler leur appartenait aussi et se trouvait ici en mission officielle à Fort Meade. La police lui demanda de sortir afin de photographier les lieux. Le médecin légiste, survenu entre-temps, procéda à un examen du cadavre et signa le certificat de décès à 0 h 10. En retournant le corps, il constata que le devant du T-shirt et du pantalon était couvert de sang, que les poches étaient vides et que le mort serrait dans la main droite un gobelet de papier froissé.

S'étant rappelé avoir laissé Drake dans la voiture, Martel alla le prévenir. Drake courut avec lui vers la chambre. Jones les arrêta et leur dit de redescendre jusqu'à l'arrivée du colonel Grimes. En faisant les cent pas dans le hall, Martel sortit de sa poche la note manuscrite trouvée sur la table de Sigler et Drake lui reprocha d'avoir soustrait un indice important. Jones les rejoignit peu après. Martel lui montrait la note quand le colonel arriva. Jones et lui remontèrent dans la chambre de Sigler, pendant que Martel et Drake allaient boire un verre au bar « pour se calmer les nerfs ».

Le colonel Grimes chargea Jones de téléphoner à Eugene Peterson, chef du contre-espionnage au FBI. Peterson ne lui donna aucune directive précise et se borna à souhaiter que le rôle du FBI dans l'affaire ne soit pas ébruité. Jones téléphona ensuite à Schaffstall et à Zapata. Ils décidèrent que les autorités de Fort Bliss notifieraient officiellement à Mme Sigler le décès de son mari, mais que Zapata irait lui présenter ses condoléances personnelles. Jones remonta ensuite avec les deux autres. Martel confia la note manuscrite au colonel Grimes qui, après en avoir pris connaissance, décida de la remettre à la police. Le policier se contenta de la recopier et lui rendit l'original. Le colonel regagna Fort Meade, où il prévint les services médicaux d'aller chercher le corps de Sigler.

Au moment de dresser l'inventaire des effets personnels de Sigler, Jones craignit qu'on n'y découvrît des documents secrets et offrit son aide au dernier policier encore présent. Fatigué à cette heure tardive, celui-ci accepta sans se faire prier. Jones, Martel et Drake procédèrent donc avec lui à une fouille détaillée de la chambre.

A 2 heures du matin, un ambulancier et un infirmier de l'hôpital de Fort Meade vinrent prendre livraison du corps de Ralph Sigler, qu'ils déposèrent à la morgue avant son transfert à l'hôpital militaire Walter-Reed aux fins d'autopsie.

Pendant ce temps, le policier était parti se coucher en demandant à ses assistants bénévoles de terminer l'inventaire et de lui en faire porter une copie. A peine eut-il refermé la porte que Jones, Drake et Martel retournèrent les matelas, sondèrent les sommiers et secouèrent les draps des lits, dans l'espoir d'y découvrir un indice les mettant sur la piste de ce que Ralph Sigler leur dissimulait depuis des semaines. N'ayant rien trouvé, ils quittèrent finalement la chambre en emportant les bagages. Martel prévint le veilleur de nuit qu'il passerait le lendemain régler la note. Les trois hommes étaient d'humeur sombre en regagnant Fort Meade : « Nous nous disions que nous ne saurions jamais ce qui s'était réellement passé ni, surtout, ce que Sigler avait dit aux Russes », se souvient Donnell Drake. Ils mirent les effets de Sigler en lieu sûr dans le bureau de Jones et allèrent prendre un repos bien mérité.

A El Paso, le lendemain à 8 h 30, une délégation de Fort Bliss, composée du colonel Lœuffler, du capitaine Cardwell et de l'aumônier Miller, se présenta au domicile de Mme Sigler. A leurs mines, Ilse comprit l'objet de leur visite : « Vous venez m'apprendre que mon mari est mort ? Je le sais déjà. Il m'a appelé lui-même pour me le dire ! » Le capitaine Cardwell lut un document précisant que Sigler s'était suicidé. Ilse l'interrompit : « Je n'en crois pas un mot ! » Elle répéta que Ralph lui avait dit au téléphone qu'il mourait, que l'armée en était responsable et qu'elle devait la poursuivre en justice. « Poursuivre l'armée ? s'étonna Cardwell. Pourquoi vous avoir dit une chose pareille ? C'est sûrement une ruse des Russes. » Les trois hommes se retirèrent après que le colonel Lœuffler eut promis de prévenir lui-même le père de Ralph Sigler. Ilse avait repoussé avec colère l'offre de l'aumônier de rester près d'elle pour l'aider et la réconforter.

Carlos Zapata et le colonel Davenport arrivèrent à leur tour et essuyèrent les mêmes rebuffades. Ilse refusa de croire à la version du suicide et s'en prit à Zapata avec hargne : « Et d'abord, où étiez-vous pendant ce temps ? » Il tentait de se justifier quand Karin revint de l'école. Ilse expliqua la présence des deux hommes, venus annoncer la mort de son père. Le téléphone sonna à ce moment-là. Ilse alla répondre dans la pièce voisine, d'où elle entendit Karin hurler : « Je vous défends de parler comme cela de mon père ! Il n'a jamais été alcoolique ! Allez-vous-en tout de suite ! » Ilse revint en hâte et dit à Karin de quitter la pièce.

Elle se sentait nager en pleine absurdité. La veille encore, Zapata affirmait que Ralph était en bonne santé, qu'il lui avait parlé et que tout allait bien. Et maintenant, il se défendait en prétendant tout ignorer ! Pour comble d'impudence, il lui disait : « Je sais que Ralph et vous aviez des problèmes conjugaux et qu'il se faisait du souci au sujet de sa fille. » Ilse lui coupa la parole : « Les problèmes, c'est vous qui en êtes la cause ! » Zapata insista : « Avez-vous remarqué s'il buvait, ces derniers temps ? Avait-il des troubles psychologiques ? » Indignée, Ilse répliqua : « Vous devriez le connaître, depuis onze ans qu'il travaillait avec vous ! » Zapata et le colonel Davenport prirent congé quelques minutes plus tard.

Dès lors, Ilse et Karin comprirent que les autorités soutiendraient la thèse du suicide que, pour leur part, elles rejetaient aussi vigoureusement que les insinuations d'alcoolisme ou de déséquilibre mental chez Ralph. Nul ne semblait non plus vouloir envisager la possibilité d'un crime. Schaffstall lui-même soutient que Sigler n'était pas un gros buveur : « Il aimait bien une bière de temps à autre, temps, mais ce n'était pas un alcoolique. Je ne l'ai jamais vu boire de boissons fortes. »

A Washington, le colonel Grimes et Noel Jones mirent les représentants du FBI et du Pentagone au courant de la situation. Il fallait aussi décider de la tactique à adopter vis-à-vis des Soviétiques : « Nous nous demandions si nous allions leur faire croire que *Graphic Image* était toujours vivant — nous avons même envisagé d'employer un sosie. Nous pensions aussi envoyer à sa place un autre agent, qui dirait que Sigler était mort mais qu'il l'avait recruté expressément pour le remplacer », se souvient Schaffstall.

Vers 16 h 30, à El Paso, le commandant Ring, des services sociaux de l'armée, vint rendre visite à Mme Sigler. Averti par le colonel Davenport qu'elle était d'un commerce difficile, il lui expliqua avec ménagement les systèmes de secours et de pension. S'étant rendu compte qu'il ignorait les circonstances de la mort de Ralph, Ilse lui raconta la manière dont elle l'avait apprise, sans cependant révéler qu'il était agent secret. Ring lui demanda ses instructions pour les obsèques. Ilse savait que Ralph souhaitait être incinéré mais elle tenait à voir le corps auparavant. Ring lui tendit alors des formulaires qu'elle refusa de signer, parce que le mot « suicide » figurait comme cause du décès. Ce soir-là, Ilse appela son beau-père et sa belle-sœur et s'aperçut que, contrairement à la promesse du colonel Lœuffler, ils n'avaient pas été informés de la mort de Ralph.

A l'évidence, l'armée accumulait les maladresses envers Ilse Sigler depuis l'inquiétant appel téléphonique de Ralph le jour de sa mort. Il est non moins patent que sa veuve, aveuglée par le chagrin et la colère, ne faisait aucun effort pour améliorer ses rapports avec les représentants de l'armée. Il faut regretter qu'en de telles circonstances nul n'ait su garder assez de sang-froid pour permettre au dialogue de s'établir.

Le 15 avril, le médecin-colonel Robert Hertzog (élève du Dr Fisher, le médecin légiste qui avait autopsié Paisley) procéda à l'autopsie de Ralph Sigler. Il constata des traces de brûlures sur les bras, la poitrine et la main droite ainsi que de profondes contusions au visage. Le taux d'alcoolémie dans le sang de Sigler avait une valeur triple du seuil de l'ivresse légale et la forte proportion d'alcool présent dans l'estomac indiquait qu'il avait été absorbé peu de temps avant la mort.

Le même jour, le commandant Ring informa Mme Sigler qu'elle recevrait la notification officielle du décès de son mari. Schaffstall, arrivé de Fort Meade, conféra avec Zapata, Prasek et le colonel Davenport. Ils décidèrent que Davenport et Zapata iraient proposer à Ilse de se rendre à Washington avec Karin, quand elles le souhaiteraient ou se sentiraient en état d'entreprendre le voyage.

Pendant ce temps, Karin appelait la police du Maryland afin d'obtenir des éclaircissements sur la mort de son père. Quand on lui répondit qu'elle devait s'adresser à l'armée, elle ne se contrôla plus et déclara au policier que c'était l'armée qui avait « assassiné son père ».

Le lendemain matin, après avoir reçu le télégramme officiel annoncé par Ring, Ilse entendit sonner à la porte et alla ouvrir à Zapata et au colonel Davenport. Elle les reçut très mal, accabla Zapata de reproches et montra le télégramme en

272

s'écriant : « Vous voyez, on dit que Ralph est mort par électrocution, on ne parle pas de suicide ! » Elle demanda amèrement ce que devenaient leurs promesses de prendre soin d'elle et de Karin s'il survenait malheur à Ralph. « Allez-vous me dire ce qui se passe ? Qui l'a tué sinon vous-mêmes, les militaires ? Je ne me laisserai pas faire ! J'irai à Washington, je parlerai ! » Davenport lui fit observer que l'enquête de police avait établi que Ralph était seul dans sa chambre d'hôtel, où l'on n'avait pas relevé de traces de violence. Ilse s'indigna : elle était sûre que Ralph n'était pas seul quand il lui avait téléphoné. Elle avait entendu des parasites anormaux sur la ligne et des bruits de voix à l'arrière-plan. « Je veux aller à Washington, répéta-t-elle. Je veux savoir la vérité ! » Zapata l'assura que personne ne lui cachait rien et qu'elle irait à Washington aux frais de l'armée rencontrer des responsables du Pentagone. Elle demanda ce que faisait le FBI et voulut savoir quand arriverait le corps de Ralph. Davenport et Zapata se retirèrent peu après. Ils ne revinrent jamais voir Ilse Sigler par la suite.

Le 16 avril, la police du Maryland appela Ilse pour lui poser quelques questions. Elle rapporta sa dernière conversation téléphonique avec son mari et ce qu'elle avait appris depuis. Mais quand elle voulut demander de plus amples renseignements, le policier déclara qu'il ne pouvait rien dire et que l'enquête dépendait désormais de l'armée. Ilse comprit qu'elle n'avait plus aucune chance d'apprendre la vérité, puisque ceux-là précisément que Ralph lui avait demandé de poursuivre en justice étaient chargés d'enquêter sur sa mort.

Le même jour, le corps de Ralph Sigler fut pris en charge à l'hôpital Walter-Reed par une entreprise mortuaire de Baltimore. L'armée fournit des vêtements neufs et paya la note. L'embaumeur prépara le cadavre et l'expédia le 18 à El Paso par fret aérien.

Ilse attendait toujours la lettre annoncée par Ralph. Elle n'en avait parlé à personne que Karin, à qui elle avait recommandé de ne rien dire car elle craignait qu'on n'eût placé des micros dans la maison et son téléphone sous écoute. En outre, elle s'était renseignée auprès d'une clinique sur la possibilité d'une nouvelle autopsie. On lui avait répondu par l'affirmative, moyennant quatre cents dollars et la présentation d'un certificat de décès. Ilse ne put jamais obtenir ce certificat ni de l'armée ni de la police.

La lettre de Ralph Sigler, véritable message de l'au-delà, lui parvint le samedi 17 avril. L'enveloppe portait deux cachets postaux : celui du bureau de poste de Jessup, Maryland, banlieue de Baltimore où était situé l'hôtel Howard Johnson, en date du 13 avril. L'autre, au verso, indiquait curieusement que la missive avait transité le 15 avril par Seattle, dans l'Etat de Washington, c'est-à-dire à l'autre bout du pays.

Voici le texte de cette lettre :

10 avril 76

Chère Ilse,

Si je meurs par suicide ou accident, engage des poursuites judiciaires contre l'armée qui en est responsable, en citant nommément les personnes suivantes : général C.J. Le Van, général Aarons, colonel Grines (sic)*, commandant Noel Jones, adjudants-chefs John Schaafstahl* (sic) *et Carlos Zapata, agent spécial du FBI Francis Paocek* (sic)*. Exige aussi la restitution immédiate des documents pris le 9 avril 76 par John Schaafstal* (re-sic)*.*

Je t'aime, Ralph.

P.S. Prends un avocat honnête, ton patron devrait pouvoir t'en recommander un bon.

2ᵉ P.S. S'il ne s'est rien passé, rends-moi cette lettre quand je reviendrai.

(Sous le deuxième post-scriptum, le chiffre 533.7451, numéro de téléphone de Joe Prasek, était écrit à l'envers.)

274

Ilse téléphona le jour même chez John Schaffstall, en Virginie, pour exiger qu'il lui rendît la boîte métallique trouvée dans la stéréo. Mme Schaffstall répondit que son mari se trouvait à El Paso, d'où il devait revenir par le vol de midi arrivant à Washington vers 17 heures. Dans l'espoir de joindre Schaffstall avant son départ, Ilse appela alors le FBI et demanda Joe Prasek qu'elle connaissait de nom. Prasek étant absent, elle laissa son nom en insistant pour être rappelée d'urgence. Prasek téléphona dix minutes plus tard et annonça qu'il venait la voir avec son collègue Murphy. Ils arrivèrent peu après et, comme il était l'heure du déjeuner, Murphy proposa d'emmener Karin manger un hamburger. Ilse donna son autorisation et resta seule avec Prasek, qu'elle rencontrait pour la première fois depuis dix ans.

Prasek procéda immédiatement à une fouille de la maison à la recherche de micros cachés. Il souleva les meubles et les tapis, examina les chambres, le garage, explora même le jardin. Il trouva le pistolet de Ralph, encore chargé, et une bande magnétique qu'Ilse lui donna. La fouille terminée, ils allèrent s'asseoir au living. Prasek raconta à Ilse comment Ralph avait été sélectionné par ordinateur en 1966, puis il lui demanda si elle savait qu'il travaillait pour les deux camps. Ralph lui avait si bien inculqué son devoir de garder le secret en toutes circonstances qu'Ilse s'affola. Elle ne connaissait pas Prasek. Pouvait-elle lui faire confiance ? Affolée, elle bredouilla : « Non, non... » et comprit qu'elle avait commis une erreur, car Prasek ne lui dit plus un mot sur les activités de Ralph.

Ilse montra ensuite à Prasek la lettre de Ralph et voulut savoir s'il pouvait « arrêter ce voleur de Schaffstall ou récupérer la boîte ». Prasek répondit par la négative mais ajouta : « Ralph a travaillé onze ans pour nous, je le connais mieux que n'importe qui. Si l'armée vous fait des ennuis, n'hésitez pas à vous adresser au FBI. »

A son retour d'El Paso, Schaffstall apprit par sa femme qu'Ilse Sigler avait téléphoné. Il la rappela en lui exprimant sa sympathie, mais elle coupa court aux condoléances. Elle exigea qu'il lui rendît sans délai la boîte métallique, dont elle le tenait personnellement responsable. Décontenancé, Schaffstall répondit que la boîte était sous bonne garde à Fort Meade mais qu'il essaierait de lui donner satisfaction.

John Schaffstall et le colonel Grimes considèrent toujours comme une énigme la « lettre d'outre-tombe » de Ralph Sigler : « Il dit "Si je meurs par suicide ou accident" au lieu de dire simplement, par exemple, "Si je mourais victime d'un accident". Or, il spécifie le mot suicide et tout le monde dit ensuite qu'il s'est suicidé — il y a de quoi se demander si on ne lui a pas *fait* écrire ce mot-là ! Et puis, il y a nos noms mal orthographiés, surtout le mien qu'il épelait toujours correctement. Ou celui du colonel Grimes avec un *n* au lieu d'un *m*, ou encore Prasek, qu'il écrit Praocek et à qui il donne son vrai prénom de Francis alors que tout le monde l'appelait Joe. Autre chose : sur la note trouvée dans sa chambre, il avait écrit : "Prévenez John". S'il voulait m'intenter un procès, pourquoi me prévenir ? D'ailleurs, pourquoi ne m'a-t-on pas prévenu ? » se demande Schaffstall. Le colonel Grimes n'est pas moins perplexe : « Pourquoi accuser l'armée de l'avoir tué, quand il savait parfaitement que nous n'y étions pour rien ? » Schaffstall ne s'explique pas davantage pourquoi Ralph a dit à sa femme de récupérer à tout prix la boîte de métal qui, à l'exception des photos prises sur une plage tropicale avec des inconnus, ne contenait rien de précieux ni de mystérieux.

Le dimanche 18 avril, le père de Ralph, sa sœur Anne Ancas et son fils arrivèrent à El Paso. La fille d'Anne, Barbara, était mariée avec un avocat de Philadelphie, Thomas Jennings, à qui Ilse avait demandé quelques jours auparavant de s'occuper de l'affaire et de l'aider à découvrir la vérité.

276

Le 19 avril, le commandant Ring vint annoncer aux Sigler que le corps de Ralph était arrivé à El Paso. Ilse lui demanda dans quel état il était. Ring répondit qu'il portait au visage des contusions « sans doute dues à sa chute ».

Moises Salazar, de la Mission Funeral Home, prit livraison du cercueil à l'aéroport d'El Paso et procéda à son ouverture le 20 avril à 7 h 30. Ayant constaté que le couvercle avait pesé sur le front, il refit de son mieux le maquillage en partie effacé. A 7 h 45, le commandant Ring lui remit les décorations à épingler sur la poitrine. Dans l'après-midi, la famille Sigler se rendit à la chapelle funéraire. Le cercueil était ouvert. Ilse et Karin voulurent rester seules afin d'examiner le corps.

Ilse fut extrêmement choquée de constater son état. Le visage était couvert d'ecchymoses, visibles malgré l'épais maquillage mortuaire, comme s'il avait été battu ou torturé. L'œil droit était muni de faux cils. Le côté droit du visage portait une balafre, le front était enfoncé, le nez cassé. Incapable de soutenir davantage le macabre spectacle, Ilse laissa Karin poursuivre l'examen : elle avait étudié la biologie et saurait quoi chercher.

Karin nota la présence de sang dans la bouche et sous la tête. Plusieurs dents de la mâchoire inférieure étaient cassées. Karin ôta les gants des mains et releva les manches : les bras portaient de nombreuses cicatrices et des traces de piqûres, également visibles sur les jambes.

Personne ne vint assister au service funèbre. Etonnée, Anne demanda à Ilse : « Vous n'avez donc pas d'amis ? » Un voisin leur expliqua par la suite que l'heure indiquée sur l'avis d'obsèques paru dans le journal était erronée. Ilse n'avait pas pensé à le vérifier.

Pendant le service funèbre, Salazar alla répondre à un coup de téléphone. Une journaliste du *El Paso Times* déclara que, selon un informateur anonyme « avec un fort accent mexicain », son journal savait que l'armée enterrait un des siens sans dévoiler les véritables circonstances de sa mort. Salazar passa la communication au commandant Ring, qui entendit avec effarement la journaliste annoncer qu'elle préparait un article sur la mort mystérieuse de Ralph Sigler et avait besoin de détails. Ring répondit qu'il ne pouvait prendre une décision qui incombait à la famille. Le service se terminait à ce moment-là et, voyant Ilse sortir de la chapelle, Ring lui fit signe, expliqua d'un air embarrassé de quoi il s'agissait et lui tendit l'appareil. La journaliste demanda alors à Ilse si elle pouvait venir chez elle l'interviewer. Ilse, qui n'avait pas encore déclenché les hostilités avec l'armée, refusa.

A la fin du service, Salazar prit le commandant Ring à l'écart et lui demanda ce qu'il devait faire d'un pantalon et d'un T-shirt ensanglantés, arrivés avec le corps dans un sac en plastique. Surpris devant la quantité de sang dont ces vêtements étaient imprégnés, Ring lui conseilla de les conserver jusqu'à nouvel ordre pour les besoins éventuels de l'enquête.

Le 21 avril 1976, quelques jours avant son prochain rendez-vous avec les Soviétiques, Ralph Sigler fut inhumé au cimetière militaire de Fort Bliss. Ilse n'avait pas accédé à sa dernière volonté d'être incinéré parce qu'elle souhaitait se réserver la possibilité de faire procéder à une exhumation et à une nouvelle autopsie. Anne s'était également opposée à ce que son frère, qui était catholique, fût incinéré. La cérémonie avait attiré une foule assez considérable, où les représentants haut gradés de l'armée et du FBI brillaient par leur absence.

Ilse Sigler se jura, ce jour-là, de ne pas prendre de repos avant d'avoir découvert la vérité sur la mort de son mari. Elle entendait user de tous les moyens pour parvenir à son but.

20

A la poursuite de la vérité

En fouillant la maison dans l'espoir d'y découvrir un indice, Ilse retrouva les photos de Ralph avec Brejnev, Colby et autres personnalités des deux camps, qu'elle s'empressa de remettre dans leur cachette avant de les donner à l'armée. Elle n'avait pas l'intention, en revanche, de se dessaisir des notes, croquis, horaires, comptes rendus de réunions et bandes magnétiques exhumés au hasard des innombrables endroits où Ralph les avait dissimulés. Ne se fiant plus à personne, elle les conservait dans son sac à main avec le rapport de la visite médicale, découvert sous la moquette de la Pontiac neuve.

Certaines de ses trouvailles, telles que les médailles décernées à Ralph par la CIA et les plans de l'hôtel Vagabond à San Francisco, disparaîtront dans des conditions inexpliquées. Schaffstall voit dans ce jeu de plans la confirmation de la participation de Sigler à une importante opération montée par le FBI dans cet hôtel.

Le 25 avril 1976, Thomas Jennings, avocat de Mme Sigler, et sa femme Barbara, nièce de Ralph, se rendirent à Fort Meade pour rencontrer le colonel Grimes. Ils avaient été reçus auparavant par le lieutenant Brooks, de la police du Maryland, en présence de l'agent Cassell qui avait enquêté au Holiday Inn. Le rapport dont il fut fait lecture à Jennings déclarait notamment :

En pénétrant dans la chambre, il [Cassell] *a vu Sigler étendu sur le ventre dans une mare de sang. Sigler s'était fixé aux deux bras du fil électrique arraché à une des lampes, l'autre*

279

extrémité étant branchée dans une prise murale commandée par un interrupteur. Deux chaises étaient posées l'une sur l'autre près dudit interrupteur, une ceinture entourait le dossier de la chaise supérieure. Sigler avait apparemment tenté de s'attacher sur la chaise. La ceinture n'étant pas assez longue, il s'y est néanmoins assis afin d'actionner l'interrupteur. La secousse électrique a projeté le corps à terre... Le sol étant recouvert d'une moquette collée sur du ciment, la chute a provoqué des blessures au nez et au front qui ont saigné avec abondance... Le courant électrique a causé de sévères brûlures aux bras... Au moment de la découverte du corps, les membres inférieurs étaient froids et rigides alors que le torse était tiède, probablement sous l'effet du courant électrique qui circulait encore...

Le lieutenant Brooks proposa ensuite aux Jennings de les faire conduire à Fort Meade par l'agent Cassell. Il les avertit que la version de l'armée, « sortie tout droit d'un roman de James Bond », allait les étonner.

Le colonel Grimes accueillit les Jennings au parking et leur fit franchir une série de portes à l'aide de cartes magnétiques, de contrôles téléphoniques, de combinaisons secrètes et autres dispositifs électroniques. En les introduisant dans son bureau, il leur annonça qu'il ne leur « dissimulerait rien ». Son récit leur parut, en effet, cent fois plus captivant qu'un roman d'espionnage.

Selon Thomas Jennings, le colonel leur révéla que Sigler n'était pas un simple technicien en électronique mais un agent double des services secrets de l'armée. Depuis dix ans, sous le contrôle desdits services et avec leur accord, il vendait aux Soviétiques des secrets militaires sur les systèmes de missiles et les réseaux radar. Il recevait en paiement des sommes substantielles versées, bien entendu, au Trésor public. Les Soviétiques s'occupaient en outre de sa mère, qui vivait toujours en Tchécoslovaquie, à qui ils procuraient un logement, de l'argent, des soins médicaux gratuits et autres avantages.

Grimes leur déclara que Sigler était un agent de grande qualité et remarquablement efficace, dont les activités avaient permis de démasquer quatorze agents du KGB placés à des postes clés : « Il accomplissait un excellent travail pour l'armée et pour la patrie, nous étions très fiers de lui », répétait le colonel. Il ajouta que Sigler entretenait des contacts dans le monde entier, qu'il avait un rendez-vous prévu le 24 avril et devait recevoir des instructions par radio le 28, message que l'armée allait s'efforcer d'intercepter.

Le colonel retraça ensuite l'historique de l'opération *Graphic Image*, de ses débuts à Mexico jusqu'aux examens de Sigler au polygraphe, à San Francisco puis dans le Maryland. L'armée déplorait sa mort tragique qui la privait d'un agent précieux. Sigler emportait surtout dans la tombe le secret de certains renseignements communiqués aux Russes. Pour tenter de le deviner, il fallait s'atteler à la « tâche impossible » de reconstituer toute l'opération depuis deux ans.

L'armée voulait observer la plus grande discrétion sur la mort de Sigler pour plusieurs raisons : les Soviétiques continueraient à bien traiter sa mère s'ils le croyaient toujours à leur service ; s'ils le croyaient mort « en bon espion soviétique », ils assureraient vraisemblablement l'avenir matériel d'Ilse et de Karin sous forme, par exemple, d'un compte en banque ouvert au nom d'Ilse et régulièrement approvisionné. L'armée ne verrait d'ailleurs aucune objection à ce que les dames Sigler profitent de ces subsides. Enfin, si les Soviétiques apprenaient que Sigler avait été agent double, ils chercheraient à découvrir jusqu'à quel point sa veuve était au courant de ses activités. Il s'empressa d'ajouter que la vie de Mme Sigler et de la mère de Ralph ne serait sans doute pas en danger.

Ilse bénéficierait naturellement des droits et pensions d'une veuve de guerre, dont le mari était tombé en service commandé. Elle recevrait également une part importante des gains de Sigler, que le Trésor lui reverserait « comme un dû légitime », Le colonel précisa que, pendant toute la durée de l'opération, Sigler percevait des frais de déplacement illimités, des primes annuelles et autres avantages. Il ajouta que Sigler avait eu droit, deux ans auparavant, à des félicitations officielles présentées par le général Le Van, chef des services de renseignement de l'armée des Etats-Unis. Le colonel déclara en conclusion que le général recevrait Mme Sigler et sa fille au Pentagone afin de lui expliquer les circonstances de la mort de son mari, que le rendez-vous était fixé au 1er mai 1976 et que Carlos Zapata était chargé d'organiser le voyage. De retour à son cabinet de Philadelphie, Thomas Jennings appela aussitôt Ilse Sigler et lui rapporta en détail les propos du colonel.

Le jeudi 29 avril 1976, Ilse Sigler partit seule pour Washington. Karin était encore trop bouleversée pour assister calmement à une entrevue officielle au Pentagone et Ilse ne voulait pas laisser la maison vide. Elle craignait que l'armée ne profitât de son absence et de celle de sa fille pour fouiller les lieux et dérober le dossier médical de Ralph.

Le samedi 1er mai elle signa le registre des visiteurs au Pentagone. On la fit entrer dans un vaste bureau, on lui offrit du café dans une cafetière en argent et des tasses de fine porcelaine. Elle refusa, trop énervée pour de telles futilités. Un général en grande tenue entra quelques minutes plus tard et la salua avec courtoisie. Mais quand Ilse lut sur son badge qu'il s'agissait du général Aaron, elle se raidit: le général Aaron était l'un de ceux que Ralph lui demandait de poursuivre en justice. « Je me suis aussitôt méfiée. J'étais sûre d'avance qu'il me mentirait », se souvient-elle. Ilse était accompagnée de Thomas Jennings, son avocat. Le colonel Grimes, le général Tenhet, le colonel John Heiss assistaient également à la conférence.

282

Le général Aaron prit d'abord la parole. Il dépeignit sommairement l'opération, insista sur le caractère confidentiel de ce qui allait être évoqué, secret que Mme Sigler devait s'engager à respecter comme son mari l'avait fait, car toute indiscrétion pourrait avoir les plus graves conséquences sur le sort de sa mère en Tchécoslovaquie. Le général décrivit ensuite certaines des activités de Ralph Sigler, en louant notamment son rôle dans « une affaire d'espionnage à New York ». Il dit que Sigler admettait avoir un contact soviétique à Washington, à qui il était censé demander secours en cas d'urgence ou de danger et dont il avait refusé de révéler le numéro de téléphone. En conséquence, le général pria Ilse de communiquer à l'armée tous les numéros répertoriés par son mari.

Il parla ensuite des examens au polygraphe, au cours desquels Sigler avait révélé l'existence de ses journaux et notes personnelles. Ilse répondit qu'il les conservait afin de se défendre en cas de besoin. A titre d'exemple, elle montra sa facture de téléphone du mois d'avril, où figuraient des appels en provenance de San Francisco correspondant, dit-elle, au voyage qu'avait fait Sigler dans cette ville pour une rencontre avec le KGB. Elle ignorait, bien entendu, que les militaires n'étaient pour rien dans cette rencontre et soupçonnaient depuis longtemps le FBI d'employer Sigler à leur insu.

Après s'être plainte d'être depuis deux ans l'objet de filatures, sur lesquelles le général promit qu'il ferait enquêter, Ilse parla des événements de la semaine ayant précédé la mort de Ralph et relata ses appels téléphoniques. Elle posa plusieurs questions, que le général fit noter et auxquelles il promit que l'armée s'efforcerait de répondre, et demanda enfin l'ouverture d'une enquête approfondie sur la mort de son mari : « Je suis citoyenne des Etats-Unis, je suis patriote et j'ai droit à des explications. J'exige que l'on enquête sur toutes les personnes indiquées par mon mari dans sa lettre, y compris vous-même », dit-elle au général Aaron. Elle ajouta que les participants à l'opération devraient eux aussi subir des examens au détecteur de mensonges. « Accepterez-vous les conclusions de notre enquête ? » demanda le général Tenhet. Ilse répondit affirmativement, « par patriotisme ».

Tenhet s'enquit auprès d'Ilse de l'avancement des formalités de sa pension. Elle lui remit une liste de questions ainsi qu'une lettre de Ralph, récemment retrouvée, adressée à John Schaffstall. Aaron déclara que la coopération de Mme Sigler étant indispensable à l'enquête, elle voudra bien communiquer tout document découvert chez elle. Ilse lui donna alors l'enveloppe contenant les photos de Sigler avec Brejnev et les dirigeants de la CIA. « Je croyais que cela le [Aaron] déciderait à me dire la vérité [sur la mort de Ralph]. Je me suis bien trompée ! J'ai même eu tort d'aller à ce rendez-vous. » Quelques minutes après avoir vu les photos, le général Aaron déclara en effet : « Il faudrait étudier le dossier médical [de Sigler] pour s'assurer s'il ne souffrait pas de troubles mentaux » et quitta la pièce. Plus que jamais, Ilse se félicita d'avoir sauvegardé le rapport médical retrouvé dans le coffre de la voiture, qui constituait la meilleure preuve que son mari était en parfaite santé physique et mentale quelques jours avant sa mort.

Elle demanda ensuite au général Tenhet si elle pouvait aller au Holiday Inn. Tenhet acquiesça, mais Jennings lui conseilla de ne pas s'infliger cette épreuve. Ilse insista et dit qu'elle voulait également se rendre au commissariat de police. Le général lui offrit de la faire conduire en voiture. Jennings finit par approuver, car il était sûr que le rapport de police la convaincrait, comme il l'était déjà lui-même, que Sigler s'était réellement suicidé.

Un chauffeur militaire conduisit Ilse à l'hôtel et au commissariat. Le lieutenant Brooks lui apprit que l'armée avait d'abord demandé de ne pas divulguer la mort de son mari avant le 24 avril, date de son rendez-vous avec les Soviétiques. Ilse voulut voir les photographies prises par la police. Sa réaction fut immédiate : « C'est une mise en scène ! Regardez comme il est étendu, bien droit. Voyez la position des bras. Il n'est pas mort comme cela, cela crève les yeux ! » Compte tenu, en effet, de l'emplacement des chaises dans la pièce, il aurait dû faire un saut périlleux pour retomber de la sorte ! Ilse demanda aussi pourquoi on n'avait pas retrouvé de bouteilles d'alcool dans sa chambre, alors qu'il était censé être ivre mort. Brooks répondit qu'il était allé boire au Howard Johnson avant de regagner le Holiday Inn — une marche de plusieurs kilomètres ! Bien entendu, ce tour de force n'avait eu aucun témoin.

Selon Jennings, le général Aaron proposa à Ilse Sigler de lui verser les quatre cent mille dollars gagnés par son mari depuis le début de l'opération, ainsi que des indemnités complémentaires couvrant les frais d'études de Karin. Jennings la poussait à accepter, mais Ilse refusa de « se laisser acheter » pour abandonner sa recherche de la vérité. Schaffstall explique ainsi la position de l'armée : « Nous n'avions pas de raison de garder cet argent, l'opération était terminée. Ralph l'avait bien mérité. Je ne comprends pas son refus. »

Ilse s'inquiétait aussi de ce que les Soviétiques puissent ouvrir un compte en banque à son nom, comme Grimes l'avait laissé entendre à Jennings. Or, quelques mois après la mort de Ralph, la Northgate Bank, sa banque habituelle, l'informa que son mari possédait un compte dans une autre agence — compte dont on ne trouva plus trace quand Ilse alla se renseigner. Elle redoutait surtout que le KGB cherche à prendre contact avec elle, ce qui ne se produisit probablemennt qu'une seule fois. En allant fleurir la tombe de Ralph, elle fut suivie par un homme dans une Cadillac immatriculée au Mexique. Arrivée au cimetière, elle le vit conférer avec quatre personnes dans une autre voiture. Puis il s'approcha, demanda s'il s'agissait de son mari et comment il était mort.

Terrifiée, Ilse répondit : « Dans un accident. » L'inconnu remonta en voiture et s'en fut avec les autres. Elle ne les revit jamais par la suite.

Ouverte le 7 mai 1976, l'enquête sur la mort de Ralph Sigler fut confiée au colonel Tomlinson, des services de l'Inspection générale. A El Paso, il ne découvrit d'abord guère d'arguments favorables à la thèse du suicide. Ainsi, selon le commandant Ring qui le cita dans sa déposition, le commandant Ellis, supérieur immédiat de Sigler à la base de White Sands, déclara que « connaissant bien Sigler pour avoir travaillé avec lui et l'avoir fréquenté journellement, je ne crois pas au suicide. Il était dans d'excellentes dispositions quand il est parti en permission. Il se préparait à prendre sa retraite, il devait occuper un emploi de technicien à la MICOM, [entreprise travaillant pour la Défense]. Tout marchait bien pour lui. Il était aussi aimé de ses subordonnés qu'apprécié de ses chefs. Un homme comme cela ne se suicide pas ».

Le 13 mai 1976, le colonel Tomlinson et une femme officier vinrent interroger Ilse chez elle. Mais quand il demanda l'autorisation d'enregistrer leur conversation au magnétophone, Ilse refusa à moins de pouvoir se servir d'un autre appareil et de conserver l'enregistrement. Selon elle, Tomlinson se montra alors « très désagréable » et l'aurait sans doute insultée sans la présence de sa collègue. Tomlinson affirme de son côté que, à peine eut-il franchi le seuil, Mme Sigler se lança dans une violente diatribe contre l'armée.

Ilse, à vrai dire, était moralement à bout de forces. Devoir sans cesse revivre la mort de son mari et répondre aux questions, souvent choquantes, des enquêteurs ne pouvait qu'aggraver sa nervosité naturelle. Elle était également en butte à une série d'incidents inquiétants. A plusieurs reprises, elle fut réveillée en pleine nuit par le bruit de la barrière du jardin. Un soir, son appareil de climatisation prit feu dans des

286

circonstances inexplicables et elle ne dut qu'à sa présence d'esprit d'en réchapper indemne avec sa fille. Peu de temps après, en rentrant du travail, elle retrouva son caniche empoisonné. Depuis son retour de Washington, malgré sa conviction que Ralph ne s'était pas suicidé, elle attendait pourtant les conclusions de l'enquête avant de se prononcer et, fidèle à sa promesse de discrétion, rejetait les demandes d'interview du *El Paso Times*. Toujours méfiante envers l'armée, elle espérait cependant que celle-ci révélerait un jour la vérité.

Tomlinson fit une nouvelle tentative pour l'interroger avant de quitter El Paso, mais il ne put rien tirer d'elle. Ilse se montra encore plus hostile que la première fois et répondit de façon incohérente à la plupart des questions. Il avait entre-temps fait parler de nombreux témoins à Fort Bliss, à White Sands, à l'entreprise de pompes funèbres, chez les commerçants et au commissariat de police afin de vérifier le bien-fondé des allégations d'Ilse. De retour à Washington, il interrogea les responsables de l'opération à Fort Meade, les ambulanciers, les employés du Holiday Inn, le médecin légiste et l'embaumeur, auprès de qui il se fit préciser les circonstances de la mort de Sigler. Il rédigea ensuite son rapport officiel.

Par une lettre datée du 22 juin, l'armée communiqua à Ilse Sigler les conclusions de l'enquête — en y joignant le rapport d'un psychiatre qui n'avait jamais rencontré Ralph. En voici quelques extraits :

Selon l'opinion des autorités médicales compétentes, votre mari n'était pas mentalement responsable au moment de sa mort... Les experts se sont appuyés sur l'étude des rapports existants, y compris le rapport d'autopsie, ainsi que de documents écrits de la main de votre mari peu avant son décès... Il ressort que votre mari souffrait d'un état dépressif aigu et envisageait le suicide depuis plusieurs heures, voire plusieurs jours. Une pulsion autodestructrice, symptôme et conséquence d'un tel état dépressif, entraîne une perte de responsabilité inhibant chez le sujet les facultés d'adhésion aux comportements habituellement considérés comme normaux.

Le rapport de l'Inspection générale, daté du 11 juin, concluait que « Ralph Joseph Sigler s'est infligé la mort par électrocution ». Il déclarait par ailleurs : « Toutes les personnes ayant approché Mme Sigler ont noté son attitude hostile et intransigeante, ses menaces réitérées de poursuivre l'armée et certains individus faute d'obtenir à ses questions des réponses satisfaisantes. Elle s'est plainte de retards abusifs dans la communication de documents tels que le rapport d'autopsie, le certificat de décès, le rapport de police, ainsi que dans la restitution d'effets personnels et le rapatriement à El Paso, aux fins d'inhumation, du corps [dont] elle a prétendu que l'armée avait l'intention de le conserver jusqu'au 26 avril. » Le rapport dégageait la responsabilité des membres des services de renseignement dans la mort de Sigler et mettait en garde Mme Sigler contre les conséquences d'un procès civil qui « rendrait nécessairement publiques les activités de son mari ».

Ilse fut accablée et indignée. Loin de répondre à ses questions, l'enquête innocentait l'armée aux dépens de Ralph, implicitement accusé d'être un traître, un déséquilibré et un alcoolique, et la faisait elle-même passer pour une harpie et une hystérique. « J'avais confiance, j'ai loyalement coopéré pendant six mois. Ils me répétaient : "Ne parlez pas, soyez discrète." J'attendais la vérité, je n'ai eu que des mensonges. »

De son côté, la police du Maryland confirmait en tous points la version de l'armée. Son enquête affirmait que Sigler s'était donné la mort entre 18 heures et 23 h 30, en se fixant aux bras des fils électriques arrachés à une lampe, en mouillant les points de contact avec de l'eau et en se hissant sur deux chaises empilées afin d'actionner l'interrupteur avec son coude. C'était faire fi du point essentiel établi par l'autopsie, à savoir que la quantité d'alcool présente dans son organisme rendait Sigler incapable de se livrer à des exercices aussi élaborés, sinon acrobatiques.

En dépit des menaces sournoises du rapport, sur le déshonneur qu'entraînerait la publicité faite autour du procès, et de la trahison de Thomas Jennings, qui soutenait contre elle la version officielle, Ilse Sigler décida d'engager les poursuites et de changer d'avocat. Elle alla en voir deux qui refusèrent de s'occuper d'elle — l'un d'eux lui dit même : « Si j'acceptais, je m'exposerais dans les huit jours à un contrôle fiscal. » Elle chercha désespérément de l'aide et trouva dans l'annuaire un détective privé, Fred Duvall, qui voulut bien se charger de l'affaire. Duvall lui conseilla de s'adjoindre un collègue du Maryland, Harry Thompson, avec qui il avait collaboré naguère et dont il pouvait recommander les qualités professionnelles.

Duvall commença par s'informer auprès d'un pathologiste s'il existait des exemples de « suicide par électrocution ». L'homme de l'art entreprit des recherches, sans en découvrir un seul cas dans les annales de la médecine légale. « C'était une hypothèse absurde dès le début, déclare Duvall. Un agent secret dispose de cent moyens plus efficaces pour se donner la mort ou l'administrer aux autres. On ne tue pas avec du 110 volts ! » Le médecin fit en outre observer que l'électrocution entraîne le blocage des valvules du cœur, ce qui empêche le sang de couler. Or, l'état des vêtements de Ralph récupérés par Ilse Sigler trahissait une abondante hémorragie. De son côté, Thompson s'était procuré un morceau de la moquette du Holiday Inn, elle aussi imprégnée de sang — les employés de l'hôtel n'ayant pu la nettoyer avaient découpé la partie souillée. Si Ralph Sigler était vraiment mort des suites de l'électrocution, il n'aurait pas pu saigner autant.

Duvall fit ensuite analyser les vêtements. Le chimiste y détecta deux types de sang de groupe O, dont un seul correspondait à celui de Sigler. Il remarqua également que le tissu du caleçon portait la marque des plis et que les taches de la partie inférieure se superposaient à celles du haut. Le caleçon encore plié avait donc servi à essuyer ou à éponger le sang. Il pouvait d'autant moins se trouver sur le corps qu'il n'y avait pas de sang à l'intérieur du pantalon.

D'autres éléments infirmaient par ailleurs la thèse du suicide, en grande partie fondée sur le fait que Sigler avait été découvert seul dans sa chambre, les portes fermées de l'intérieur, donc sans que personne ait pu y entrer ou en sortir. « Cela ne tient pas debout, affirme Duvall. Tous les Holiday Inn sont bâtis sur le même modèle et avec les mêmes matériaux. Je sais d'expérience qu'il suffit d'un bon aimant pour manœuvrer le verrou à travers la porte. »

Quand il alla mettre les vêtements ensanglantés en sûreté dans le coffre d'une banque, Duvall se rendit compte qu'il était suivi. Les filatures allaient se poursuivre et les événements bizarres se succéder pendant toute son enquête. Ainsi, la déclaration de disparition faite par Mme Sigler à la police militaire le soir de la mort de Ralph ne figurait plus sur les registres. Un matin, à son bureau, Duvall se rendit compte, au moment de faire chauffer du café et d'allumer une cigarette, que le local était plein de gaz, à la suite d'une fuite dont la cause resta aussi mystérieuse qu'inexpliquée. Après avoir acquis la certitude que des micros étaient cachés dans la maison d'Ilse, son téléphone sous écoute et son courrier ouvert, il ne la rencontra plus qu'au cimetière, seul endroit où ils étaient l'un et l'autre certains de ne pas être espionnés.

Tandis que Duvall enquêtait à El Paso, Thompson ne restait pas inactif dans le Maryland. Tom O'Brien, un groom du Holiday Inn, lui apprit avoir découvert deux négatifs polaroïd dans une poubelle le soir de la mort de Sigler. Rendu curieux par les événements et la présence de la police à ce moment-là, il s'était appliqué à les regarder et avait reconnu sur une des photos Sigler étendu par terre entièrement nu. Sur l'autre, on voyait une voiture aux portières et au coffre ouverts, avec une silhouette assise à la place du passager avant. Dans la chambre, Thompson empila les chaises comme elles se trouvaient sur les photos de la police et constata que cet échafaudage ne permettait pas de se rapprocher de l'interrupteur de manière à l'actionner avec la main ou le coude. Chapman, le réceptionniste de service cette nuit-là, lui déclara que les meubles avaient été déplacés entre son entrée dans la chambre avec Martel et le moment où la police avait photographié les lieux.

Thompson fit vérifier le courant électrique à l'interrupteur et aux prises murales par un expert, qui confirma que les 115 volts mesurés étaient insuffisants pour entraîner la mort. Un voltage aussi faible ne pouvait pas davantage provoquer les graves brûlures visibles sur les mains de Sigler. Le rapport de police indiquait, par ailleurs, que les coupe-circuits de 15 ampères à l'étage n'avaient pas disjoncté ce soir-là et que les voisins de la chambre n'avaient remarqué ni bruits suspects ni sautes de courant.

Harry Thompson avait dès le début jugé la mise en scène suspecte : « Un homme ivre mort sur le point de se suicider ne se donne pas la peine d'enlever ses lunettes, de vider ses poches, de poser le tout bien en ordre sur sa table et de faire sa valise — le dessus-de-lit n'a même pas un faux pli ! Un expert électronicien aurait dû savoir que, s'il voulait vraiment se tuer, il lui suffisait de se mettre dans sa baignoire et d'y plonger une lampe de chevet allumée, par exemple, plutôt que de s'embobiner n'importe comment dans du fil électrique. » Thompson jugeait non moins étrange que l'on n'eût retrouvé aucune bouteille d'alcool dans la chambre alors que l'autopsie avait établi un taux d'alcoolémie triple de la valeur maximum légale. On était donc forcé de conclure que Sigler avait été tué ailleurs et porté ensuite dans la chambre 326. Un homme ivre à ce point, et qui tenait mal la boisson, aurait été hors d'état de procéder aux préparatifs compliqués décrits dans les rapports, ou de parcourir à pied la distance séparant le Howard Johnson du Holiday Inn comme la police voulait le faire accroire.

On constate sur les photos de l'autopsie que Sigler avait été violemment battu, au point que Schaffstall déclara en les voyant : « Je n'aurais jamais reconnu Ralph. » Selon le Dr Hertzog, médecin légiste, de telles ecchymoses n'avaient pu être provoquées par une simple chute. Le réceptionniste Chapman avait montré à Thompson comment manœuvrer de l'extérieur le verrou intérieur et confirmé que, ce soir-là, la chaîne de sûreté n'était pas en place. On n'avait pas non plus retrouvé la clef de la chambre dans les affaires de Sigler, éléments ayant amené le Dr Hertzog à douter de la thèse du suicide : « Je me suis abstenu [dans mon rapport d'autopsie] d'en écarter formellement l'éventualité, mais je n'ai pas non plus exclu la possibilité qu'il [Sigler] ait été placé par un tiers dans la position où on l'a retrouvé. » Il est par ailleurs étonnant que la police n'ait jamais cherché à se renseigner sur l'occupant de la chambre voisine. Lorsque Thompson essaya de retrouver sa trace, par l'identité figurant sur le registre de l'hôtel, il était aussi inconnu à l'adresse indiquée que dans l'entreprise censée l'employer.

Thompson demanda à Chapman si quelqu'un aurait pu être caché dans la salle de bains au moment où il pénétra dans la chambre. Le réceptionniste répondit que « la lumière était éteinte et la porte entrebâillée ». Il interrogea ensuite la femme de chambre de service à l'étage le jour de la mort de Sigler. Elle déclara que son client « paraissait nerveux ». Il lui avait demandé de faire le ménage à 8 heures du matin parce qu'il attendait « un visiteur important » et que, pendant ce temps, il faisait les cent pas dans le couloir, l'air inquiet. Il avait ensuite accroché l'écriteau « Ne pas déranger » à sa porte, l'en avait retiré vers 11 h 30 et sortait dans le couloir chaque fois qu'il entendait l'ascenseur. Elle n'avait pas vu de bouteilles ni de verres dans la chambre ce jour-là.

La police n'avait jamais interrogé le groom O'Brien et la

femme de chambre. Or, celle-ci fit à Thompson une stupé-fiante révélation. Le lendemain de la mort de Sigler, à la vue d'un couple arrivé dans la chambre 310, elle sentit « ses cheveux se dresser sur sa tête »: l'homme était le sosie du mort, jusqu'à la démarche et à la forme des lunettes. « Si ce n'était pas son frère jumeau, c'était son fantôme » ajouta-t-elle. Louis Martel admet que les services secrets avaient envisagé de poursuivre l'opération, ce qui expliquerait pour-quoi il avait été question de ne pas rendre le corps de Sigler à la famille avant son rendez-vous avec les Soviétiques. L'éven-tualité en a cependant été très vite abandonnée, affirme-t-il, ce qui « n'empêcha pas certaines rumeurs absurdes » de se répandre.

A l'issue de plusieurs mois d'enquête, Harry Thompson remit son rapport à Mme Sigler. Il concluait que son mari avait été « éliminé par le KGB ».

En septembre 1976, sur la recommandation de Duvall, Ilse Sigler engagea un avocat, Sidney Diamond. Il entretenait de bons rapports avec le FBI, dont il se faisait fort d'obtenir la coopération. Diamond allait bientôt se trouver lui aussi vic-time d'étranges tentatives de cambriolage à son domicile et à son bureau. Il méritera la reconnaissance de sa cliente pour les renseignements capitaux qu'il parvint à se procurer, soit en usant des dispositions d'une loi récemment votée, la *Freedom of Information Act*, qui donnait accès aux archives et dossiers jusqu'alors classés secrets, soit en suscitant des témoignages. Dans l'un de ceux-ci, un ancien officier de renseignement qui avait bien connu Sigler déclarait notamment qu'il était « hors de question » que ce dernier se fût suicidé. Il ajoutait, sans cependant nommer les Soviétiques, que « certaines puissances étrangères » pratiquaient la torture et électrocutaient leurs victimes de la manière dont Sigler avait été trouvé mort.

Le 30 septembre 1976, un journaliste du *El Paso Times*

contacta le Pentagone pour un reportage sur Ralph Sigler. Le *Washington Post* envoya à son tour un reporter enquêter à El Paso. Le 5 octobre 1976, le sénateur de Hawaii Daniel Inouye, président de la commission sénatoriale de tutelle, exigea « un rapport détaillé sur la mort de l'adjudant-chef Ralph Sigler ». Pour l'armée, l'affaire tournait au cauchemar. « Si les Soviétiques ne voulaient tuer Sigler que pour nous ridiculiser devant le Congrès, observe John Schaffstall, ils ont réussi ! »

Le 18 février 1977, conformément aux dernières volontés de son mari, Ilse Sigler déposa au tribunal fédéral d'El Paso une plainte contre les personnes citées dans la dernière lettre de Ralph, à savoir les généraux Aaron et Le Van, le colonel Donald Grimes, le commandant Noel Jones, Carlos Zapata, Francis « Joe » Prasek et John Schaffstall, ainsi que Louis Martel et le colonel Tomlinson, qui avait conduit l'enquête. Elle réclamait contre eux des dommages-intérêts s'élevant à vingt-deux millions cinq cent mille dollars. Elle les accusait « à titre individuel ou en association, d'avoir assassiné ou fait assassiner Ralph Joseph Sigler, ou de l'avoir sciemment placé dans un péril extrême sans prendre aucune mesure pour le défendre ou le protéger, contrairement aux dispositions du Cinquième amendement de la Constitution ». La plainte déclarait en outre que, en violation des dispositions du Quatrième amendement, les personnes susnommée avaient « saisi et conservé illégalement des documents, effets et souvenirs personnels appartenant à Mme Sigler ».

Tant pour elle que pour les défenseurs, les cinq années qui suivirent allaient réserver de pénibles épreuves. Schaffstall admet que le procès eut pour effet de briser sa carrière et celle de ses collègues, incapables pour la plupart de retrouver un emploi dans une administration après leur retraite de l'armée. Ils connurent également les plus grandes difficultés à se faire représenter, le ministère de la Justice ayant refusé d'assurer leur défense et les avocats civils se récusant les uns après les autres.

Au début de 1978, peu avant les premières dépositions de la défense, un représentant du ministère du la Justice prit contact avec Ilse Sigler, « probablement à la demande du FBI », estime-t-elle, et lui proposa à titre de transaction la somme forfaitaire de deux cent cinquante mille dollars et « l'engagement de l'armée de réhabiliter la mémoire de Ralph ». Diamond, son avocat, l'engagea à accepter, mais Ilse refusa une fois de plus : « Ce n'est pas l'argent qui m'intéresse, je veux savoir la vérité ! S'ils ne veulent pas me dire ce qui s'est réellement passé, je ne veux pas de leur argent », répliqua-t-elle. Ses adversaires ripostèrent en déclarant qu'ils ne se prêteraient à aucune solution amiable tant qu'elle ne retirerait pas de sa plainte le mot « assassinat ». Cette tentative de conciliation avortée marqua le début d'une impitoyable bataille de procédure qui allait se prolonger plus de cinq ans.

Mécontente de Sidney Diamond, et parce que la défense avait obtenu le transfert du dossier à la Cour de Baltimore, Ilse Sigler engagea un avocat de Washington, James Kenkel. Malgré son talent, celui-ci ne parvint pas à vaincre les préventions du juge chargé de l'affaire qui, le 7 janvier 1980, relaxa Joe Prasek, seul défenseur civil — étrange mansuétude qui choqua les militaires tels que John Schaffstall.

Le dimanche 12 octobre 1980, dans le magazine d'information « 60 Minutes », la chaîne de télévision CBS consacra un reportage à l'affaire Sigler. Malheureusement pour Mme Sigler, cette publicité n'eut aucune influence bénéfique sur son procès. A la fin d'octobre, la Cour rejeta les chefs d'accusation les plus graves et ne retint que la saisie illégale de documents au domicile de la demanderesse. Craignant que sa chance ne tourne, la défense offrit alors une nouvelle transaction amiable de soixante-dix mille dollars. Ilse refusa de nouveau, en exigeant une pleine réhabilitation de son mari et la vérité sur les circonstances de sa mort.

Le 25 mars 1982, le juge Northrop accorda à la demanderesse la somme de quarante-deux mille six cent huit dollars et quatre-vingt-dix cents à titre de dommages-intérêts, mais la condamnait aux dépens! Ceux-ci déduits, il resta à Ilse vingt-huit mille quatre cents dollars, qu'elle partagea pour moitié avec sa fille Karin. Elle avait dépensé plus de cinquante mille dollars en honoraires d'avocats et d'enquêteurs et divers frais de justice. Des mois durant, après avoir épuisé l'assurance-vie et la pension de Ralph, sans parler de son salaire de vendeuse, elle avait dû se nourrir de pain et d'eau. L'armée avait mené et gagné contre elle une guerre d'usure. Au bout de cinq ans d'épreuves physiques et morales, désespérant d'apprendre comment et pourquoi son mari avait perdu la vie, elle devait capituler faute des moyens de poursuivre la lutte. Elle ne savait rien de plus qu'au premier jour.

21

Le « clandestin » : la clef de l'énigme ?

Quand il dirigeait le contre-espionnage au FBI, Eugene Peterson souffrait d'une insuffisance de moyens et de personnel aussi chronique que son surmenage. La supervision simultanée de centaines d'opérations ne lui laissait matériellement pas le temps de se soucier de ce qui risquait d'aller mal dans l'une plus que dans l'autre. « J'avais en permanence quatre cents affaires en cours, dont une cinquantaine au moins aussi importantes que celle de Sigler, se souvient-il. Un tel volume de travail ne permet pas de faire mieux que de lire une seule fois un dossier et de décider sur-le-champ soit de le classer, soit de donner les ordres appropriés. »

A sa prise de fonctions au début de 1976, le dossier Sigler se trouvait, avec des dizaines d'autres, dans un classeur de son bureau. A ce moment-là, l'opération tournait rond, sans problèmes exigeant son attention immédiate. « Je n'ai pas touché à ce classeur pendant au moins six mois, admet-il. A l'époque, j'avais d'autres soucis. »

Le KGB, en revanche, dispose de moyens illimités. Son titre de « Comité pour la sûreté de l'Etat » et sa raison d'être, qui lui donne tous les droits, inspirent la crainte et la considération générales. Doté des crédits, du temps et du personnel nécessaires, il peut suivre pas à pas le déroulement de chaque opération, la mener avec la rigueur d'une partie d'échecs, étudier à loisir la stratégie de l'adversaire et anticiper ses mouvements.

Dans ce jeu où tous les coups sont permis, certains des

« pions » ont pour fonction de s'introduire illégalement aux Etats-Unis sous de fausses identités. Disséminés sur l'ensemble du territoire, fondus dans la population, ils offrent toutes les apparences d'Américains moyens, bons pères de famille, travailleurs assidus, politiquement conservateurs et résolument anticommunistes. Ces agents étaient, et sont toujours, connus sous le nom de « clandestins ». Primordial au temps de la guerre froide, leur rôle actuel se réduit le plus souvent à organiser les liquidations — les « affaires humides » chères aux auteurs de romans d'espionnage — et les sabotages. Le KGB leur transmet ses ordres et ses instructions par un réseau de communications secret d'une parfaite efficacité.

En 1955, le KGB avait recruté un jeune Tchèque, Ludek Zemenek, pour en faire un agent clandestin. Vingt ans après, son chemin allait croiser celui d'un autre Tchèque émigré aux Etats-Unis, Ralph Sigler. Ils avaient le même âge et avaient tous deux connu une jeunesse pauvre et laborieuse sous l'autorité d'un père tyrannique. Mais le parallèle s'arrête là : au seuil de l'âge d'homme, leurs destins prennent des orientations radicalement opposées. Sigler se révolte contre son père, quitte l'école et s'engage dans l'armée alors que Zemenek, à la « libération » de son pays par l'Armée rouge, adhère avec enthousiasme à la cause du communisme et étudie consciencieusement le marxisme-léninisme. Membre du Parti à dix-sept ans, il termine ses études à la tête de sa classe et se fait distinguer pendant son service militaire par le KGB, qui l'engage et le forme.

Rompu aux techniques de l'espionnage et de la clandestinité, Zemenek fut pourvu d'une nouvelle identité, celle de Rudolph Herrmann, prisonnier de guerre allemand mort sans famille proche dans un camp soviétique en 1943. Désormais « réfugié » de RDA, Herrmann trouva un emploi dans un magasin de pièces détachées automobiles de Francfort, où il se maria et vécut plusieurs années. En février 1961, le KGB l'envoya en touriste au Canada et aux Etats-Unis afin qu'il se rende compte s'il pourrait s'y installer. Herrmann visita le Canada, franchit la frontière, poussa vers Detroit et New York. A son retour, il informa le KGB qu'il se sentait capable de s'adapter à l'un ou l'autre de ces deux pays, d'y vivre et d'y travailler.

Les Herrmann obtinrent facilement un visa d'immigration au Canada, ouvrirent un « delicatessen » à Toronto et, après avoir été de loyaux Allemands de l'Ouest, devinrent d'excellents Canadiens. La charcuterie s'étant révélée rentable au-delà de ses espérances, Herrmann vendit son commerce avec un confortable bénéfice et fonda une maison de production de films industriels et publicitaires. La nationalité canadienne lui fut accordée en février 1967 ; dix jours plus tard, le KGB lui ordonna de demander un visa pour les Etats-Unis. Son visa obtenu, Herrmann alla en 1968 s'installer, toujours sur ordre du KGB, à Hartsdale, à une vingtaine de kilomètres de New York. Il reprit et développa ses activités de producteur de films de formation et de relations publiques, avec des clients prestigieux tels que IBM.

Ses occupations d'homme d'affaires ne l'empêchaient pas d'exécuter les missions que lui confiait le KGB. Ainsi, en mars 1969, il envoya à Cap Canaveral une lettre anonyme menaçant de saboter le lancement du vaisseau spatial devant débarquer un équipage sur la Lune. Chargé de surveiller le transfuge Youri Nozenko à Washington, il assurait aussi les contacts avec Nick Shadrin. Il devait surtout relever les « boîtes aux lettres » installées à proximité des bases militaires infiltrées par le KGB, rôle essentiel parce qu'il constituait alors le seul moyen de communication entre les agents.

Au cours de l'été 1975, Herrmann fut chargé d'implanter au Texas, près d'El Paso, entre Fort Bliss et la base de White Sands, deux « boîtes aux lettres » susceptibles d'être utilisées en permanence et d'assurer en cas de besoin une bonne conservation des documents. Il se rendit en septembre à El Paso, explora les alentours en observant les précautions d'usage et sélectionna deux emplacements : l'un, sous un gazoduc, permettant d'abriter plusieurs années un container étanche ; l'autre, dans un cimetière distant de quelques kilomètres, aménagé sous la dalle d'une tombe abandonnée où reposait un enfant mort à l'âge de trois ans.

Le FBI appréhenda Herrmann le 4 mai 1977 et lui mit le marché en main : la prison pour lui et sa famille, ou la protection du FBI s'il acceptait de coopérer contre le KGB. Herrmann accepta, à la condition de ne tuer personne. « C'est le KGB qui emploie des assassins, pas nous », répliqua un « Incorruptible ».

Herrmann s'était cru victime d'une dénonciation, car le FBI connaissait ses « planques » d'El Paso et n'ignorait rien de ses activités depuis 1975, voire plus tôt. En réalité, son arrestation ne constituait pas le couronnement d'une difficile enquête. Il avait été identifié, plusieurs années auparavant, grâce à une caméra de surveillance installée près d'une « boîte aux lettres », située à la limite de l'Alabama et du Tennessee, servant à un agent double employé à l'arsenal de Redstone à Huntsville. Depuis, il travaillait à son insu pour le FBI...

Mais si nous voulons mieux comprendre cette situation embrouillée, il convient de revenir un peu en arrière.

Du début à la fin de l'opération *Graphic Image*, l'armée et le FBI avaient âprement lutté pour s'en assurer le contrôle. Des années durant, le colonel Grimes et Eugene Peterson s'étaient affrontés en invoquant les grands principes. La mort de Sigler allait aggraver leur antagonisme. « S'il s'est suicidé, ce n'est pas notre problème mais celui de l'armée, déclare Peterson. [Ils] étaient seuls responsables de sa sécurité personnelle. »

Le FBI, à vrai dire, semblait attiser par plaisir la méfiance des militaires. Ainsi, l'armée avait demandé en communication les fausses cartes d'identité canadiennes, fournies à Sigler par les Soviétiques, que Prasek prétendait avoir récupérées. Le FBI refusa sans explication de s'en dessaisir — attitude d'autant plus absurde que le Bureau n'avait jamais détenu ces documents ! Plusieurs années après la mort de Ralph, en effet, Ilse Sigler voulut remplacer la moquette de son salon. En déplaçant un buffet, les ouvriers eurent la surprise de découvrir les fameuses cartes, dissimulées par Ralph derrière le meuble. Ilse les possède encore aujourd'hui.

Le suicide de Sigler et ses échecs au polygraphe ont longtemps mystifié les militaires responsables de l'opération. Le colonel Grimes, Schaffstall, Donnel Drake, Louis Martel, Noel Jones exprimaient leur perplexité dans les mêmes termes : pourquoi auraient-ils éliminé Sigler alors même qu'ils cherchaient à découvrir ce qu'il leur cachait ? Sigler n'avait aucune raison de se désespérer, encore moins de se suicider : « Quoi qu'il ait fait, nous aurions arrangé les choses et nous ne l'aurions pas laissé tomber, il le savait pertinemment. Avec nous, il était en confiance. Au pire, s'il avait réellement vendu des secrets aux Russes à notre insu, nous aurions mis fin à l'opération. Il savait qu'avec nous il ne risquait rien, nous le lui avons cent fois répété », déclare Schaffstall.

A la question de savoir si Sigler avait été retourné par les Soviétiques, le colonel Grimes répond : « Non, je n'y ai jamais cru. Ses réactions au polygraphe auraient été beaucoup plus accusées. C'est ce qui me déconcertait : à l'évidence, il travaillait pour d'autres que pour nous — mais il s'agissait du FBI. » Noel Jones est aussi catégorique : « Sigler n'a jamais travaillé pour les Soviétiques. » De son côté, John Schaffstall avoue : « Nous avons vingt fois mis Ralph à l'épreuve en pensant aux Soviétiques sans rien trouver de suspect, mais l'idée ne nous venait pas de vérifier du côté du FBI. C'est ma faute, je ne voulais pas le revoir au retour d'une mission sans avoir prévenu Prasek... Fallait-il être naïf ! »

Le FBI ne s'était pourtant guère intéressé à Sigler d'entrée de jeu. Mais le scepticisme initial, qui entourait ce premier essai d'opération conjointe avec l'armée, ne tarda pas à se muer en enthousiasme devant les résultats obtenus par *Graphic Image*. Grâce à lui, le FBI atteignait son objectif essentiel: vérifier les moyens dont le KGB disposait au Mexique, démonter son fonctionnement, mesurer l'impact de ses activités et leurs prolongements aux Etats-Unis. Encouragé par un tel succès, le Bureau lança alors une série d'opérations similaires avec des agents doubles et se désintéressa peu à peu de Sigler, du moins dans le cadre de cette opération: « Les résultats que nous en retirions ne correspondaient plus aux efforts consentis ni aux objectifs poursuivis », admet Peterson.

Selon ce dernier, les difficultés qui surgirent bientôt entre l'armée et le FBI étaient dues avant tout à leur agent sur le terrain, Joe Prasek. La direction générale avait trop à faire pour surveiller ses agissements et ceux de ses collègues du bureau d'El Paso, à qui on laissait la bride sur le cou. « Dès que nous avions le dos tourné, se souvient le colonel Grimes, Prasek et Sigler sortaient boire une bière comme une paire d'amis, sans que nous ayons jamais su ce qu'ils se racontaient. J'ai compris trop tard que le FBI avait débauché Sigler et le faisait travailler à notre insu. »

(Précisons ici que Joe Prasek a refusé de répondre à nos demandes d'interview en se retranchant derrière son devoir de réserve — mutisme fort commode pour ses supérieurs qui peuvent ainsi, sans crainte d'être contredits, le rendre responsable de leurs propres erreurs dans l'affaire Sigler.)

Le colonel Grimes s'était plaint à plusieurs reprises de l'attitude de Prasek. William Branigan et Eugene Peterson, ses supérieurs successifs, n'ignoraient pas le comportement fautif de leur subordonné. Ainsi, ses rapports sur les *debriefings* de Sigler correspondaient rarement aux comptes rendus de l'armée et Prasek éludait les questions sur ces troublantes discordances. Débordé de travail, Peterson négligea d'abord de donner suite aux plaintes de l'armée. Quand il se pencha enfin sur le problème, il se heurta à une obstruction systématique : « Chaque fois que j'envoyais à Prasek une note de service l'enjoignant de clarifier tel ou tel point litigieux, il allait se plaindre à son chef de bureau : "Je suis le seul spécialiste des opérations frontalières et voilà encore l'autre imbécile, au siège, qui me met des bâtons dans les roues !", si bien que le chef de bureau appelait le sous-directeur pour se plaindre que le siège se mêlait de ce qui ne le regardait pas. » En fait, Peterson considérait Prasek comme un prétentieux, qui se « croyait plus malin que tout le monde, ne se trompait jamais et n'acceptait aucune critique ».

On sait que Prasek, après la mort de Sigler, avait procédé à une fouille en règle de la maison à l'insu de l'armée. Le FBI a prétendu n'être pas informé ni en avoir donné l'autorisation. Que cherchait donc Prasek ? Grimes commença d'entrevoir la vérité : « Je n'avais déjà plus l'impression, à l'époque, que les documents fournis par Ralph aient présenté un réel intérêt pour les Soviétiques, ni qu'ils aient tenu à lui en tant que source de renseignements. Mais s'il avait accepté, par exemple, d'assurer la liaison avec un clandestin, il se rendait évidemment indispensable. Il jouait si bien son rôle qu'ils ne se sont sans doute jamais posé de questions à son sujet. »

Quelques années plus tard, Schaffstall prit connaissance avec stupeur des notes et documents retrouvés petit à petit par Ilse Sigler dans leurs cachettes : « Je découvrais un Ralph inconnu, qui menait une double vie d'espion pour le compte du FBI. Malgré les interrogatoires, les examens au polygraphe, les pressions de notre amitié, il ne nous a jamais rien dit. » S'il protégeait ainsi son secret au risque de passer pour un traître envers les siens, c'était, selon Noel Jones, parce que le FBI avait réussi à le convaincre qu'il était investi d'une mission prioritaire : se mettre au service d'un authentique clandestin du KGB dans le but de le neutraliser.

Selon un ancien dirigeant du FBI, Ralph Sigler opéra longtemps en liaison avec Herrmann. Ils avaient l'un et l'autre les mêmes contacts avec le KGB à Mexico, à Vienne et dans d'autres villes d'Amérique et d'Europe. Les pièces d'identité fournies à Sigler par les Soviétiques étaient des fausses cartes d'identité canadiennes établies à Toronto, où Herrmann avait résidé plusieurs années. Lors de leur entrevue au Pentagone, le général Aaron avait déclaré à Mme Sigler que son mari avait permis de résoudre « une affaire d'espionnage à New York », où Herrmann résidait — déjà sous la surveillance du FBI. Des plans sur lesquels figuraient l'emplacement et la description des deux « boîtes aux lettres » de Herrmann à El Paso faisaient partie des documents contenus dans le coffret de métal récupéré par Schaffstall au domicile de Sigler.

Les archives personnelles de Sigler fournissent maints indices concordants. Un code spécial prouvait que les Soviétiques l'avaient équipé d'un émetteur « par éclairs ». Les notes opérationnelles de son séjour à San Francisco démontraient qu'il y était allé rencontrer Herrmann sur l'ordre et pour le compte du FBI. Mais l'armée ignorait que Sigler, chargé par le KGB de « servir » Herrmann, agissait sous contrôle du FBI. Il fallait par conséquent récupérer d'urgence l'émetteur et tout ce qui touchait à cette opération, ce qui explique la fouille de la maison effectuée par Prasek.

La vérité sur la mort de Ralph Sigler se trouve dans un rapport secret annexé à son dossier au FBI. Selon des sources dignes de foi, ce rapport confirme que le FBI, d'abord prêt à abandonner *Graphic Image*, employa ensuite Sigler dans l'opération menant à l'arrestation et au retournement de Herrmann. L'exemple de Nick Shadrin montre que le FBI était prêt à tout pour mettre la main sur un clandestin et remonter la filière ; celui de Sigler en apporte la confirmation et témoigne du succès remporté par le Bureau. Mais cette réussite a été payée de la vie d'un homme. Ralph Sigler, agent double, est mort à cause d'un double secret : parce que les responsables du FBI n'ont jamais avoué à l'armée pourquoi et comment ils se servaient de lui, et parce qu'il avait juré au FBI de se taire.

Ce ne sont cependant ni l'armée ni le FBI qui ont liquidé Ralph Sigler. Tout porte à croire qu'il a été assassiné par le KGB.

Dix jours durant, Sigler avait réussi à ne rien révéler de ses relations secrètes avec le FBI, sans que ses échecs répétés au polygraphe aient paru gravement l'affecter. Ses officiers traitants s'accordent à dire qu'il se montrait sûr de lui, optimiste. Pourquoi ? Parce que, si les choses tournaient vraiment mal, il comptait sur le FBI pour le tirer de ce mauvais pas. Le FBI lui avait dit que ses démêlés avec l'armée et les soupçons pesant sur lui ne pouvaient que renforcer sa crédibilité auprès des Soviétiques. Acteur consommé, Sigler « collait » à son rôle et à son personnage.

Malheureusement, le FBI ignorait que le KGB disposait d'un informateur à Fort Meade. Sigler en savait trop sur Herrmann, le KGB ne pouvait à aucun prix le laisser subir un interrogatoire destiné à lui faire avouer par tous les moyens ses secrets les mieux gardés — le sort de leur plus précieux clandestin d'Amérique du Nord ne devait pas dépendre d'une injection de pentothal. Aussi, lorsque le KGB apprit que le colonel Grimes et Noel Jones convoquaient Donnel Drake, que Sigler devait être transféré à Fort Meade le lendemain et serait ainsi coupé du monde extérieur, il n'y avait qu'une solution logique au problème : l'élimination immédiate de Sigler.

L'exécuteur du KGB prit sans doute contact avec Ralph Sigler peu après le départ d'Odell King. Il s'agissait peut-être d'un client de l'hôtel. Nous estimons plus vraisemblable que

Sigler a été attiré dans un autre endroit, sous prétexte d'un rendez-vous imprévu. Il n'a pas été électrocuté dans sa chambre, où Louis Martel n'avait senti aucune odeur de chair grillée ; de même, les clients de l'hôtel n'avaient pas remarqué de saute de courant ni de bruit suspect. C'est donc du lieu où ils l'ont entraîné et torturé que le ou les tueurs du KGB ont forcé Ralph Sigler à téléphoner à sa fille et à sa femme puis, afin de brouiller les pistes, lui ont fait écrire la lettre ordonnant à Ilse de poursuivre l'armée en justice.

Cette hypothèse élucide à la fois la présence d'alcool dans l'organisme de Ralph malgré l'absence de bouteilles vides dans sa chambre, les traces de coups violents sur son visage — blessures incompatibles avec une simple chute, comme l'avait observé le médecin légiste — et le mystère des taches de sang sur le caleçon plié. Elle explique que le groom ait découvert dans une poubelle des photos polaroïd de Sigler nu et inanimé, documents dont les tueurs avaient besoin pour prouver à leurs commanditaires que le contrat était exécuté. Elle éclaire d'une lumière nouvelle l'étrange « missive d'outre-tombe », ayant inexplicablement transité par Seattle, dans laquelle Sigler écorche des noms dont il connaissait depuis des années l'orthographe correcte. John Schaffstall déplore jusqu'à ce jour de n'avoir pu en percer le mystère car il s'agissait très certainement, selon lui, d'une sorte d'avertissement codé que Ralph s'efforçait de leur faire parvenir.

Peterson rejetait sur l'armée la responsabilité de la sécurité de Sigler. Or, selon Donnel Drake et Louis Martel, les consignes de sécurité se bornaient à leur demander de vérifier la présence à proximité de voitures munies des plaques étrangères ou diplomatiques. L'armée semblait négliger la sûreté de Sigler parce qu'elle ne l'avait à aucun moment considéré réellement en danger. C'est la raison pour laquelle on le laissait séjourner seul à l'hôtel sans surveillance, voyager et téléphoner sous son propre nom et, contrairement aux règlements, payer ses dépenses avec sa carte de crédit. Il va sans

306

dire que, dans ces conditions, il offrait une cible facile aux tueurs du KGB.

Comment cela a-t-il pu se produire ? Qui était la taupe dans les services de renseignement de l'armée ? Nous avons posé la question à James Nolan, ancien dirigeant du FBI, qui, en guise de réponse, nous a conseillé de lire un roman d'espionnage dont l'auteur, Jack Fuller, avait appartenu au cabinet de l'Attorney General Edward Levi. N'y ayant trouvé aucune référence à l'affaire Sigler, nous avons cru que Nolan, par loyauté envers le FBI, s'efforçait une fois de plus de brouiller les pistes. John Schaffstall lut le livre à son tour et partagea notre opinion. Mais lorsque nous en avons parlé à Noel Jones, il nous apprit que le roman en question racontait, en la camouflant à peine, l'histoire de Richard A. Smith, qui était sous ses ordres pendant toute l'opération *Graphic Image* et présent à Fort Meade au moment de la mort de Ralph Sigler. Voici, en résumé, cette édifiante histoire.

Jones avait fait la connaissance de Smith dans les années 60 à Tokyo, où il faisait son service militaire. Le jeune homme avait demandé à Jones s'il accepterait de l'engager un jour dans sa prestigieuse section des Opérations spéciales. Intelligent, ambitieux, doué pour les langues, Smith fit sur Jones une bonne impression. Lorsqu'il arriva à Fort Meade au début des années 70, Smith avait déjà acquis à la CIA une certaine expérience des services spéciaux. Affecté d'emblée à un poste de responsabilité, il suivait ses propres dossiers et jouissait d'une large autonomie. Comme la plupart des membres de la section, il donnait de temps à autre un « coup de main » dans l'opération *Graphic Image* : « C'est ainsi que les choses se passaient chez nous, précise Louis Martel. Nous nous aidions les uns les autres en cas de besoin, il n'y avait pas de secret entre nous. *Graphic Image* était la première grosse opération de la section, nous étions fiers de notre vedette. »

Jones, Martel, Schaffstall confirment que Smith était au courant de tout ce qui concernait Sigler, notamment au cours de la semaine ayant précédé sa mort. Smith n'a cependant jamais été soupçonné. Nul ne s'est étonné que la mort de Sigler fût survenue quelques heures après la décision de lui faire subir un interrogatoire à Fort Meade — décision dont seul un membre de la section ou, à la rigueur, d'un autre service de Fort Meade, pouvait avoir eu connaissance.

En 1980, Jones nomma Smith à la tête du détachement de la section des Opérations spéciales à San Francisco. Six mois plus tard, Smith démissionna sans préavis. Furieux de la trahison de son protégé, dont il avait favorisé la carrière en le faisant à plusieurs reprises bénéficier de passe-droits, Jones se précipita à San Francisco et donna à Smith une demi-heure pour vider les lieux. Louis Martel, qui lui succéda, trouva un jour dans un classeur une lettre écrite par Smith à sa femme mais qu'il n'avait pas envoyée. Selon les souvenirs de Martel, il disait en substance : « Je pars pour une mission très dangereuse. Si je ne reviens pas, sache que je t'aime, mais sache aussi que nous sommes couverts de dettes. » Martel vérifia son emploi du temps et constata que Smith n'avait pas été envoyé en mission à cette date-là. Ses collègues de Fort Meade, à qui il parla de la lettre, lui rirent au nez car Smith était connu pour son « imagination débordante ». Personne ne pensa à vérifier les activités de Smith pendant ses permissions. Or, un simple contrôle aurait permis de constater qu'il faisait de fréquents voyages au Japon. Quant à la lettre, elle finit dans une corbeille à papiers.

Noel Jones n'entendit plus parler de Smith jusqu'en 1983, quand le FBI l'appréhenda pour présomption de complicité avec Smith dans la « communication de documents secrets à une puissance étrangère ». Jones, qui dirigeait alors le contre-espionnage à Fort Meade, fut relâché et lavé de tous soupçons lorsque le FBI s'aperçut qu'il l'avait lui-même prévenu un certain temps auparavant des activités suspectes de Smith !

Inculpé d'avoir vendu des documents secrets et dénoncé six agents doubles au KGB, en la personne d'un certain Victor Okounov attaché à la mission commerciale d'URSS à Tokyo, Smith passa en jugement. Il se défendit avec succès en déclarant travailler pour la CIA et avoir donné les noms des agents sur ordre de l'Agence. Le collaborateur de la CIA censé superviser ses discutables activités, Charles Richardson, fut révoqué peu après pour « manque de discernement »...

Schaffstall et Martel estiment que Smith informait les Soviétiques depuis bien avant 1980, soit directement, soit par le canal de la CIA. Schaffstall considère comme seule plausible l'hypothèse de l'assassinat de Sigler par le KGB : « J'ai connu Ralph des années. C'était un homme honnête et courageux. S'il avait vraiment voulu se tuer, il ne s'y serait certainement pas pris de cette manière. Je n'ai jamais cru à son suicide. Ce n'était pas conforme à son caractère et, je l'ai souvent dit, il n'avait aucune raison de se tuer. »

Au cours de sa carrière, Schaffstall avait été responsable de nombreuses opérations. Celle-ci allait être sa dernière : à peine revenu d'El Paso, où il était allé informer Zapata et Prasek de la mort de Sigler, il fut écarté de l'enquête.

Obnubilée par les accusations contenues dans la dernière lettre de son mari, Ilse Sigler s'en est exclusivement prise à l'armée. Ce ne sont pourtant pas les militaires qui détiennent le secret de ce qui s'est réellement produit, un soir d'avril 1976, dans une banale chambre d'hôtel de la banlieue de Baltimore. D'autres connaissent cette vérité, mais ils continuent à la nier au mépris de toute vraisemblance. En 1987, dans un supermarché d'El Paso, Ilse Sigler rencontra Carlos Zapata qui lui glissa dans la conversation : « Le FBI sait exactement ce qui est arrivé à votre mari. Tout est dans le dossier. » Ebranlée par sa conviction, Ilse s'apprêtait à saisir le juge fédéral qui, au début, avait prêté une oreille attentive à ses griefs, quand le juge en question fut nommé au conseil de surveillance du FBI. Simple coïncidence ?...

Depuis la mort de Ralph Sigler, le FBI cherche par tous les moyens à se dissocier de l'affaire et va jusqu'à minimiser sa participation dans l'opération *Graphic Image*. Aucun enquêteur privé ou officiel, aucun journaliste, aucune autorité judiciaire, pas même la commission parlementaire de tutelle, n'a pu ou n'a voulu lui poser la moindre question. Aujourd'hui encore, toutes les demandes d'informations se heurtent à un mur de silence. Pourquoi ne pas admettre ses erreurs ou sa responsabilité dans le drame ? Par embarras, par peur du ridicule ?

La véritable raison est beaucoup plus inquiétante. Plusieurs membres des services de renseignement de l'armée sont convaincus que l'arrestation de Richard Smith n'était qu'un écran de fumée, servant à dissimuler un désastre pour tous les services secrets américains : la pénétration du FBI par le KGB. Cette pénétration fut révélée en 1983 par un agent du KGB, recruté par les services de l'armée, qui avertit ses officiers traitants de l'existence de fuites d'une extrême gravité provenant directement du siège du FBI. Entre autres exemples, l'informateur cita celui d'un officier de l'armée américaine, agent double comme l'avait été Sigler mais dont le KGB connaissait les activités, qui devait convoyer à Moscou des matériaux destinés à la construction de la nouvelle ambassade des Etats-Unis. Sa mission consistait à détecter l'emplacement des micros et systèmes d'écoute que les Soviétiques ne manqueraient pas d'installer dans le bâtiment. Or, le KGB avait donné l'ordre d'exécuter cet officier dès son arrivée à Moscou.

Seuls, une poignée d'agents du FBI et des services de l'armée étaient au courant de cette opération, dont Moscou avait été averti moins de trois semaines après sa préparation dans un bureau du FBI. Bien entendu, l'opération fut annulée. A la fin de 1983, le Président Reagan autorisa personnellement les services de contre-espionnage de l'armée à enquêter sur la pénétration du FBI par le KGB. On n'a pas oublié non plus la démolition en 1988 de la nouvelle ambassade des Etats-Unis à Moscou, dont la sécurité laissait sérieusement à désirer...

L'enquête menée par l'armée eut pour résultat de soumettre les responsables du contre-espionnage du FBI à une série d'examens au polygraphe. Malheureusement, comme il est trop souvent de règle en pareil cas, la source des fuites ne fut jamais localisée. Le FBI procéda ensuite à sa propre enquête et arrêta un agent du bureau de Los Angeles, William Miller. On est en droit de se demander si l'arrestation de Miller, comme celle de Smith, n'était qu'un écran de fumée. Un membre des services de l'armée le déclare sans ambiguïté : « Nous savions que le KGB avait un agent au plus haut niveau du FBI. Il y a de fortes chances pour qu'il soit toujours dans la place. »

En mai 1976, un mois après la mort de Ralph Sigler, John Schaffstall prit sa retraite. Muté du bureau du FBI d'El Paso à celui de Phoenix, Joe Prasek partit lui aussi en retraite peu après et, depuis, garde le silence. Le colonel Grimes qui, au moment de la mort de Sigler, souffrait d'obésité, d'hypertension et « fumait comme une cheminée », survécut à une attaque cérébrale et quitta le service actif. Retraités eux aussi, Louis Martel vit désormais en Floride et Donnel Drake à Las Vegas. Avant de retourner à la vie civile en 1988, Noel Jones rédigea sur l'affaire Sigler une analyse de six cents pages, dont les services de l'armée interdirent la diffusion interne : « Ils ne voulaient plus en entendre parler. J'espérais pourtant que l'expérience nous aurait servi », dit Jones avec amertume. Quant à Carlos Zapata, sa dernière mission consista à fermer le bureau d'El Paso des services secrets de l'armée qu'il quitta, à son tour, en 1978.

Ilse Sigler habite toujours El Paso, dans la maison que Ralph et elle ont construite il y a vingt-deux ans et qu'elle n'a pas voulu quitter pour « ne pas s'avouer vaincue ». Elle n'y a pas apporté de grands changements depuis la mort de son mari, dont elle possède toujours le poste à ondes courtes et les bandes magnétiques où il enregistrait ses messages codés. A la place d'honneur, sur une table du salon, elle a posé une photo de Ralph, avec ses médailles et sa citation :

L'adjudant-chef [Chief Warrant Officer] Ralph J. Sigler s'est valeureusement distingué du 9 décembre 1966 au 13 avril 1976. Volontaire pour des missions secrètes et périlleuses au service des forces armées et du Gouvernement des Etats-Unis, il y a consacré son temps et ses efforts, dédaignant sa peine et la consécration d'une gloire publique, et prouvant ainsi son dévouement à la sécurité nationale. Le gouvernement des Etats-Unis lui est directement redevable de renseignements d'une importance vitale pour la sûreté de la Nation. La façon remarquable dont il a accompli son devoir au cours de cette période témoigne de sa haute valeur personnelle, digne des plus nobles traditions de notre Armée.

De toutes les épreuves de sa vie — la guerre et les bombardements, la crise de Berlin, ses angoisses provoquées par la vie secrète d'agent double de Ralph — aucune n'a été plus douloureuse à Ilse Sigler que sa vaine recherche de la vérité. Elle ne perd toutefois pas l'espoir de faire avouer un jour ceux qui lui doivent cette vérité, à laquelle elle tient plus que tout, pour laquelle elle a sacrifié une véritable fortune et la paix de son esprit. Pour elle, en attendant, la vie continue, avec ses visites régulières au cimetière militaire de Fort Bliss, ainsi — du moins l'affirme-t-elle — que les mystérieuses filatures, les écoutes téléphoniques et l'ouverture de son courrier...

Il lui reste une consolation, la plus précieuse : elle sait que son mari était un héros. Et si, de temps à autre, un doute ou le découragement vient l'assombrir, il lui suffit de se remémorer la réponse de Ralph, le jour où elle lui demandait pourquoi il avait embrassé cette dangereuse et obscure carrière d'agent double : « Parce que je veux faire quelque chose de bien pour mon pays. »

EPILOGUE

Si les trois exemples que nous venons de relater ont donné au lecteur l'illusion que nos services secrets se sont instruits par l'expérience, qu'il prenne plutôt connaissance des récentes mésaventures de la veuve d'Igor Orlov.

Igor Orlov, brièvement aperçu dans les récits précédents, était cet émigré russe devenu encadreur. Soupçonné par le FBI et la CIA d'être le mythique *Sacha*, maître-espion soviétique, il fut tour à tour accusé, innocenté, dénoncé puis blanchi à nouveau par les uns et les autres tout au long des années 60. L'enquête du FBI n'avait jamais permis de découvrir la moindre preuve permettant de l'arrêter, encore moins de le juger. Lorsqu'il mourut d'un cancer le 1er mai 1982, sa veuve pensait à bon droit que le cauchemar avait pris fin.

Le samedi 6 janvier 1988, Eleonora Orlova se trouva brutalement ramenée vingt ans en arrière. Elle rangeait son atelier d'Alexandria, Virginie, non loin de Washington, quand elle entendit frapper à la porte. Douce, menue, encore mal remise d'un incendie qui avait ravagé peu auparavant la boutique et le logement situé à l'étage au-dessus, elle était loin de se douter de ce qui l'attendait

Un homme et une femme, jeunes l'un et l'autre, se présentèrent à elle: Stephanie Gleason et Charles Sciarini, Agents spéciaux du FBI, venaient perquisitionner. La demoiselle Gleason déclara que des « informations sérieuses » confirmaient qu'Igor Orlov avait appartenu au KGB pour lequel il avait recruté ses deux fils, George et Robert. Gleason et Sciarini affirmèrent à Mme Orlova que des milliers de dollars et des dizaines de documents compromettants étaient sûrement cachés chez elle, et même dans son jardin. Stupéfaite, Mme Orlova répondit que seul, à sa connaissance, y était enterré le cadavre de son chat.

Au même moment, d'autres agents du FBI abordaient George Orlov à Chicago et Robert Orlov à Boston. Aucun desdits agents ne possédait de mandat ni, comme on le constatera par la suite, n'avait songé à consulter aux archives du FBI les volumineux dossiers de la famille Orlov. Leur invraisemblable démarche était provoquée par les « révélations » du transfuge Youri Yourchenko. C'est lui, on s'en souvient, qui avait affirmé à la CIA en 1985 que Nick Shadrin avait été tué accidentellement à Vienne par le KGB en 1975 et qui, sa mission de désinformation accomplie, était reparti pour l'URSS quelques mois plus tard.

Victime à son tour des persécutions absurdes dont la vie de son mari avait été empoisonnée, Mme Orlova dut s'incliner après que les agents Gleason et Sciarini l'eurent menacée de causer de sérieux ennuis professionnels à son fils George si elle faisait de l'obstruction. Les deux limiers fouillèrent sa maison de fond en comble, retournèrent son jardinet sans rien y trouver et lui firent subir un interrogatoire en règle. Elle n'était pourtant pas quitte : dans l'ancienne chambre des deux frères, les émissaires du FBI firent main basse sur des indices capitaux pour leur enquête — vieilles lettres, photos, souvenirs d'école. Ils saisirent aussi les méthodes d'anglais fournies à Igor Orlov par la CIA — elles auraient pu constituer la clef d'un code ! — et confisquèrent les livres comptables.

Un atelier comme celui de Mme Orlova ne fait pas un gros chiffre d'affaires : combien de tableaux une vieille dame seule peut-elle encadrer dans sa journée ? Or, jusqu'à ce jour, le FBI continue d'enquêter sur *tous* les clients des Orlov, l'un après l'autre, afin de vérifier s'ils sont ou non des agents soviétiques. Il semblerait que la conduite intelligente d'une enquête et le

316

respect des droits élémentaires des innocents ne fassent plus partie des sujets enseignés au centre de formation du Bureau Fédéral...

On imagine le sentiment de dizaines d'agents du FBI, autrement expérimentés que Mlle Gleason et M. Sciarini, quand ils découvriront que leur vie privée et professionnelle est passée au peigne fin parce qu'ils ont, une ou deux fois en vingt ans, acheté un cadre ou une gravure à la galerie Orlov. On devine la réaction d'un maniaque de la sécurité tel que Bruce Solie, quand l'Agent spécial Gleason viendra lui demander pourquoi en décembre 1975, juste avant de partir pour Vienne, cette capitale mondiale de l'espionnage, il avait confié à Igor Orlov un tableau à encadrer. Il est vrai que l'Agent spécial Gleason n'a sans doute jamais entendu parler de Nick Shadrin, de l'opération *Kitty Hawk* et du rôle qu'y a tenu Bruce Solie...

Scandalisé par l'intrusion des agents du FBI chez lui pendant une réunion de famille ce samedi-là, Robert Orlov leur dit sèchement de prendre rendez-vous s'ils voulaient lui parler. A Chicago, inquiet des dommages que le FBI pourrait infliger à sa carrière, George Orlov fit cependant preuve d'une incrédulité si évidente que ses visiteurs, afin de le convaincre, prirent une choquante initiative. Ils lui demandèrent de les accompagner à leur bureau, où l'agent Vincente Rosado lui communiqua trois pages de l'interrogatoire de Yourchenko et lui fit écouter la bande magnétique correspondante. « Yourchenko affirmait que mon père était un agent du KGB et qu'il avait recruté ses deux fils. Il citait une quantité de détails sur notre vie privée, notamment toutes les villes où je me suis déplacé, en répétant que nous n'avions jamais cessé de travailler pour le KGB », se souvient George Orlov.

En fait, le FBI surveillait les Orlov depuis 1985, date des accusations de Yourchenko. Pendant trois ans, leur courrier

fut ouvert et leurs téléphones sous écoute parce qu'un prétendu transfuge avait sciemment dévoyé l'attention et les moyens
du FBI qui, pendant ce temps, négligeait le pillage systématique de nos secrets militaires et industriels et les menaces
réelles que font peser les agents soviétiques sur notre sécurité.
Pendant plus de trois ans, selon l'agent Rosado, aucun des
enquêteurs lancés sur la piste de *Sacha* ne s'était donné la
peine de s'informer des résultats de l'enquête initiale, tant
auprès de ses collègues du FBI y ayant participé que des
agents du contre-espionnage à la CIA. Devant cette preuve
éclatante d'incurie et d'amnésie collective, le KGB ne peut
que se féliciter de nous manipuler avec autant d'aisance...

Soupçonné d'agissements dont il se savait innocent sans
pouvoir en apporter la preuve, George Orlov se trouva soumis
à un harcèlement constant. Des mois durant, ouvertement
surveillé par le FBI, il était même suivi pendant son jogging ou
ses promenades à bicyclette ! On alla jusqu'à lui reprocher de
conduire trop vite « comme s'il voulait semer ses poursui-
vants ». Finalement, de guerre lasse, il se soumit de lui-même
à un examen au polygraphe parce que, dit-il, « je n'avais pas
d'autre moyen de me disculper ». Après son indiscutable
réussite à cet examen, Vincente Rosado, gêné, l'invita à dîner.

Habituée aux vexations depuis des décennies, Mme Orlova
se résigna à subir un examen au polygraphe en mai 1988, mais
à la condition que le FBI lui pose ses questions une fois pour
toutes et qu'elle n'en entende plus jamais parler. Le FBI
accepta. Mme Orlova passa l'examen avec succès et crut en
avoir enfin terminé avec ces tracasseries. Or, après que les
auteurs eurent contacté le FBI pour obtenir des informations
sur cette enquête, l'agent Gleason demanda à Mme Orlova de
se soumettre à un nouvel examen : le FBI avait oublié,
paraît-il, de lui poser quelques questions... Cette fois,
Mme Orlova refusa.

Eleonora Orlova n'aspire plus qu'à une chose : qu'on la laisse en paix. Avant de mourir, son mari avait exprimé le désir que ses cendres soient renvoyées en Russie. Depuis, sa veuve n'ose même pas en présenter la demande à l'ambassade d'URSS de peur que le FBI n'y voie quelque sombre machination. Voilà pourquoi, au lieu d'être répandues comme il le souhaitait à l'ombre des bouleaux de sa terre natale, les cendres d'Igor Orlov reposent toujours dans une urne, sur la cheminée de la jolie petite galerie d'art et d'encadrement qu'il avait fondée à Alexandria, en Virginie non loin de Washington, il y a maintenant près de trente ans.

TABLE

Achevé d'imprimer en septembre 1989
sur presse CAMERON,
dans les ateliers de la S. E. P. C.
à Saint-Amand-Montrond (Cher)

--N° d'édit. 2361. -- N° d'imp. 1428. --
Dépôt légal : septembre 1989
Imprimé en France